D0511240

BILL KNOX

Die Spur nach Teneriffa

A LEGACY FROM TENERIFE

Kriminalroman

Deutsche
Erstveröffentlichung

GOLDMANN VERLAG

Aus dem Englischen übertragen von
Friedrich A. Hofschuster

Made in Germany · 10/86 · 1. Auflage
© der Originalausgabe 1984 by Bill Knox
© der deutschsprachigen Ausgabe
1986 by Wilhelm Goldmann Verlag, München
Umschlagentwurf: Design Team München
Umschlagillustration: Design Team München
Satz: IBV Satz- und Datentechnik GmbH, Berlin
Druck: Elsnerdruck, Berlin
Krimi 5011
Lektorat: Werner Morawetz/Annemarie Bruhns
Herstellung: Sebastian Strohmaier
ISBN 3-442-05011-1

Die Hauptpersonen

Jonathan Gaunt	Ermittler beim Schottischen Schatzamt in Edinburgh
Harry Falconer	sein Vorgesetzter
Hannah North	Falconers Privatsekretärin
Peter Fraser	sein Erbe soll nach seinem Tod an die Krone fallen
Lorna Anderson aus Kanada	gibt sich als eine Verwandte Frasers aus und erhebt Anspruch auf dessen Erbe
Lorna Tabor, ebenfalls Kanadierin	eine weitere Verwandte, die nach Lorna Andersons Tod nunmehr das Erbe beansprucht
Paul Weber	ein etwas zwielichtiger Immobilienmakler auf Teneriffa
Milo Bajadas	seine rechte Hand
Tomas Reales	Barbesitzer in einem Dorf auf Teneriffa
Miguel Reales	sein Sohn

Der Roman spielt in Edinburgh und auf Teneriffa

›*Erbfähige und bewegliche Besitztümer fallen* bona vacantis *an die Krone, als* Ultimus Haeres *aus verschiedenen Ursachen. Dies schließt auch bewegliche Besitztümer von Ausländern in Schottland ein, die testamentlos gestorben sind.*‹

Das königliche Schatzamt

›*Wenn es niemandem gehört, dann gehört es uns.*‹
Ein ehemaliger Queen's and
Lord Treasurer's Remembrancer
bei einer Diskussion

Es war einer jener Februarabende, an denen jeder vernünftige Mensch sein Heim ohne zwingenden Grund nicht mehr verließ, sondern sich der Wärme und Geborgenheit seines Zuhauses erfreute. Edinburgh hatte nach dem Wochenende einen kalten, trüben Montag hinter sich, und mit Einbruch der frühen Winterdämmerung hatte es zu schneien begonnen.

Zwei Stunden danach, um 19.00 Uhr, lag der Schnee bereits an die zehn Zentimeter hoch, und in der schottischen Hauptstadt brach nahezu der gesamte Verkehr zusammen. Die Züge verkehrten nicht mehr von der Waverly Station, der Flughafen wurde geschlossen, und in allen Vororten waren die Omnibusse liegengeblieben und Personenwagen mitten auf der Straße stehengelassen worden. Ein junger Polizeibeamter in Corstorphine mußte die Rolle einer Hebamme übernehmen, als bei einer Frau in einem eingeschneiten Taxi die Wehen einsetzten. Nach der Geburt von Zwillingen fiel er in Ohnmacht. Zwei Mädchen gewannen eine Wette, indem sie, als Pinguine verkleidet, auf Skiern die Royal Mile hinunterfuhren. Ein fanatischer Terrorist, der bei einer politischen Tagung in der Usher Hall eine Bombe legen wollte, rutschte aus, stürzte zu Boden, sprengte sich selbst in die Luft und beschädigte dabei das Dach einer öffentlichen Bedürfnisanstalt. Die Tagung war übrigens schon vorher abgesagt worden.

Und über dem Chaos thronte das Edinburgh Castle als starre, gotische Silhouette von seinem märchenhaft weiß überzuckerten Felsen und ragte drohend über die Princes Street auf, wo sich nur noch vereinzelte Fahrzeuge von einer gelb blinkenden Verkehrsampel zur nächsten vorwärts kämpften.

Jonathan Gaunt berührte das alles nicht.

Er saß zu Hause in seiner Wohnung auf der Westseite der Stadt, war nach dem Arbeitstag im Schatzamt noch rechtzeitig hier angekommen, als die Straßen zwar matschig, aber noch befahrbar waren. Seine Pläne für den Abend kreisten um ein halbes Dutzend zerkratzter, aber noch spielbarer 78er Schellack-Jazzplatten, die fast alle schon vor seiner Geburt aufgenommen worden waren. Gaunt hatte sie in einem Trödelladen in der Nähe des Leith Walk entdeckt.

Wenn man originale Schellackplatten richtig würdigen wollte, dann spielte man sie mit einer frisch angespitzten Hartholznadel ab. Gaunt besaß einen kleinen Vorrat davon und einen dafür geeigneten Tonabnehmer, der in seinen modernen japanischen Plattenspieler paßte. Beim Abhören mußte man zwar ein paar Filter einschalten, doch das Ergebnis war gut. Jack Teagarden brachte seine Blues-Improvisationen mit einem erträglichen Minimum an Rauschen und Knacken zu Gehör und in ausreichender Lautstärke, um die etwas schäbige, aber bequeme kleine Zweizimmerwohnung mit Klang zu erfüllen.

Das Käseomelette, das sich Gaunt zubereitet hatte, war fertig. Er ließ es auf einen Teller gleiten, stellte die Pfanne in die Spüle, um sie später abzuwaschen, und trug den Teller von der Küche ins Wohnzimmer. In der Muscadet-Flasche war noch ein Rest Wein, und er schenkte ihn ein, setzte sich und begann zu essen.

Die Teagarden-Platte endete mit einem monotonen, pulsierenden Rauschen. Gaunt legte eine noch zerkratztere, aber seltene Earl-Hines-Platte auf, senkte den Tonabnehmerarm mit der Hand, wartete auf die ersten Töne und kehrte zu seinem Platz zurück. Dort lehnte er sich zurück, trank einen Schluck Wein, lauschte den Variationen des Jazzpianos und entspannte sich.

Jonathan Gaunt war ein stattlicher Mann, Anfang dreißig, stämmig gebaut, mit einem sommersprossigen, etwas grobknochigen Gesicht und stets unordentlichem blonden Haar. Er hatte schwer durchschaubare, graugrüne Augen, deren Ausdruck auf einen mitunter störrischen Charakter schließen ließ. Da er nicht die Absicht hatte, an diesem Abend noch irgendwo hinzugehen, trug er eine ausgebleichte Jeans und einen alten Pullover, der an einem Ellbogen ein Loch aufwies.

Er fühlte sich zufrieden – ein Gemütszustand, der bei ihm eher selten war. Doch es gab mehrere Gründe dafür.

In erster Linie das Wochenende, das heißt, daß er die Zeit mit Janey verbringen würde.

Janey war Ende zwanzig, hatte rabenschwarzes Haar und arbeitete als Krankenschwester in der chirurgischen Abteilung. Sie hatte dem Operationsteam eines Armeelazaretts angehört, in das er als Lieutenant Gaunt vom Fallschirmspringer-Regiment mit mehreren Wirbelbrüchen eingeliefert worden war, nachdem er den Absturz wegen eines sich nicht vollständig öffnenden Fallschirms glücklich überlebt hatte. Es hatte Monate gedauert, bis er sich wieder bewegen konnte, und dann waren noch einige Schicksalsschläge gefolgt. Patti, seine junge, blonde Frau, teilte ihm nach der Genesung mit, daß sie sich von ihm scheiden lassen wolle, und die Armee eröffnete ihm, daß er als körperlich untauglich entlassen werden müsse – wobei ihn diese Nachricht genau einen Tag nach den deprimierenden Formalitäten der Scheidungsverhandlung erreichte.

Aber Janey hatte den Kontakt mit Gaunt nicht abbrechen lassen. Genau ein Jahr später hatte sie vor seiner Tür gestanden, hatte ihre kleine Tasche mit den wichtigsten Utensilien in die Diele gestellt und erklärt, daß sie übers Wochenende bei ihm bleiben würde. Von nun an verbrachte sie gelegentlich die Wochenenden bei ihm.

Auch was die praktische Seite des Lebens betraf, hatte Jonathan Gaunt allen Grund zur Zufriedenheit. Er hatte sogar etwas Geld auf der hohen Kante, was selten genug vorkam. Immerhin, diesmal hatte sich seine Spekulation mit Aktien zum ersten Mal gelohnt, wodurch die Verluste der vergangenen sechs Monate weitgehend wettgemacht wurden. Daraufhin hatte er die gewinnbringenden Aktien verkauft, und seitdem wies sein Bankkonto, für ihn selbst kaum zu glauben, ein kleines Guthaben auf.

Doch die praktischen Dinge des Lebens rangierten bei ihm an zweiter Stelle. Wieder wanderten seine Gedanken zu Janey. Sie waren zwei ganz durchschnittliche Menschen, und Janey bedeutete für ihn mehr als eine gute Freundin; dennoch wollten beide nicht, daß daraus eine Bindung mit Verpflichtungen entstand. Es konnte sein, daß zwischen ihren Treffen Monate verstrichen – das war nun einmal Janeys Art.

Earl Hines klimperte sein rauhes, kratziges Finale. Gaunt trank den letzten Schluck Wein, dann warf er einen Blick auf die 78er Platte, die oben auf dem Stapel lag. Es war ein Bessie-Smith-Klassiker mit einem Columbia-Etikett, auf der einen Seite völlig zerkratzt und unbrauchbar, aber auf der anderen überraschend frisch und gut erhalten. Er brauchte ein paar Sekunden, um die Hartholznadel mit

Sandpapier zu schärfen, dann legte Gaunt die Platte auf den Teller und wollte vorsichtig den Tonarm senken.

In diesem Augenblick klingelte das Telefon. Gaunt fluchte leise, ging durchs Zimmer, nahm den Hörer ab und meldete sich.

»Jonathan?«

»Ja.« Er kannte die Stimme nur zu gut. Henry Falconer war der rangälteste Verwaltungsdirektor beim *Queen's and Lord Treasurer's Remembrancer*, und als Ermittler im Außendienst stand Gaunt mehrere Sprossen weiter unten auf der hierarchischen Leiter dieser Behörde. Er konnte Falconer gut leiden, doch wenn dieser ihn zu Hause anrief, bedeutete das selten eine gute Nachricht.

»Ich bin eingeschneit«, erklärte Falconer unglücklich. »Wie sieht's bei Ihnen aus?«

»Ich weiß nicht«, erwiderte Gaunt. »Vermutlich nicht so schlimm.« Er kannte Falconers Haus am Stadtrand, in der Nähe des Edinburgh-Zoos. Er kannte auch Falconers Frau, ein herrisches Geschöpf mit harten Zügen. Weniger gutgesonnene Bekannte behaupteten, daß Falconer nur deshalb so nahe beim Zoo wohnte, damit seine Frau dort öfters ihre ›Angehörigen‹ besuchen könne. »Warum – ist etwas geschehen?«

»Ja. Ich habe ein Problem.« Falconer seufzte. »Es muß etwas unternommen werden, und zwar jetzt gleich. Sie werden sich darum kümmern müssen.«

»Heute abend?« Gaunt zuckte beim Gedanken daran zusammen.

»Heute abend«, bestätigte Falconer. »Ich kann nicht weg. Und Sie sind näher –«

»Aber ich soll Sie morgen bei einer Sitzung in Amsterdam vertreten«, erinnerte ihn Gaunt mit Nachdruck.

»Vorausgesetzt, der Flughafen ist bis dahin wieder geöffnet, ja«, stimmte Falconer zu. »Jonathan, es dauert vermutlich höchstens eine Stunde und kommt der holländischen Sache nicht in die Quere. Außerdem wären die Akten ohnehin morgen auf Ihrem Schreibtisch gelandet.« Er brach ab, und seine Frau sagte etwas mit scharfer, schneidender Stimme im Hintergrund. Danach herrschte gedämpftes Schweigen, als ob Falconer die Hand auf die Sprechmuschel gelegt hätte, ehe er sich wieder meldete, wobei seine Stimme angestrengt und verschwörerisch leise klang. »Hören Sie, Jonathan, außerdem habe ich zur Zeit eine Menge häuslichen Ärger. Wenn Sie sich erinnern, wie es bei Ihnen –« Er brach wieder ab, räusperte sich. »Entschuldigen Sie. Das war nicht sehr taktvoll.«

»Machen Sie sich keine Gedanken«, erwiderte Gaunt trocken. »Was ist denn geschehen?«

»Hier?« Falconers Stimme klang überrascht.

»Nein«, entgegnete Gaunt geduldig. »Diese Sache, um die ich mich kümmern soll.«

»Ich habe für morgen einen Termin vereinbart mit einer Kanadierin, die sich hier in Edinburgh aufhält. Ich habe sie noch nicht kennengelernt, aber sie hat mit uns Kontakt aufgenommen.« Falconer ließ eine Pause entstehen und seufzte. »Eben wurde ich von der Polizei angerufen. Sie ist heute abend in ihrem Hotel ausgeraubt worden – die Details sind mir nicht bekannt. Aber sie scheint von der Vorstellung besessen zu sein, daß wir daran irgendwie beteiligt sind.«

»Ein guter Anfang.« Gaunt wußte, daß bei Falconer jeder Sarkasmus verschwendet war.

»Sie heißt Mrs. Lorna Anderson, ist eine Witwe aus Vancouver und wohnt im Carcroft Hotel«, sagte Falconer ärgerlich. »Diese Frau ist unangenehm, Jonathan. Beruhigen Sie sie, wie immer Sie es für richtig halten.«

Falconers Frau unterbrach ihn. Daraufhin trat wieder die gedämpfte Stille ein, sie währte diesmal jedoch länger.

»Wo war ich?« fragte Falconer nach einiger Zeit. »Ja, fahren Sie zu ihr und tun Sie, was Sie können. Ihr Hobby scheint die Ahnenforschung zu sein, und sie ist vor drei Wochen aus Kanada herübergekommen, um Nachforschungen über ihren Stammbaum anzustellen. Ihr Zweig der Familie hat Schottland vor Generationen verlassen, aber sie ist der festen Überzeugung, daß es zumindest noch einen Verwandten hier geben müsse.«

»Und?« Solche Geschichten hatte Gaunt schon öfters gehört.

»Sie hat ihn gefunden«, sagte Falconer mit bissigem Unterton. »Einen Mann namens Peter Fraser, der im vergangenen Jahr gestorben ist – wir haben seinen Besitz als *Ultimus Haeres* für die Krone übernommen.« Gaunt stieß einen leisen Pfiff aus. »Und jetzt stellt sie Anspruch darauf?«

»Ja. Vielleicht ein berechtigter Anspruch – das kann ich momentan nicht beurteilen.« Falconer drängte, um zum Schluß zu kommen. »Zeigen Sie ihr also, daß wir uns darum kümmern, betonen Sie, daß wir bereit sind, sie anzuhören – aber versprechen Sie ihr nichts.«

»Vorausgesetzt, ich erreiche sie an einem Abend wie dem heutigen«, wandte Gaunt ein.

»Ich brauchte vor allem einen Schlitten und ein paar Hunde, die ihn ziehen.«

»Dann geht es Ihnen nicht anders als mir«, brummte Falconer und legte auf.

Die Platte von Bessie Smith war zu Ende; die Nadel kratzte in der inneren Rille. Gaunt schaltete ab, trat dann ans Fenster und schaute hinaus. Es schneite noch immer heftig; die Straße lag verlassen in der Dunkelheit, und die wenigen geparkten Wagen hatten sich in weiße Hügel verwandelt, deren ursprüngliche Formen kaum noch unter dem Schnee zu erkennen waren.

Er zuckte mit den Schultern und ging dann ins Schlafzimmer, um sich umzuziehen.

Kurze Zeit kämpfte er sich durch den Schneesturm in Richtung Innenstadt.

Fahren. Endlich wieder einen Wagen lenken, der einem selbst gehörte, war eine Freude.

Den letzten hatte er verkauft, um sein Konto etwas auszugleichen und zu verhindern, daß der ohnehin sehr langmütige Zweigstellenleiter seiner Bank ernsthafte Schwierigkeiten machte. Dann waren noch einige Wochen verstrichen, bis die Aktienhausse sein Konto bereinigt hatte – wobei noch etwas Geld übriggeblieben war, um die Anzahlung für einen Gebrauchtwagen, ein günstiges Unfallfahrzeug, leisten zu können. Dem letzten Besitzer war wegen Trunkenheit am Steuer für längere Zeit der Führerschein abgenommen worden.

Bei dem Wagen handelte es sich um einen zweitürigen Ford Escort, die XR3-Ausführung mit elektronischer Benzineinspritzung von Bosch. Der Unfallschaden war von einem ehemaligen Kameraden behoben worden, einem Ex-Sergeant, der in einer der Seitenstraßen von Edinburgh eine Reparaturwerkstatt betrieb. Sie hatten gemeinsam den Motor eingestellt und die 1600-Kubikzentimeter-Maschine ein bißchen auffrisiert.

Danach war der XR3 in der Lage, von dreißig auf siebzig Stundenmeilen in der gestoppten Rekordzeit von weniger als acht Sekunden zu beschleunigen. Wenn man einen Wagen lieben konnte, dann mußte es einer wie dieser sein, fand Gaunt.

Aber an diesem Abend war es schwierig genug, überhaupt vorwärtszukommen, wobei die Scheibenwischer Mühe hatten, ein Stück der Windschutzscheibe freizubekommen, und die Reifen auf dem weichen, trügerischen Untergrund kaum noch griffen.

Eine halbe Meile von seiner Wohnung entfernt blockierte ein steckengebliebener Lastwagen die Straße. Gaunt versuchte eine Wende, machte einen Umweg und fluchte, als plötzlich zwei Fußgänger aus der weißen Milchsuppe auftauchten und blindlings auf ihn zutaumelten.

Bremsen half nichts. Gaunt sprach ein Stoßgebet für den eben erst erneuerten Lack des Fords, klammerte sich an das Lenkrad, schaltete vom dritten in den zweiten Gang und trat das Gaspedal durch. Die Reifen drehten durch, der Wagen schlingerte und bekam einen Stoß, als er den nicht zu erkennenden Randstein berührte. Schnee wirbelte auf, der Wagen schlitterte um Haaresbreite an einem Laternenpfosten vorbei, und Gaunt sah die beiden Fußgänger noch für Sekunden im Rückspiegel, wie sie weitertaumelten, als wenn nichts gewesen wäre.

Als er endlich die Princes Street erreicht hatte, waren dort schon Schneepflüge und Streufahrzeuge im Einsatz. Gaunt folgte ihren Spuren, bog rechts ab und erreichte die Rose Street. Dann, nach einem weiteren schwierigen Abbiegemanöver, rutschte er eine Anhöhe hinunter und kam genau dem Carcroft Hotel zum Stehen. Er ließ den Wagen in der Auffahrt und eilte hinein in den Schutz des Foyers.

Das Carcroft war keines der exklusiven Hotels, sondern für eine bescheidenere Kategorie von Touristen bestimmt. Der Teppich im Foyer war abgetreten, die Dekoration bestand teils aus Touristik-Plakaten, teils aus Vitrinen mit Souvenirs, und über der Rezeption hing ein mottenzerfressener Hirschkopf, dem ein Glasauge fehlte.

Gaunt sah sich selbst in einem Spiegel. Er trug eine schwarze Lederjacke über einem braunen Tweedanzug und einem weißen Hemd mit offenem Kragen. Im Haar und auf den Schultern glitzerte Schnee. Vielleicht hätte er sich doch eine Krawatte umbinden sollen, dachte er. Aber wenigstens hatte er es geschafft und war ohne Unfall hier angekommen.

»Ich möchte Mrs. Anderson sprechen«, erklärte er dem rothaarigen Mädchen am Empfang. »Sie erwartet mich.«

»Ja... Einen Augenblick.« Das Mädchen zögerte und schaute an ihm vorbei, machte dabei eine rasche, auffordernde Geste. Ein großer Mann in mittleren Jahren, mit einem Pferdegesicht, unterbrach die Besichtigung einer Souvenir-Vitrine und kam auf ihn zu.

»Sie wollen Mrs. Anderson sprechen?« fragte er mit gelangweilt klingender Stimme.

Gaunt nickte.

»Können Sie sich ausweisen?«

»Ja«, erwiderte Gaunt kühl. »Und Sie?«

»Polizei.« Gaunt wurde kurz ein Dienstausweis hingehalten. »Detective Sergeant Angus.«

»Büro des Remembrancers«, sagte Gaunt und zeigte seinen in Plastik eingeschweißten Dienstausweis. »Danke, Sergeant.«

»Nur eine Vorsichtsmaßnahme«, erklärte der Polizeibeamte. »Ihr Chef will kein Aufsehen, und hier im Hotel unterstützt man diesen Wunsch.« Er deutete auf den Lift. »Ich begleite Sie nach oben.«

Gaunt folgte ihm in den altmodischen Lift: ein schmiedeeiserner Käfig in einem offenen Schacht. Die Tür schnappte dröhnend ein, dann zitterte die Kabine zwei Stockwerke nach oben. Als sie anhielt, drückte Sergeant Angus die Tür auf und ging dann über einen schlecht beleuchteten Korridor voraus. Er blieb vor einer der Türen stehen, klopfte kurz an, und die Tür wurde geöffnet. Ein jüngerer Mann schaute heraus, nickte grüßend und trat zurück, um die beiden Männer eintreten zu lassen.

»Detective Constable Dunn«, machte Angus bekannt und deutete mit dem Daumen auf ihn. »Sonst ist niemand hier.«

In dem Zimmer herrschte ein Chaos, geleerte Schubladen und durcheinandergeworfene Kleidungsstücke; die Laken waren vom Bett gezerrt, die Matratze herausgerissen.

Gaunt drehte sich um, als er hörte, wie hinter ihm die Tür geschlossen wurde. »Wo ist Mrs. Anderson?«

Die beiden Polizeibeamten tauschten einen Blick. Sergeant Angus machte die Andeutung eines Schulterzuckens.

»Was soll das bedeuten?« fragte Gaunt erstaunt.

»Sie ist sozusagen in unseren Armen zusammengebrochen«, erklärte Angus und ließ erkennen, daß ihm die Angelegenheit äußerst peinlich war. »Wir waren gerade soweit, eine Erklärung von ihr zu bekommen, als sie einfach umgekippt ist.«

»Einfach so«, sagte der jüngere Polizeibeamte lakonisch und schnippte dazu mit den Fingern. »Als ob bei ihr 'ne Sicherung durchgebrannt wäre.«

»Ich verstehe.« Gaunt kaute an der Unterlippe. »Wo ist sie jetzt?«

»Im Krankenhaus«, antwortete Angus. »Hier im Hotel ist zufällig ein australischer Arzt abgestiegen. Er hat sie kurz untersucht, dann meinte er, das sei so etwas wie ein Herzanfall, und wir haben den Krankenwagen gerufen.«

»Eine meiner Tanten ist genauso gestorben«, murmelte Dunn betrübt. »Es passierte während einer Hochzeit – zuviel Aufregung.«

»Gefährliche Angelegenheit, das Heiraten«, meinte Angus sarkastisch. Dann wandte er sich wieder an Gaunt. »Mrs. Anderson befindet sich auf der Intensivstation im Royal Infirmary. Ich habe vor ein paar Minuten dort angerufen – sie ist immer noch bewußtlos, aber es scheint, als ob sie durchkommt.«

»Wann ist es passiert?« fragte Gaunt.

»Ungefähr vor einer halben Stunde.« Angus zuckte mit den Schultern. »Ich habe Ihren Chef angerufen und es ihm berichtet.«

»Da war ich schon unterwegs.« Die Hände in den Taschen seiner Lederjacke vergraben, blieb Gaunt ein paar Augenblicke lang schweigend stehen und schaute sich in dem verwüsteten Raum um. »Und was hat dieses Durcheinander zu bedeuten?«

»Ich glaube kaum, daß man den Zimmerservice dafür verantwortlich machen kann.« Angus zeigte ein humorloses Grinsen. Er hatte große, gelbe Zähne, die sein pferdeähnliches Aussehen noch unterstrichen. »Ein klarer, eindeutiger Hotel-Einbruchdiebstahl. Ein Verbrechen, das immer häufiger vorkommt – und dieses Hotel ist geradezu dafür geschaffen.«

»Weshalb?«

»Die meisten der Gäste sind Touristen. Sie reisen nach ein paar Tagen wieder ab, und andere ziehen ein. Touristen sind meistens unterwegs, also sind die Zimmer tagsüber nicht besetzt. Und bei den vielen Leuten kann praktisch jeder ein und aus gehen, ohne aufzufallen.«

Gaunt nickte. Es hörte sich einleuchtend an.

»Wer hat das hier entdeckt?«

»Sie selbst – Mrs. Anderson.« Angus, der sich jetzt auf seinem sicheren Grund bewegte, lehnte sich gegen die Wand und wirkte deutlich erleichtert. »Sie hat uns gesagt, daß sie fast den ganzen Nachmittag unterwegs war, um das eine oder andere zu erledigen. Als es zu schneien begann, wurde sie dadurch aufgehalten und kam erst nach sechs zurück, später als geplant. Sie hatte das Zimmer abgeschlossen, und die Tür war auch noch verschlossen, als sie zurückkam.« Er ließ eine Pause entstehen und deutete dann mit düsterem Blick und abgewinkeltem Daumen auf die Tür. »Verschlossen, na ja. Wenn man das Schloß nur anpustet, geht es auf. Ein geübter Einbrecher braucht höchstens fünf Minuten, dann ist er schon wieder draußen.«

»Immerhin, er hat gründlich genug gearbeitet.« Gaunt ging in dem Zimmer auf und ab und fühlte Zorn über den Vandalismus in sich aufsteigen, der hier verübt worden war. Die Unterwäsche aus einer der Schubladen lag auf dem Boden. Einen Koffer, der verschlossen gewesen war, hatte der Täter einfach aufgeschlitzt und den Inhalt auf dem Boden verstreut. Nicht einmal die Utensilien eines Make-up-Koffers waren der Verwüstung entgangen, und dabei war eine Flasche Nagellack zerbrochen, inzwischen zu einem blutroten Fleck auf einer weißen Seidenbluse erstarrt. »Und was hat er mitgenommen?«

»Er – oder sie«, knurrte Angus. »Manchmal arbeiten sie paarweise.« Er kratzte sich am Kinn. »Ein bißchen Modeschmuck und ihre Kamera – sie glaubt, daß das alles ist. Kennen Sie Lorna Anderson?«

Gaunt schüttelte verneinend den Kopf.

»Sie ist Mitte Sechzig –«

»Dreiundsechzig«, murmelte Dunn.

»Meinetwegen, dreiundsechzig«, knurrte Angus. »Eine schlaue, kleine Frau, vielleicht ein bißchen schrullig – aber die läßt sich bestimmt nicht für dumm verkaufen. Äh – wissen Sie Bescheid über den lange verschollen geglaubten Verwandten?«

»Der angeblich tot ist?« Gaunt nickte.

»Von dem hat sie uns auch erzählt.« Angus gestattete sich ein Lächeln und schaute Gaunt dabei verschmitzt an. »Sie hat auch erklärt, das Remembrancer's Department sei eine gesetzlose Bande von diebischen Aasgeiern – und damit drücke ich es schon vornehmer aus als sie.« Er zog ein Päckchen Zigaretten aus der Tasche und steckte sich eine davon zwischen die Lippen, zündete sie aber nicht an. »Jedenfalls war sie schlau, oder sie hat Glück gehabt, vielleicht beides. Sie hat eine verdammt große Umhängetasche bei sich gehabt, und darin trug sie alles bei sich, was wichtig und wertvoll ist.«

Gaunt stand am Fenster. Er schaute hinaus, sein Blick fiel aber nur auf den Hinterhof des Hotels, die dunkle Silhouette anderer Häuser und die Schneemassen. Er fragte sich, wie sich eine einsame, ältere Frau fühlen mußte, die aus Kanada herübergekommen war und dann dieses Chaos in ihrem Hotelzimmer vorfand. Und wieder merkte er, daß der Zorn in ihm hochstieg.

»Wo ist ihre Umhängetasche jetzt?« fragte er und drehte sich um.

»Hier.« Angus ging zu seinem Kollegen hinüber. »Dunn, wie wär's, wenn du dich mal nützlich machst? Ich brauche einen Schluck Kaffee – den gibt's hier sicher irgendwo.«

Dunn nickte und ließ sie allein. Als sich die Tür hinter dem Detective Constable geschlossen hatte, ließ sich Angus sehr viel Zeit, suchte nach einem Streichholz und zündete sich schließlich die Zigarette an.

»Wenn mir nach einem Privatgespräch ist, dann muß es auch wirklich unter vier Augen stattfinden«, sagte er nachdrücklich. »Wie – na ja, wie eben jetzt, Mr. Gaunt. Das hier ist zwar ein gewöhnlicher Hoteldiebstahl, aber Mrs. Anderson hat ein paar Andeutungen gemacht über gewisse Dokumente und über Ihre Behörde –«

»Montags nie«, sagte Gaunt trocken. »Unser Tag für Einbrüche und Diebstähle ist der Mittwoch. Oder haben Sie ihr etwa geglaubt?«

»Wenn ich so etwas höre, glaube ich zumindest daran, daß es Ärger geben kann«, erwiderte Angus und seufzte. »Deshalb habe ich meinen Chef benachrichtigt. Und er hatte das gleiche Gefühl wie ich. Deshalb hat er mir die Privatnummer Ihres Chefs gegeben und mir gesagt, ich soll ihn informieren.«

»Und damit war ich an der Reihe.«

Gaunt schaute sich wieder um. »Wie sieht es in den anderen Zimmern aus?«

»Alles unberührt.« Angus konnte keinen Aschenbecher finden und benützte eine Blumenvase als Ersatz. »Bei der Aufnahme im Krankenhaus hat man mich nach Angehörigen gefragt. Wissen Sie –«

»Tut mir leid.« Gaunt schüttelte den Kopf. »Vielleicht sehen Sie mal in der Umhängetasche nach.«

»Daran habe ich auch schon gedacht.« Angus schien sich über den Vorschlag zu freuen. »Der australische Doktor hat sowieso schon drin herumgekramt, um zu sehen, ob sie irgendwelche Medikamente nimmt.« Er ging zur Garderobe, langte auf die oberste Ablage und holte einen großen, altmodischen Umhängebeutel aus verwittertem Rindsleder herunter. »Aber wenn sie das erfährt, macht sie uns die Hölle heiß.«

Der Beutel hatte einen einfachen Messingverschluß. Angus öffnete ihn, dann zog er die Augenbrauen hoch und starrte auf das Durcheinander in der Tasche.

»Weiber!« sagte er sehr betont.

Sie machten einen Teil der Frisierkommode frei, dann schüttete Angus den Beutel aus, und sein Inhalt ergoß sich auf die polierte Platte. Seufzend gab der Sergeant dann den Beutel an Gaunt weiter und begann die Utensilien zu sortieren. Gaunt schaute sich den Beutel genauer an. Er hatte innen zwei Reißverschlußtaschen. In der einen fand er eine Geldbörse mit etwas Kleingeld und einen Lippenstift, in der anderen ein dünnes Reisescheckheft, ein Flugticket und einen kanadischen Reisepaß.

Angus murmelte leise vor sich hin, während er weiter den Tascheninhalt sortierte. Gaunt schlug den Paß auf und betrachtete das Foto von Lorna Anderson. Es zeigte eine Frau mit gut geschnittenem und frisiertem grauen Haar, einem schmalen, faltigen, aber möglicherweise in natura fröhlichen Gesicht und intelligenten Augen. Sie machte genau den Eindruck, wie Angus sie beschrieben hatte: Eine Frau, die sich bestimmt nicht für dumm verkaufen ließ.

Er klappte den Reisepaß zu. Angus war noch mit dem Inhalt der Umhängetasche beschäftigt und schob gerade zwei Brillenetuis und eine kleine Verbandschachtel auf einen Haufen zu einer Schmuckschatulle, die mit Wildleder bezogen war, einem Schlüsselbund und drei verschiedenfarbigen Kopftüchern.

»Sehen Sie sich das an.« Angus nahm eine kleine, in Schottenkaros gekleidete Souvenirpuppe und hielt sie in die Höhe. Dazu schüttelte er den Kopf. »Ein Glück, daß Männer nur Hosentaschen haben.«

»Und meistens auch noch mit Löchern drin«, fügte Gaunt hinzu und schien mit den Gedanken woanders zu sein.

Er wandte sich den anderen Gegenständen zu, die Angus auf die Seite geschoben hatte. Ein Notizbuch, zwei dicke Briefumschläge und ein paar alte, verblichene Fotografien in einem Plastikumschlag, das alles zusammengehalten von einem dicken Gummiband. Ein weiterer, aber kleinerer Briefumschlag war mit einem Siegel verschlossen. Gaunt nahm ihn in die Hand und betrachtete ihn genauer. Auf der Vorderseite stand in einer kleinen, sehr präzisen Handschrift die Anweisung: ›Nur nach meinem Tode zu öffnen. Letztwillige Verfügung und Testament von Lorna Anderson.‹

»Das sollten wir sorgfältig aufheben.« Er schob das versiegelte Testament zu Angus hinüber, dann nahm er das Bündel und entfernte das Gummiband. »Ich schau mir das hier mal an.«

Die beiden großen Umschläge waren nicht versiegelt. Beide schienen Sammlungen vergilbter Dokumente und irgendwelche Papiere zu enthalten. Gaunt entschloß sich, die Umschläge nicht zu öffnen, warf kurz einen Blick auf die Fotos, alles ausgebleichte Familien-Schnappschüsse, dann schaute er sich das Notizbuch an. Es hatte einen Spiralrücken, und die Papierreste deuteten an, daß viele Seiten herausgerissen worden waren. Die übriggebliebenen waren alle leer.

Aber auf der Innenseite des Umschlags entdeckte er etwas. Er ging näher ans Licht heran. Eine deutlich eingekreiste Schrift mit einem Rufzeichen darüber.

»Was gefunden?« Angus trat zu ihm.

»Vielleicht.« Gaunt legte die Stirn in Falten und betrachtete die Schrift innerhalb des Kreises. »Da steht ›Lorna Zwei‹ – und die Zahlen könnten eine Telefonnummer sein.«

»Kann mir nicht vorstellen, was das für ein Buchstabencode sein sollte.« Angus zuckte mit den Schultern. »Aber wir können es ja mal überprüfen.« Er deutete auf die beiden dicken Briefumschläge und streute dabei unachtsam Asche auf den Teppich. »Was ist das?«

»Sie war wohl dabei, eine Art Krieg zu führen«, sagte Gaunt schlicht. »Und das sieht aus wie ihre Munition. Wenn Sie sie nicht brauchen, schlage ich vor, wir rühren sie nicht an.«

Angus nickte. »Stimmt, wir haben schon genug Probleme – und noch mehr, wenn sie nicht durchkommt.«

Der Rest war schnell durchgesehen. Ein kleines, leinengebundenes Adreßbuch; die Eintragungen betrafen nur kanadische Adressen. Angus blätterte es durch und stieß ein zufriedenes Brummen aus.

»So oder so, wir kriegen eins aufs Dach«, erklärte er dann. »Ich gebe Ihrem Büro Bescheid – und wir halten Kontakt mit dem Krankenhaus.«

Gaunt nickte und warf einen Blick auf seine Armbanduhr. »Jetzt werde ich erst mal versuchen, wieder nach Hause zu kommen.«

»Ich begleite Sie hinunter«, meinte Angus und fügte hinzu: »Mal sehen, wo sich dieser idiotische Dunn versteckt hat.«

Sie schlossen die Tür hinter sich ab und fuhren mit dem knarrenden und quietschenden Lift hinunter in die Hotelhalle. Angus ging mit Gaunt zum Haupteingang, blieb dann stehen.

»Ich muß Sie noch etwas fragen«, sagte er zögernd, und es war ihm offensichtlich sehr peinlich. »Gibt es etwas – ich meine, wissen Sie noch etwas über Mrs. Anderson, was für mich wichtig ist?« Er rieb sich das Kinn und zwang sich zu einem Lächeln. »Ich meine, ich habe gehört, daß ihr vom Remembrancer's eine ziemlich gut informierte Abteilung seid.«

»Es gibt nichts Besonderes«, versicherte ihm Gaunt. »Und Sie irren auch, was Ihre Ansicht über das Büro des Remembrancer's betrifft, Sergeant. Wir sind ganz gewöhnliche Leute. Verrückt ist allerdings das, was manchmal auf unseren Schreibtischen landet.«

Sie gingen hinaus auf die Straße. Der Schneesturm hatte sich zu einem leichten Schneetreiben beruhigt, und während Gaunt sich im Hotel aufgehalten hatte, waren auch die Fahrbahnen gestreut worden. Er säuberte die Fenster seines Wagens vom Schnee, wollte die Tür öffnen und sah, daß Angus irgendwie unzufrieden wirkte.

»Haben Sie noch etwas auf dem Herzen, Sergeant?« fragte er.

»Ich weiß nicht«, erwiderte Angus langsam. »Vielleicht ist es nur die Art und Weise, wie das Zimmer verwüstet worden ist – als ob da jemand mit ganz bestimmtem Ziel gesucht hätte.« Er schniefte angewidert. »Der Teufel soll dieses Wetter holen. Es macht mich ganz krank.«

Dann ging er zurück zum Hoteleingang, und Gaunt stieg in den Ford. Als sich der Wagen in Bewegung setzte, winkte Angus kurz und verschwand in der Halle.

Die Straßen waren immer noch schwierig zu befahren, und Gaunt kam nur langsam voran in Richtung auf die Princes Street. Er sah, daß ein Taxi gegen das Geländer auf der Parkseite gerutscht war, aber daneben stand bereits ein Rettungswagen, und ein Polizist winkte ihn weiter. Gaunt folgte der Aufforderung, fuhr vorsichtig und gefühlvoll und hielt sich an die alte Faustregel beim Autofahren unter winterlichen Bedingungen, die man ihm bei der Armee beigebracht hatte: ›Laß die Blicke auf der Straße und den Huf von der Bremse.‹ Er schaltete das Autoradio ein und fand ein Musikprogramm.

Auf der Heimfahrt kam er in der Nähe der Royal Infirmary, des Königlichen Hauptkrankenhauses von Edinburgh, vorbei. Er warf einen kurzen Blick auf das riesige Gebäude und dachte an Lorna Anderson. Ihr Leben stand vermutlich noch immer auf der Kippe, und der Dieb, der ihr Zimmer verwüstet hatte, war dafür genauso verantwortlich, als wenn er sie körperlich angegriffen hätte. Nur, daß das Gericht es sicherlich nicht so sehen würde…

Er erreichte eine noch ungeräumte, ungestreute Straße, und die Reifen des Fords hatten größte Mühe, auf der rutschigen Unterlage zu greifen. Im Rückspiegel sah Gaunt einen weiteren Wagen, der ebenso in Schwierigkeiten geraten war wie der seine und dessen hin und her huschende Scheinwerfer erkennen ließen, daß er mehrmals nach den Seiten ausbrach.

Dann ging es einen Hügel hinauf. Gaunt gab ein bißchen mehr

Gas, hörte, wie der Motor reagierte, und widerstand der Versuchung, noch weiter zu beschleunigen. Auf einem verlassenen Grundstück hatten Kinder einen Schneemann gebaut. Er trug einen alten Hut und einen Schal aus Sackleinen, und Gaunt mußte grinsen, als er vorbeifuhr. Das betrübte Gesicht des Schneemanns erinnerte ihn an Sergeant Angus, der verwirrt und besorgt war, weil er durch diesen Fall mit der Behörde des Remembrancers in Berührung gekommen war.

Gaunt konnte das gut verstehen. Auch er war zunächst völlig ahnungslos gewesen, welche Aufgaben sich ihm bei dieser Behörde stellen würden; er hatte den Job angenommen und war froh gewesen, überhaupt eine passable Arbeit zu finden. Oberflächlich betrachtet, stellte das Büro des *Queen's und Lord Treasurer's Remembrancers* einen totalen Anachronismus dar, eine Institution, die nur durch Zufall die Jahrhunderte überdauert haben konnte.

Die ersten Remembrancers hatten ihr Amt schon im Mittelalter ausgeübt, waren eng vertraute Diener der frühen schottischen Könige und Königinnen gewesen, hatten sie auf Schritt und Tritt begleitet und tatsächlich an alles ›erinnert‹, was getan werden mußte; außerdem waren sie vermutlich in der Lage gewesen, zu lesen und zu schreiben.

Aber Gaunt hatte bald herausgefunden, daß der Remembrancer von heute ein hoher und wichtiger Staatsdiener war, der Leiter eines Amtes mit den Verpflichtungen des Computerzeitalters, die sich wie ein dünnes, unsichtbares Netz über viele Bereiche von Wirtschaft und Politik ausbreiteten. Die Remembrancer hatten die Strömungen der Zeiten, die Kriege, die Umorganisationen, die Beschränkungen durch viele Generationen hindurch überstanden, hatten neue Aufgaben übernommen, neue Bedeutungen entwickelt und sich der ungewöhnlichsten und ausgefallensten Probleme angenommen.

Daraus war eine bemerkenswerte Liste von Aufgaben entstanden.

Sie erstreckten sich vom Mitspracherecht bei der Entscheidung der Erbschaftsgerichte bis zur Kontrolle der Beamten im Hinblick auf ihre Steuerrückerstattungen. Da es manchmal auch mit Angelegenheiten der Landesverteidigung befaßt war, entwickelte das Büro des Remembrancers etwas, was man vage als ›staatlichen Nachrichtendienst‹ bezeichnen konnte. Abgesehen davon sicherte der Remembrancer die schottischen Kronjuwelen, wurde bei Schatzfunden hinzugezogen, überwachte die Eintragungen und Löschungen von Handelsgesellschaften – dies alles und noch vieles mehr.

Das Amt kümmerte sich zum Beispiel auch, wie Lorna Anderson herausgefunden hatte, um den Vollzug des *Ultimus-Haeres*-Gesetzes, welches bestimmte, daß der gesamte Besitz eines jeden – und das galt auch für Ausländer –, der in Schottland ohne Testament und ohne Erben verstarb, automatisch an die Krone fiel.

Und kein Anwalt dieser Erde konnte dagegen etwas ausrichten.

Weit vor ihm war schwach eine Verkehrsampel zu sehen, die auf Rot zeigte. Gaunt ließ den Ford ausrollen und schaute kurz in den Rückspiegel. Hinter ihm war nur ein Fahrzeug zu erkennen, in einigem Abstand – nicht mehr als zwei Lichtpunkte, die zwischendurch von Schneeböen verschleiert waren.

Gaunt erreichte die Verkehrsampel, hielt an, schaute noch einmal nach hinten und zog dann die Stirn in Falten. Der andere Wagen war in einigem Abstand hinter ihm stehengeblieben, und die Scheinwerfer kamen Gaunt irgendwie bekannt vor: einer heller als der andere, als ob eine Glühbirne neu und die andere fast ausgebrannt wäre.

Er erinnerte sich. Es war vermutlich derselbe Wagen, der hinter ihm ins Schlingern gekommen war.

Die Ampel wechselte auf Grün. Gaunt setzte den Ford vorsichtig in Bewegung, aber jetzt war seine Neugier erwacht, und er beobachtete den anderen Wagen aufmerksamer durch den Rückspiegel.

Der Wagen hinter ihm fuhr ebenfalls an und behielt dieselbe Distanz bei.

Kurz darauf näherte sich Gaunt einer Kreuzung, wobei die Hauptstraße nach rechts abzweigte, während die Straße geradeaus nur auf einen Rundkurs um mehrere Bürohäuser führte, bis sie wieder in die Hauptstraße einmündete. Aus dem Radio klang leise Musik, und Gaunt schaltete es aus. Dann, als er die Kreuzung erreicht hatte, fuhr Gaunt ohne zu beschleunigen geradeaus weiter.

Der Wagen hinter ihm folgte weiter im gleichen Abstand und war auch noch hinter ihm, als Gaunt wieder in die Hauptstraße einbog.

Aber warum wurde er verfolgt? Gaunt trommelte mit den Fingerspitzen auf das Lenkrad, und ein Teil seiner Aufmerksamkeit galt dem Lenken des Wagens auf der rutschigen, verschneiten Straße, dann der Frage, wie er herausfinden konnte, was da vor sich ging. Dann sah er einen Schneepflug entgegenkommen, gefolgt von einem langen, sich nur zögernd vorwärtsbewegenden Konvoi von Scheinwerfern.

Der andere Wagen war hinter ihm, hielt noch immer dieselbe Distanz, und der Schneepflug näherte sich rasch.

Gaunt schaltete herunter, trat voll aufs Gaspedal und ließ den Ford einen Satz nach vorn machen.

Der Schneepflug näherte sich. Gaunt sah das erschrockene Gesicht des Fahrers, als das Licht des Fords die Fahrerkabine streifte, sah, wie die Lippen des Mannes einen Fluch formten. Dann hatte sein Wagen die Schneemauer, die der Pflug beiseite schob, durchbrochen und schlitterte weiter, vorbei an der Kolonne von Fahrzeugen.

Gaunt sah eine schmale Gasse auf der rechten Seite. Er bremste, rutschte, legte den Rückwärtsgang ein und fuhr mit dem Heck voran in den tiefen, weichen Schnee. Nach ein paar Metern blieb er stehen, schaltete die Scheinwerfer aus und wartete.

Der andere Wagen tauchte wenige Sekunden später auf und hatte offensichtlich Mühe, sich auf der ungeräumten Straßenseite bei den vielen entgegenkommenden Fahrzeugen einen Weg zu bahnen. Er kam an der Gasse vorüber: ein großer, im Licht der Straßenlaternen erkennbarer dunkelroter Peugeot-Kombi. Zwei Männer saßen darin. Die Kennzeichenschilder waren zugeschneit.

Lächelnd legte Gaunt den ersten Gang ein, lockerte die Handbremse und machte sich bereit, die Rolle des Verfolgten mit der des Verfolgers zu tauschen. Die kleinen Räder drehten durch, und der Wagen rührte sich nicht von der Stelle. Gaunt versuchte es noch einmal, und der Motor starb ab.

Er steckte fest. Stieg aus, sank bis an die Knie in weichen Schnee und erkannte, daß es aussichtslos war.

Nachdem er fünfzehn Minuten lang mit den Händen geschaufelt hatte, kam der Ford frei. Verschwitzt und unterkühlt zugleich fuhr Gaunt den Rest der Strecke mit voll aufgedrehter Heizung, und seine Hosenbeine begannen buchstäblich zu dampfen.

Warum hatte der Peugeot ihn verfolgt? Hatte er seine Spur schon beim Hotel aufgenommen oder erst später? Eine mysteriöse Sache – nur eines stand fest: daß sie stattgefunden hatte und daß die beiden Männer in dem Kombi Realität waren.

Es war morgens um 6.30 Uhr und noch dunkel draußen, als der Radiowecker neben dem Bett zu spielen begann. Gaunt hatte eine zweite Schaltuhr mit der Kaffeemaschine verbunden, und nachdem er geduscht, sich rasiert und angezogen hatte, stand der Kaffee schon zum Einschenken bereit.

Er ging ans Telefon, wählte die Nummer des Hauptkrankenhauses und erreichte die Auskunft.

»Bei Ihnen ist gestern abend ein Notfall eingeliefert worden – eine Mrs. Lorna Anderson«, sagte er zur Telefonistin. »Wie geht es ihr?«

Er mußte warten. Dann meldete sich die Telefonistin wieder. »Es tut mir leid.« Ihre Stimme drückte jetzt das Mitleid aus, über das Krankenhausangestellte von Berufs wegen verfügen. »Mrs. Anderson hat das Bewußtsein nicht mehr erlangt. Sie ist kurz nach Mitternacht gestorben.«

Gaunt dankte ihr für die Auskunft und legte auf. Dann schenkte er den Kaffee in einen großen Keramikbecher, ohne Milch oder Zucker, und ging damit hinüber zum Fenster. Es hatte aufgehört zu schneien, und die ersten grauen Streifen des Tageslichts deuteten darauf hin, daß der Himmel klar geworden war.

Also hatte Lorna Anderson es doch nicht geschafft!

Er fragte sich, was Henry Falconer sagen würde, wenn er es erfuhr, und erinnerte sich an Falconers kommentarlose Bemerkung, daß die Fraser-Akte ohnehin auf seinem Schreibtisch landen würde. Vielleicht hatte Falconer eine Erklärung für die zwei Männer im Peugeot.

Danach telefonierte er mit der Informationsstelle des Flughafens. Er war wieder geöffnet, und die Maschinen starteten mehr oder weniger pünktlich, aber die Fahrt von der Stadt zum Flughafen war immer noch schwierig, wie man ihm zugleich mitteilte.

Gaunt trank den Kaffee aus, nahm dann seinen Mantel und die schwarze Aktenmappe mit den Unterlagen seiner Dienststelle, die er für Amsterdam brauchte, und ging hinaus. Als er unten auf der

Straße war, stellte er fest, daß der Schnee an den Fenstern und auf dem Dach seines Wagens angefroren war. Dennoch sprang der Motor sofort an.

Die Fahrt zum Flughafen verlief nicht allzu problematisch, obwohl unterwegs Abschleppwagen damit beschäftigt waren, liegengebliebene Fahrzeuge aus dem Straßengraben zu ziehen, und viele Wagen noch dort standen, wo sie steckengeblieben und von ihren Fahrern verlassen worden waren. Gaunt kam rechtzeitig vor dem Aufruf des Fluges nach Amsterdam an, kaufte sich zwei Tageszeitungen und schaute sie durch.

Nirgends eine Meldung über Lorna Anderson. Gaunt hatte allerdings auch nicht damit gerechnet.

Der Tag in Amsterdam war unangenehm und lästig, und die Besprechung dauerte bis zum frühen Abend: ein wenig erfreuliches Gezänk mit zwei niederländischen Regierungsbeamtinnen, die eine Rechtsanwältin, die andere Wirtschaftsprüferin. Dabei ging es um die Frage, was mit dem Vermögen eines niederländischen Staatsbürgers geschehen sollte, der wegen Verstoßes gegen die Rauschgiftgesetze die nächsten Jahre in einem schottischen Gefängnis verbringen mußte.

Die niederländischen Beamtinnen versuchten von Anfang an, Gaunt mit allen zur Verfügung stehenden Mitteln matt zu setzen. Am Schluß stimmten die Holländerinnen dem zu, was sie einen Kompromiß nannten und was im Grunde nichts anderes als Gaunts Niederlage bedeutete. Nachdem sie das erreicht hatten, vergaßen sie ihre sture Borniertheit, und auch ihr Englisch verbesserte sich in geradezu wundersamer Weise. Die beiden Frauen luden Gaunt zum Abendessen ein und bewiesen ihm, daß sie über eine erstaunliche Aufnahmefähigkeit für gut gezapftes Faßbier verfügten.

Sein Rückflug erfolgte mit Verspätung; die Maschine traf erst kurz vor Mitternacht in Edinburgh ein. Gegen ein Uhr morgens war er dann endlich zu Hause. Inzwischen hatte sein Rücken zu schmerzen begonnen, ein Zeichen seiner Müdigkeit und Erschöpfung, und Gaunt schluckte zwei von den Schmerztabletten, die ihm sein Arzt verschrieben hatte.

Nachdem er endlich eingeschlafen war, überfielen ihn wieder die alten, vertrauten Alpträume. Er stürzte durch den endlosen Raum; sein Fallschirm hatte sich nur teilweise geöffnet. Es war ein Alptraum, der wie immer ganz kurz vor dem in der Erinnerung noch sehr realen Aufprall endete, und Gaunt fuhr ruckartig hoch, zitternd und schwitzend am ganzen Körper. Schließlich döste er wieder ein. Es war schon spät, als er erwachte; mit Tagesanbruch hatte Tauwetter eingesetzt, das den Schnee rasch in Matsch verwandelte. Gaunt erreichte das Schatzamt in der George Street gegen zehn Uhr vormittags; inzwischen glichen die Rinnsteine reißenden Gießbächen, und die Straßen und Gehsteige bedeckte bräunlicher, rutschiger Matsch. Nur die Dächer waren noch weiß.

Die Abteilung des Remembrancers, wo Gaunts Büro lag, befand sich im zweiten Stock des Gebäudes. Eines der Mädchen vom Zentralbüro, eine Blondine, die der Meinung war, daß ein unverheirateter Mann die Vergeudung wertvoller Gottesgaben verkörperte, brachte ihm Kaffee und ein Stück Kuchen, kaum daß er sein Büro betreten hatte. Sie blieb ein paar Minuten und fragte nach seinem Aufenthalt in Amsterdam.

Gaunt schönte ein wenig, um ihr den Tag nicht zu vermiesen. Dann, als sie gegangen war, bemerkte er, daß vor seinem Telefon ein Zettel lag. Falconer wollte ihn sprechen.

Er ging den Korridor entlang zum Büro des Verwaltungschefs. Falconers Sekretärin, eine kalt wirkende, aber tüchtige Frau um die Dreißig mit guter Figur, rümpfte hochmütig die Nase, als er eintrat.

»Er sucht Sie schon seit einer Stunde«, tadelte sie mit sorgfältig einstudierter, vorwurfsvoller Miene. »Inzwischen ist ein Telex aus den Niederlanden eingetroffen. Sie scheinen die Holländer sehr glücklich gemacht zu haben.«

»Hannah, eines muß man Ihnen lassen: Es gelingt Ihnen immer wieder, mir den Tag zu versüßen.« Dabei grinste er sie unverschämt und herausfordernd an. Hannah North betrachtete Falconer als ihren Privatbesitz, der gegen alle Bedrohungen verteidigt werden mußte – seine eigene Frau eingeschlossen. »Muß ich jetzt in der Ecke stehen, oder bekomme ich eine Strafarbeit?«

»Wenn es nach mir ginge: Ich würde Sie in einen Käfig stecken.« Der Gedanke schien ihr zu gefallen. »Ja, und dann würde ich einen langen Stock nehmen, mit einem spitzen Ende.«

Die Tür zu Henry Falconers Büro stand offen. Gaunt klopfte an und ging hinein.

»Sehr gütig, daß Sie mich doch noch aufsuchen.« Falconer begrüßte ihn mit mühsam unterdrücktem Sarkasmus. Ein großer Mann in mittleren Jahren, mit einem großflächigen, ein wenig gealterten, doch gutgeschnittenen Gesicht, wie immer konservativ gekleidet in einen dunklen Anzug, weißes Hemd und Golfklubkrawatte. Er stand am Fenster und drehte sich jetzt um. »Der Teufel soll dieses Wetter holen. Kennen Sie die Redensart von den abgehärteten Schotten? Also, ich bin ganz und gar nicht gegen diese Witterung abgehärtet. Sie vielleicht?«

»Bestimmt nicht heute morgen«, gestand Gaunt und schloß die Tür hinter sich.

»Tut mir leid wegen Amsterdam, Henry. Es ist einfach nicht so gelaufen, wie wir wollten.«

»Sie hätten wenigstens ein paar Tulpen mitbringen können«, brummte Falconer. »Das wäre besser als nichts gewesen.« Er ging zu der großen Standuhr, die eine Ecke seines Büros zierte. Der Rest der Einrichtung war staatlich, aber die Uhr gehörte Falconer. Jetzt öffnete er die Glastür und vollzog sein tägliches Ritual, indem er die Gewichte an den Ketten nach oben zog; dann schloß er die Tür wieder. »Kluge Leute, diese Holländer – und gar nicht so stur wie sie aussehen. Zwei Frauen, nicht wahr?«

Gaunt nickte.

»Von denen habe ich schon gehört. Gnadenlos wie ein Schlägertrupp der Mafia.« Falconer setzte sich hinter seinen Schreibtisch und zeigte mit dem Daumen auf den Sessel, der auf der anderen Seite stand. Dann wartete er, bis Gaunt sich gesetzt hatte. »Was verstehen Sie von Booten?«

»Von Booten?« Gaunt war verblüfft; er blinzelte. »Nicht viel.«

»Das habe ich befürchtet.« Falconer zuckte leicht mit den Schultern. »Na ja, macht nichts. Wissen Sie, daß unsere Mrs. Anderson gestorben ist?«

»Ja.« Gaunt wartete.

»Im Autopsiebericht heißt es, eine zerebrale Blutung – hätte jederzeit passieren können.« Falconer öffnete eine seiner Schreibtischschubladen und brachte ein Bündel Papiere zum Vorschein, darunter die dicken Briefumschläge und die Familienfotos, die Gaunt zuletzt in Lorna Andersons Hotelzimmer gesehen hatte. Falconer tastete am Rand des Bündels entlang und machte keineswegs einen besonders glücklichen Eindruck. »Danach sieht es so aus, als ob ihr Anspruch rechtmäßig gewesen wäre.«

»Hat es denn irgendwelche Zweifel gegeben?«

»Sie hat behauptet, mit unserem Peter Fraser verwandt zu sein«, erklärte Falconer mit versteinerter Miene. »Frasers Besitz belief sich auf ungefähr hundertzwanzigtausend Pfund Sterling. Bei einer solchen Summe erwachen manche unlauteren Gedanken.«

»Und wenn sie noch leben würde?«

»Dann könnte sie uns aufs Kreuz legen«, gab Falconer in unglücklichem Ton zu. »Uns bliebe nichts als das Queen's Bounty.«

Es war nicht sehr diplomatisch, aber Gaunt mußte lachen. Hier und da lief selbst in der Abteilung des Remembrancers etwas schief. Und wenn das geschah, wenn das Schatzamt bereits einen Besitz in den Klauen hatte, der ihm gar nicht zustand, gab es nur eine einzige Möglichkeit, wie man das Gesicht wahren konnte: das Queen's Bounty. Diese ›Gunst der Königin‹ bedeutete eine einmalige Auszahlung unter dem Motto: ›Sprich nicht darüber, nimm und hau ab‹. Selbst wenn das nicht zur Folge hatte, daß sich die Königin hinsetzen und einen Scheck ausstellen mußte – der Staatsdiener, der die Krone zwang, ihre Geldschatulle wegen eines solchen Falles zu öffnen, büßte bei seinen Vorgesetzten stark an Ansehen ein.

»Wer hat denn den Fall Fraser bearbeitet?« fragte Gaunt.

»Ich. Es gab Gründe.« Falconer legte die Fingerspitzen beider Hände aneinander und schaute düster drein.

Eine Weile hörte man nur das leise Ticken der Standuhr aus Großvaters Zeiten und ein Rumpeln und Klatschen von draußen, als eine Schneelawine von einem der Dächer auf die George Street rutschte. Gaunt, der sich hier bestens auskannte, hoffte, daß die Dachlawine einen der Beamten getroffen hatte, die sich um die Parkuhren kümmerten.

»Henry.« Gaunt wartete, bis er Falconers Aufmerksamkeit sicher war. »Sagen Sie mir, warum mich zwei Männer in einem Auto verfolgten, nachdem ich am Montagabend Lornas Hotel verlassen hatte.«

»Ach, hat man Sie verfolgt?« Falconer starrte ihn überrascht an. »Haben Sie sich mit der Polizei in Verbindung gesetzt?«

»Noch nicht.« Gaunt schüttelte den Kopf. »Aber würden Sie es für reinen Zufall halten?«

»Ich weiß nicht«, sagte Falconer müde und kaute an seiner Unterlippe. »Ich wollte, ich wüßte die Antworten auf eine Reihe von Fragen. Soll ich Ihnen einen Anhaltspunkt liefern?«

»Es könnte mir helfen«, stimmte Gaunt zu.

»Unser kürzlich verstorbener Mr. Fraser hat möglicherweise ein paar merkwürdige Freunde gehabt.«

»Wollen Sie damit sagen, daß er ein Gauner war?«

Falconer zog die Stirn in Falten. »Ich spreche nicht schlecht über die Toten.«

»Aber Sie selbst haben mich gelehrt, daß die Toten die einzigen sind, die einen nicht mehr zur Verantwortung ziehen können«, erwiderte Gaunt nachdenklich. »Also?«

»Zu seinen Lebzeiten hat sich die Polizei mehrmals für ihn interessiert: Verdacht auf Betrug, vor ein paar Jahren – nichts Aufregendes, und es kam auch zu keiner Anklage. Und als Toter hat er der Steuerfahndung Rätsel aufgegeben. Sie fragte sich, wie es ihm gelungen war, ihren Netzen zu entschlüpfen«, brummte Falconer. Dann lehnte er sich zurück. »Ich sagte Ihnen doch, es gab da ein Boot –«

»Sie haben mich nur gefragt, ob ich etwas von Booten verstehe«, verbesserte ihn Gaunt.

»Das ist doch das gleiche.« Falconer ging nicht weiter auf den Einwand ein. »Eine in England registrierte Motorjacht, die *Black Bear*, liegt in einem Jachthafen in Puerto Tellas auf Teneriffa. Die *Black Bear* war Frasers Boot – und ich habe bereits ein paar schwierige Gespräche mit den spanischen Behörden hinter mir, was die derzeitigen Besitzverhältnisse betrifft. Wenn das Boot unter ihrer Flagge registriert gewesen wäre...« Er zuckte mit den Schultern. »Wir haben jedenfalls gewonnen. Die spanischen Behörden gaben uns vor ein paar Tagen recht, übrigens fast zur gleichen Zeit, als diese Anderson hier auftauchte.«

»Interessant«, meinte Gaunt vorsichtig. Er sah plötzlich einen herrlichen Strand mit Sonne und Wellen vor sich.

»Sehr.« Falconer nickte mit säuerlicher Miene. »Die *Black Bear* wird auf ungefähr zwanzigtausend Pfund geschätzt. Es gibt noch ein paar Formalitäten an Ort und Stelle zu klären, danach können wir uns mit dem Angebot von einem der ehemaligen Partner Frasers beschäftigen, der auf Teneriffa wohnt.«

»Aber jemand von uns muß hinfliegen?«

»Sie. Der Remembrancer hat persönlich entschieden, daß es die Aufgabe eines Außendienstmitarbeiters sei – Hannah kann Ihnen Genaueres über Ihre Reise sagen.« Bis zur letzten Runde der Personaleinschränkungen hatte Falconer gehofft, daß er Gaunt auf dieser Reise zumindest begleiten könnte. Immerhin blieb ihm ein kleiner, boshafter Trost. »Sie übernehmen natürlich die ganze Angelegenheit – nicht nur die Sache mit der Jacht. Ich habe bereits mit der Polizei gesprochen, zum Beispiel über den Namen und die Telefonnummer im Notizbuch dieser Anderson.«

»Lorna Zwei?«

»Lorna Fraser Tabor, ledig, lebt in Winnipeg – ihr Name stand auch in dem Adreßbuch, das Sie ebenfalls gefunden haben. Ich habe sie gestern angerufen.« Falconers Züge zeigten eine Spur von Mitleid. »Offensichtlich kriecht da noch eine Blutsverwandte von Fraser aus den kanadischen Wäldern hervor. Sie sagte, sie würde die nächste Maschine nach Großbritannien nehmen – ich rechne damit, daß sie mittags hier ist.«

»In tiefer Trauer?« Gaunt zog fragend die Augenbraue hoch.

Falconer zuckte mit den Schultern. »Wenn sie echt ist und wenn nicht noch weitere wie sie irgendwo versteckt sind, kann sie die Erbschaft anstelle von Lorna Anderson antreten – nachdem wir die Sache vollständig geklärt haben. Sie weiß bereits Bescheid über die Lösung mit Hilfe des Queen's Bountys.«

»Aber Lorna Anderson hat ein Testament hinterlassen«, wandte Gaunt ein.

»Das ändert nichts an den Tatsachen. Sie hat diese Tabor als ihre Alleinerbin eingesetzt.« Falconer warf einen Blick auf seine Armbanduhr, dann auf die Standuhr. »Ich habe einen vollen Terminkalender, bis sie hier ist, aber ich kümmere mich auch um Ihre – Ihre Episode mit dem Wagen, der Sie verfolgt hat. Ich werde bei der Polizei anfragen. Sie können inzwischen den Abschlußbericht über die Sache in Amsterdam ausfertigen und sich dann in aller Ruhe durch die Papiere in der Sache Fraser arbeiten – und durch das hier.«

Gaunt nahm Lorna Andersons Dokumente, die ihm Falconer über den Schreibtisch zuschob. Er wollte schon aufstehen, aber Falconer räusperte sich so, daß er sich wieder hinsetzte.

»Irgend etwas besonders Interessantes auf dem Gebiet der Aktienspekulation? Etwas, was man als sicher betrachten kann – meine Kragenweite?«

»Leider nein.« Gaunt hatte etwas von australischen Minenanteilen flüstern gehört, die derzeit billig zu haben waren, aber Falconer hätte allein bei dem Gedanken daran einen Nervenzusammenbruch erlitten. »Ich kann mich ja mal umhören.«

»Ich dachte vorübergehend an einen hübschen kleinen Besitz.« Falconer sagte es ganz beiläufig. »Eine kleine Villa, vielleicht auch nur eine Eigentumswohnung in Spanien oder auf den Kanarischen Inseln. Die Grundstückspreise dort scheinen noch nicht von der hiesigen Inflation berührt zu sein.«

»Meistens«, stimmte ihm Gaunt zu.

»Ja. Irgend etwas Ruhiges in der Sonne. Irgendwo abseits vom großen Getriebe. Vielleicht, wenn Sie dort auf Teneriffa sind…«

»Ich sehe mich um.«

»Vielleicht können Ihnen die Leute aus der Umgebung von Fraser dabei helfen, wenn sie verläßlich erscheinen.« Falconer strahlte ihn an. »Fein. Hannah gibt Ihnen die Fraser-Akte – und bitten Sie sie, daß sie mit dem Notizblock zu mir kommt, ja?«

Gaunt ging hinaus. Falconers Sekretärin hatte die Akte schon bereitgelegt, zusammen mit einem Umschlag, in dem sich die Flugtikkets befanden.

»Zeit zum Diktat«, erklärte Gaunt und deutete mit dem Daumen auf Falconers Tür.

Sie nickte, zog den Stecker einer elektrischen Kaffeewarmhaltekanne aus der Steckdose und stellte sie auf ein Tablett, wo zwei Porzellantassen, Untertassen, eine Zuckerdose und ein Sahnekännchen bereitstanden.

»Ein Wort der Warnung, Jonny.« Sie setzte dabei ein frostiges Lächeln auf. »Achten Sie auf Ihre Spesenrechnung bei der Amsterdam-Reise. In dieser Woche werden im ganzen Haus die Spesen kontrolliert.«

Dann nahm sie das Tablett und ging auf Falconers Tür zu. Der Notizblock lag noch auf ihrem Schreibtisch. Falconer und Hannah saßen grundsätzlich zur Kaffeepause beisammen und hatten vielleicht noch mehr Gemeinsamkeiten.

Aber das war Falconers Sache; schließlich mußte er abends nach Hause zu seiner Frau.

Gaunt warf einen Blick in den Umschlag, der die Tickets enthielt. Darin steckte eine Reservierung für den Flug am kommenden Montag von London-Heathrow nach Teneriffa und eine Reservierung für den Rückflug am Donnerstagvormittag. So sah Falconers Vorstellung von einem großzügigen Zeitplan aus, aber vielleicht reichte die Zeit tatsächlich. Die *Black Bear* lag im Jachthafen von Puerto Tellas, und er konnte dort seine eigenen Arrangements treffen.

Zunächst aber mußte Gaunt den Bericht über seinen Auftrag in Amsterdam zusammenstellen. Er brauchte dazu etwa eine halbe Stunde; danach brachte er das besprochene Band ins Schreibbüro, kam zurück, schloß die Tür, lockerte Krawatte und Kragen und setzte sich dann an den Schreibtisch, um sich mit der Akte Fraser zu befassen.

Zum Zeitpunkt seines Todes war Fraser vierzig Jahre alt gewesen. Er hatte in einem gemieteten Büro im Herzen von Edinburghs Geschäftszentrum die spanische Firma Hispan Trading vertreten, die sich mit Import–Export und allgemeinen Wirtschaftskontakten für mehrere Gesellschaften auf den Kanarischen Inseln befaßte. Frasers Büro war offenbar ihre einzige britische Niederlassung, und Fraser leitete sie allein, wobei er nur gelegentlich und stundenweise eine Sekretärin beschäftigte.

Das Büro von Hispan Trading blieb oft wochenlang geschlossen – irgendwann tauchte Fraser sonnengebräunt wieder auf, und alles ging seinen gewohnten Gang.

Er wohnte allein in einem alten Bauernhaus, ein paar Meilen außerhalb der Stadt, nicht weit von Bathgate entfernt. Auch das Haus war oft wochenlang unbewohnt, bis dann eines Tages Frasers Sportwagen wieder in der Einfahrt stand.

Es war etwas über ein Jahr her, als Peter Fraser eines Abends sein Büro verließ, um nach Hause zu fahren. Er war schon fast am Ziel, als sein Fiat frontal mit einem Lastwagen zusammenstieß. Fraser kam bei dem Unfall ums Leben, und der Lastwagenfahrer wanderte wegen fahrlässiger Tötung im Straßenverkehr sechs Monate ins Gefängnis.

An Peter Frasers Begräbnis nahmen sein Anwalt, die ältliche Witwe, die das Bauernhaus in Ordnung hielt und seinen Haushalt führte, und ein Nachbar teil, der die Fahrt nach Edinburgh obendrein zum Einkaufen nutzte. Die Firma Hispan Trading schickte einen Kranz aus Teneriffa.

Und damit endete die Geschichte – vorläufig zumindest. Peter Fraser hatte, soweit sich das feststellen ließ, keine Verwandten und keine nahen Freunde. Sein Anwalt vertrat ihn nur in geschäftlichen Angelegenheiten, bezahlte in seiner Abwesenheit die Büromiete und wußte nichts von einem Testament. Die Hispan Trading telegrafierte auf Anfrage aus Teneriffa, daß Fraser sie etwa zwei Jahre lang in Großbritannien vertreten habe und daß man nichts von irgendwelchen Angehörigen wisse. Das Büro in Edinburgh wurde von einem neuen Geschäftsführer übernommen.

So etwas kam vor. Menschen wie Fraser, mit nicht bekanntem Hintergrund, gab es in jeder Stadt. Wenn sie starben, kamen die üblichen Routineverfahren in Gang. Am Anfang standen die Ermittlungen der Polizei, dann die der Sozialversicherung und der Steuerbehörde sowie der Verwaltung – und zuletzt die Klärung juristischer Fragen.

Im Fall Fraser waren immerhin ein paar Fakten zusammengetragen worden. Als einziges Kind seiner Eltern war Fraser in Glasgow geboren worden, als Sohn eines schottischen Hafenarbeiters. Das Schicksal hatte sich wiederholt: Auch seine Eltern waren beide bei einem Verkehrsunfall ums Leben gekommen, als er noch ein Kind war. Andere nähere Angehörige konnten nicht ausfindig gemacht werden, und so war Fraser von Pflegeeltern aufgezogen worden, bis er das Alter erreicht hatte, um in die Dienste der Handelsmarine treten zu können.

Danach verlor sich seine Lebensgeschichte im Ungewissen. Anläßlich einer Steuerrückzahlung wurde ein zwei Jahre dauernder Aufenthalt in Argentinien erwähnt. Später, als er kurze Zeit bei einer Londoner Versicherung arbeitete, hatte er sich bei einem Unfall ein Bein gebrochen. Die Unterlagen des Krankenhauses wiesen aus, daß er auf die übliche Frage nach Angehörigen ›keine‹ in die betreffende Spalte geschrieben hatte.

Peter Fraser war ein Mensch gewesen, der sich treiben ließ, und solche Menschen bedeuteten stets Ärger für die Behörden. Schließlich setzte sich die Maschinerie des Gesetzes in Bewegung, und der *Queen's and Lord Treasurer's Remembrancer* kam ins Spiel.

Daraufhin erschienen die üblichen Bekanntmachungen in den üblichen Tageszeitungen. Die üblichen Briefe von den üblichen Schwindlern trafen ein, wurden geprüft und landeten im Papierkorb.

Danach erfolgte noch eine letzte, gesetzlich festgelegte Verlautbarung:

Hierdurch ergeht Mitteilung darüber, daß der Besitz des verstorbenen Peter Fraser, zuletzt wohnhaft im Mallard Cottage nahe Bathgate, West Lothian, als *Ultimus Haeres, an die Krone gefallen ist.*

Gaunt blätterte um. Eine Fotografie von Fraser war mit einer Büroklammer an das nächste Blatt geheftet. Sie zeigte einen Mann mit kurzgeschnittenem Haar, gutaussehend, mit schmalem Gesicht, aber einem etwas hämischen Zug um Mund und Augen. Er trug ein offenes Hemd, und der Hintergrund, ein wildromantischer Küstenstreifen, mußte Teneriffa sein.

Dem folgte die Durchführungserklärung des Remembrancers.

Fraser hatte das Mallard Cottage nur gemietet, aber sein persönlicher Besitz, einschließlich mehrerer Halsketten aus massivem Gold, war mit fünfzehntausend Pfund bewertet worden. Drei Bankkonten wiesen zusammen knapp siebzigtausend Pfund auf, weitere zweitausend Pfund hatte man bar in einer Schublade gefunden. Der Wert des Unfallwagens, der von Frasers Versicherung ausgezahlt wurde, betrug fast elftausend Pfund. Weitere sechstausend, die aus verschiedenen Quellen stammten, ergaben mit dem übrigen eine Summe von über hunderttausend Pfund nach Abzug der Begräbniskosten und weiterer kleinerer Beträge. Die *Black Bear* wurde gesondert aufgeführt und von einem amtlichen Schätzer mit zwanzigtausend Pfund bewertet.

Unter die Nettosumme von rund hundertzwanzigtausend Pfund hatte Henry Falconer mit Bleistift einen giftigen Kommentar geschrieben.

›Nicht schlecht – bei einem steuerlich veranschlagten Einkommen von sechzehntausend Pfund im Jahr.‹

Gaunt grinste, blätterte die Akte zu Ende durch und wandte sich dann den Papieren von Lorna Anderson zu. Sie erweckten den Eindruck, als stecke dahinter die Arbeit von vielen Jahren: ein dickes Bündel von Dokumenten aller Arten, Notizen, alte Briefe, sogar die fotokopierte Seite einer Familienbibel.

Wo nötig mit Anmerkungen in der zierlichen, sauberen Handschrift von Lorna Anderson versehen, stammten die frühesten Dokumente aus dem Beginn des neunzehnten Jahrhunderts und betrafen einen Adam Fraser, der Kleinbauer in Glenkirk nahe Inverness gewesen war. Lorna Anderson hatte akribisch genau die Nachkommen dieses vor so langer Zeit dahingeschiedenen Schotten auf einem Schaubild verzeichnet und über Generationen hinweg mit Geburts-, Hochzeits- und Todesdaten versehen. Einige der frühesten Dokumente waren vergilbte, ausgeblichene Originale, andere moderne Kopien, und die Quellen, die in Schottland ihren Ursprung hatten, breiteten sich nach Kanada, in die Vereinigten Staaten, dann auch nach Neuseeland und in den Fernen Osten aus sowie in einige entlegene Gegenden, die früher einmal zum Britischen Weltreich gehört hatten.

Das alles war auf einem sorgfältig gerollten Blatt schweren Pergamentpapiers zusammengestellt. Lorna Andersons Vorstellung von einem Stammbaum hätte vielleicht professionelle Genealogen zur Verzweiflung gebracht, aber das Ganze war immerhin eine Urkunde, und sie hatte jeden einzelnen Zweig der Familie genau bezeichnet.

Die männlichen Mitglieder der Familie Fraser waren offenbar ebenso häufig im Krieg und bei Unfällen wie auf natürliche Weise ums Leben gekommen. Die weiblichen Frasers waren in der Minderzahl und häufig kinderlos. So war ein Zweig nach dem anderen ausgestorben, bis nur noch Lorna Anderson und Peter Fraser gelebt hatten, wobei jetzt unter Frasers Name sein Todestag verzeichnet war und die Bemerkung ›ohne Nachkommen‹.

Und wie hing Lorna Fraser Tabor aus Winnipeg mit den übrigen Frasers zusammen? War der alte Adam Fraser wirklich ihr gemeinsamer Ururgroßvater gewesen?

Als Gaunt an diesem Punkt angelangt war, wurde er von einer Schreibkraft unterbrochen, die sein Büro betrat und ihn nach ein paar unklaren Passagen in seinem Amsterdam-Bericht befragte. Nachdem sie gegangen war, rief jemand von der Abteilung Handelsgesellschaften an und teilte ihm die neuesten Erkenntnisse über den Fall eines Börsenmaklers aus Dundee mit, der das Geld seiner Klienten ergaunert hatte und sich nun auf den griechischen Inseln vergnügte.

»Dafür bin ich nicht zuständig«, beklagte sich der Kollege. »Was soll ich denn damit anfangen?«

Gaunt ließ es ihn wissen, worauf schockiertes Schweigen herrschte, dann war die Leitung tot. Grinsend legte Gaunt den Hörer auf die Gabel – aber sofort klingelte der Apparat erneut. Seufzend nahm Gaunt den Hörer ab.

»Kommen Sie rüber, Jonathan«, sagte Henry Falconer. »Unsere Besucherin ist hier.«

Er knöpfte das Hemd zu und zog die Krawatte zurecht, während er über den Korridor ging. Hannah saß nicht an ihrem Schreibtisch, also ging er direkt in Falconers Büro. Die Frau, die mit dem Rücken zur Tür vor dem Schreibtisch saß, drehte sich herum, als Gaunt hereinkam und die Tür schloß. Sie war Ende zwanzig, brünett, gekleidet in eine graue Lederjacke und einen Hosenanzug über einem weißen Rollkragenpullover. Die Hosenbeine steckten in mittelhohen Stiefeln, und ein Schaffellmantel hing an Falconers Kleiderständer.

»Ich darf Sie erst einmal bekannt machen«, sagte Falconer und lächelte dazu. »Miss Tabor, das ist Mr. Gaunt, der den Fall bearbeitet.« Nach kurzer Pause fuhr er fort. »Ich habe versucht, Miss Tabor einen kurzen Überblick über den Stand der Dinge zu geben, Jonathan.«

»Wie Sie sehen werden…« Lorna Tabors weicher, kaum auffälliger kanadischer Akzent unterstrich ihre Worte, und schenkte Gaunt ein etwas müdes Lächeln, »…ist es nicht auszuschließen, daß ich den Stand der Dinge ein wenig anders betrachte.«

»Aber wir werden versuchen, unsere Ansichten auf einen Nenner zu bringen«, versprach Gaunt. Er betrachtete sie genauer, und sie gefiel ihm. Sie hatte dunkle Augen, hohe Backenknochen und einen vollen, sinnlichen Mund, kurzgeschnittenes Haar, und ihre Haut war von der Sonne gebräunt, außer einem Hauch von Lippenstift benutzte sie kein Make-up. Eine goldene Kette zierte ihren Hals über dem weißen Pullover. »Wir selbst haben Mrs. Anderson leider nicht mehr kennengelernt.«

»Ich habe sie Tante Lorna genannt...« Sie bemerkte, wie Falconer erstaunt die Augenbrauen hochzog. »Sie hatte mich darum gebeten. Aber ich weiß erst seit etwa eineinhalb Jahren, daß es sie überhaupt gibt. Damals hatte sie Kontakt mit mir aufgenommen, da wir, na ja, verwandt seien, und erzählte mir, wie sie mich aufgespürt hatte.« Sie lächelte. »Sie hatte sich wirklich viel Mühe gemacht.«

Falconer nickte. »Und dann hielten Sie den Kontakt aufrecht?«

»Sie wohnte in Vancouver, das ist nicht gerade in der Nähe von Winnipeg.« Lorna Tabor zuckte mit den Schultern. »Aber sie hat mich ein paarmal übers Wochenende besucht, und ich habe im vergangenen Sommer eine Woche Urlaub bei ihr verbracht. Ich mochte sie.«

»Und das gefiel ihr, in Anbetracht dessen, daß Sie ihrer Meinung nach miteinander verwandt waren.« Gaunt hatte sich gegen Falconers Schreibtisch gelehnt. »Hat sie oft mit Ihnen darüber gesprochen?«

»Sehr oft – obwohl ich mir nie viel Gedanken darüber gemacht habe, von wem ich abstamme.« Aus einem nicht genau ersichtlichen Grund lachte Lorna Tabor. »Dieser Stammbaum war für Lorna anfangs wohl nicht mehr als ein Hobby, aber zuletzt wurde er zur wichtigsten Sache in ihrem ganzen Leben.« Sie wurde wieder ernst und wandte sich an Falconer. »Und zum Schluß hat er sie umgebracht.«

»Eine Gehirnblutung – das kann einer Frau in ihrem Alter jederzeit passieren«, erwiderte Falconer, und ihm war sehr unbehaglich dabei zumute. Er warf einen Blick auf die Papiere, die vor ihm lagen, dann schaute er Gaunt an. »Miss Tabor hat sich bereit erklärt, die – die Formalitäten der Beisetzung zu übernehmen.«

»Weil außer mir keiner da ist, der sich darum kümmern könnte«, erklärte Lorna Tabor schlicht. »Höchstens ein paar weitläufige Verwandte ihres verstorbenen Mannes; vielleicht war es für sie deshalb so wichtig, einen Menschen wie mich ausfindig zu machen.«

»Der Stammbaum«, sagte Gaunt nachdenklich. »Ihr Name kommt nicht darin vor. Warum nicht?«

»Man könnte es so sagen: Sie hätte mich, wenn überhaupt, am liebsten nur mit Bleistift eingetragen. Schließlich war es ihr ein bißchen peinlich.« Und wieder überraschte Lorna Tabor mit einem Lachen. »Tante Lorna war in manchen Dingen sehr altmodisch. Meine Großmutter war eine geborene Fraser und war nie verheiratet. Meine Mutter war ein uneheliches Kind, als sie neunzehnhundertzwanzig zur Welt kam.«

»In Kanada?«

»Nein, hier in Schottland – ein Familienskandal. Mutter und Kind wurden anschließend nach Kanada verbannt, so schnell wie möglich, und über die Sache sollte Gras wachsen. So wurde das damals gehandhabt.«

»Das kam vor«, bestätigte Falconer und zog die Stirn in Falten. »Und Mrs. Anderson –«

»Die hat Lunte gewittert und ist der Spur nachgegangen.« Lorna Tabor zuckte mit den Schultern. »Mein Vater lebt noch, meine Mutter ist vor fünf Jahren gestorben. Tante Lorna erklärte, daß es jetzt, nachdem sie mich gefunden habe, nur noch einen Peter Fraser in Schottland gebe. Sie wußte von ihm aber nicht viel mehr.«

»Außer, daß er ehelich war?« fragte Gaunt. »Haben Sie von ihrer Reise gewußt?«

»Ja.«

»Und Mrs. Anderson nahm an, daß Fraser noch lebte?«

Sie nickte. »Dann hat sie mir vor ungefähr einer Woche ein Telegramm geschickt, von hier, in dem stand, daß er schon seit über einem Jahr tot sei, daß der Staat sich seinen Besitz angeeignet habe und daß sie versuchen würde, einen Teil davon zurückzubekommen.«

»Das Queen's Bounty.« Gaunt nickte. »Sie wissen, daß Sie berechtigt sind, Ansprüche zu stellen – ich meine, daß die uneheliche Abstammung Ihrer Mutter kein Hindernis darstellt?«

»Ja.« Ihre Lippen preßten sich zusammen, und ihre Stimme klang kühl. »Wollen Sie damit fragen, ob das der Grund für meine Anwesenheit ist?«

»Es gibt Leute, die Sie danach fragen werden.« Gaunt fand, daß diese Sache ein für allemal geklärt werden mußte. »Sie haben keine Zeit vergeudet.«

Henry Falconer gab einen schwach protestierenden Laut von sich. Lorna Tabor ignorierte ihn. Die Hände zu Fäusten geballt, die dunklen Augen hart und zornig, stand sie auf. Einen Augenblick lang fürchtete Gaunt, sie könnte ihn ins Gesicht schlagen.

»Sie kämpfen mit harten Bandagen, was?« sagte sie sehr leise. »Hart und gemein – aber Sie täuschen sich dennoch, Mr. Gaunt.« Jetzt wandte sie sich Falconer zu. »Bevor er hereinkam, sagte ich Ihnen, daß ich bei einer Grundstücksgesellschaft in Winnipeg arbeite. Vielleicht hätte ich hinzufügen sollen, daß mein Vater der Besitzer dieser Gesellschaft ist – vielleicht möchten Sie auch unsere Bilanz vom vergangenen Jahr sehen.«

Sie atmete tief ein und funkelte dann wieder Gaunt an. »Ja, vielleicht erhebe ich Anspruch auf das Erbe. Ich wäre ein verdammter Narr, wenn ich es mir entgehen ließe. Lorna Anderson wollte, daß ich ihr helfe. Jetzt bin ich hier, und ich will genau wissen, was geschehen ist, bevor sie starb.«

Falconer fuhr sich mit der Zunge über die Lippen. »Ich glaube, ich verstehe Sie nicht ganz.«

»Machen Sie sich darüber keine Sorgen«, fuhr sie ihn an.

»Aber wir werden dafür bezahlt, daß wir uns Gedanken machen«, murmelte Gaunt. »Und das bedeutet manchmal auch, daß wir die Leute ein wenig unsanft anfassen müssen.« Er lächelte sie entschuldigend an. »Sie haben uns einiges gesagt. Doch es gibt da noch ein paar Dinge, die auch wir gern herausfinden möchten – und soweit ich das beurteilen kann, stehen wir immer auf derselben Seite.«

Lorna Tabor antwortete nicht gleich. Die beiden Männer warteten, und nur das langsame Ticken der Standuhr erfüllte den Raum. Lorna warf einen Blick darauf, ging hinüber und betrachtete die Szenen aus dem bäuerlichen Leben, die auf das Zifferblatt gemalt waren. Schließlich seufzte sie und drehte sich um.

»Sie haben recht, und ich bin müde, erschöpft und durcheinander wegen des Zeitunterschieds.« Sie trat wieder an Falconers Schreibtisch. »Tante Lorna hat mich am Sonntag von hier aus angerufen.«

Falconer fragte verblüfft: »Einen Tag, bevor sie starb?«

Lorna Tabor nickte. »Ich wollte eigentlich nicht darüber sprechen – zumindest nicht, bis ich wußte, was hier vor sich gegangen ist. Aber –«

»Aber Sie sollten es uns jetzt besser sagen«, bat Gaunt.

»Sie hat mir mitgeteilt, daß sie etwas über Peter Fraser herausgefunden hatte, etwas, was sie ziemlich verwirrt haben mußte. Dann – nun, sie war sicher, daß sie von jemandem beschattet wurde.«

»Beschattet?« Falconer stürzte sich geradezu auf das Wort. »Warum?«

Lorna Tabor schüttelte den Kopf. »Sie meinte, sie wolle es mir nicht am Telefon sagen. Aber sie brauche mich. Ich solle ihr ein paar alte Familiendokumente mitbringen, die meine Mutter hinterlassen hat – und sie deutete an, neben dem, was sie wüßte, würde Ihr Queen's Bounty geradezu lächerlich erscheinen.«

»Haben Sie ihr geglaubt?« fragte Gaunt.

»Ich war nicht sicher.« Die dunkelhaarige junge Frau machte eine hilflose Geste. »Ich sagte ihr, ich müßte es mir erst überlegen, könnte nicht einfach alles liegen- und stehenlassen und nach Europa fliegen.«

»Hat sie sonst noch irgend etwas gesagt?« fragte Falconer.

»Über das, was hier vor sich ging? Nein. Aber sie bat mich, an Scotch Henry zu denken.«

»An wen?« Falconer blinzelte.

»Auch ein Fraser, den sie nicht in den Stammbaum eingetragen hat.« Lorna Tabor lächelte ein wenig unsicher. »Er lebte vor drei oder vier Generationen und ist bei Ned Kellys wilder Meute in Australien gewesen. Die Australier haben ihn wegen Mordes und Bankraubs gehenkt.«

»Interessant.« Falconer schluckte, beherrschte sich aber. »Haben Sie die Papiere bei sich, von denen Sie sprachen?«

Sie nickte.

»Und Sie verstehen, daß wir – nun ja, daß wir erst genau prüfen müssen, ob Sie mit Fraser verwandt sind oder nicht? Daß wir dazu Ihre Unterstützung brauchen?«

»Wann fangen wir damit an?« fragte sie ruhig.

»Sofort«, sagte Gaunt und schaute auf die Armbanduhr. »Als er-

43

stes machen wir einen Besuch. Und danach können wir uns beim Lunch in aller Ruhe unterhalten.«

»Vorausgesetzt, ich bleibe lange genug wach«, wandte sie ein.

Falconer kam um den Schreibtisch herum und half ihr in den Mantel. Dann schüttelte er ihr die Hand, bevor sie mit Gaunt das Büro verließ. Nachdem sich die Tür geschlossen hatte und er endlich allein war, warf der Verwaltungschef beim Queen's and Lord Treasurer's Remembrancer einen verzweifelten Blick zur Decke. »Warum ich?« fragte er anklagend. »Warum immer ich?«

Dann drückte er auf den Knopf seiner Sprechanlage.

»Hannah«, sagte er erschöpft, »haben Sie Aspirin bei sich? Bringen Sie mir gleich die ganze Packung!«

Kapitel

2

»Ich bin zuvor nur als Kind einmal in Schottland gewesen«, sagte Lorna Tabor. »Damals dachte ich, daß alle Männer hier Kilts tragen.«

»Und Dudelsack spielen?« Gaunt lachte und drückte deutlich seine Sympathie aus. »Ich dachte in diesem Alter, daß alle Kanadier Lumberjacks anhaben und als Holzfäller arbeiten.«

Sie gingen durch die Princes Street. Nur die Silhouette des Schloßfelsens war noch in einen weißen Mantel gehüllt; hier unten strömten die Kauflustigen und Passanten wieder ungehindert durch die Straßen. Vor den Schaufenstern standen Touristen, die auch in der ruhigen Saison hierherkamen, auf den Gehsteigen hielten Hare-Krischna-Anhänger ihre glöckchenklingenden Rituale ab, und stämmige, in Tweed gekleidete Frauen vom Land führten ihre hageren, tweedgekleideten Männer an unsichtbaren Leinen durch das Gewühl.

Lorna Tabor hatte vorgeschlagen, das kleine Stück zu Fuß zu gehen; sie war aufgeschlossen, und trotz ihrer Müdigkeit, die sich deutlich in ihren Augen ausdrückte, interessierte sie sich für alles, was es hier zu sehen gab.

»Dieser Besuch, den wir da machen…« Sie stützte sich auf

Gaunts Arm, während sie durch einen See aus Matsch und Schmelzwasser balancierten. »Glauben Sie, daß man uns dort helfen kann?«

»Wenn man es dort nicht kann, dann sieht es allerdings schlecht aus«, antwortete er ausweichend.

Sie waren am Ziel, standen vor dem New Register House auf der östlichen Seite der Princes Street: ein altehrwürdiger Kuppelbau, und es schien, als sei es ihm regelrecht peinlich, ein Kaufhaus von Woolworth zum Nachbarn zu haben. Als Heimstätte des nationalen schottischen Archivs wurde dort die längst vergangene Geschichte als lebendiges Erbe gepflegt. In einem der Tausenden von Bänden alter Kirchenregister konnte man die schlichte Eintragung anläßlich der Hochzeit der schottischen Königin Mary mit Darnley bestaunen. Aus der jüngeren Gegenwart verwahrte man hier die Dokumentation eines jeden Geburts-, Todes- oder Hochzeitsfalles in Schottland seit dem 1. Januar 1855 um 0.01 Uhr.

Und jeder hatte Zugang zu diesem Archiv. Jeder, vom interessierten Laien bis zum beruflich mit Archivdaten befaßten Wissenschaftler oder Juristen. Anwälte, Polizeibeamte, neugierige Journalisten oder argwöhnische Ehefrauen, Betrüger, die sich Vertrauen erschleichen wollten, Erbschleicher und Detektive von Versicherungen machten sich das Archiv zunutze.

Und Ahnenforscher.

Beim Empfang wartete eine Menschenschlange. Lorna Tabor warf einen Blick hinüber und zog die Stirn in Falten.

»Was machen wir?« murmelte sie. »Stellen wir uns auch an?«

Eine matronenhafte Frau beschwerte sich über den ihrer Ansicht nach zu hohen Preis für eine Fotokopie. Sie arbeitete beim Konsulat eines Ostblockstaates. Der Mann hinter ihr, der sie wütend und ungeduldig anstarrte, war ein Anwalt aus Edinburgh, dem man nachsagte, er kassiere bei seinen Klienten genau nach Zeit wie ein Taxameter. Die anderen in der Schlange schienen geduldig genug, um warten zu können, bis sie an der Reihe waren.

»Lächeln Sie«, riet Gaunt, während er Lorna Tabor an der Schlange vorbeiführte. »Wir sind hier bekannt.«

Er kannte Andy Deathstone, dessen Büro sich ganz oben unter der Kuppel befand. Es war ein Raum, der von Regalen mit gebundenen Verzeichnissen eingerahmt wurde, wobei man die oberen Fächer nur mit einer Leiter erreichen konnte. Das einzige Fenster des Raums ging auf den Lichthof hinaus; von hier hatte man einen Blick auf einen Teil des Lesesaals und das Empfangspult. Deathstone war klein, in mittleren Jahren, und galt als Autorität beim Personal des New Register House.

»Ich wußte, daß es ein schlimmer Tag werden würde«, begrüßte er Gaunt. Dann sah er Lorna Tabor und lächelte gezwungen. »Aber es besteht die Aussicht, daß er sich bessert.«

Gaunt machte Lorna mit ihm bekannt, und Deathstone war bemüht, seinen Besuchern Stühle zu besorgen. Der kleine Mann sah so sanft aus wie ein Kaninchen, aber er und Gaunt hatten schon gelegentlich miteinander Poker gespielt, oft genug jedenfalls, daß Gaunt einen gewissen, an Piranhas erinnernden Zug in Deathstones Charakter herausgefunden hatte.

»Worum geht's?« fragte Deathstone. Dann betrachtete er seine Besucherin, wobei er Gaunt völlig ignorierte. »Tabor – ein nicht allzu häufiger Name, aber lassen Sie mich raten. Kanada – Französisch-Kanada, vermutlich Bois-Brules, irgendwo aus der Gegend um den Red River?«

»Genau.« Lorna Tabor nickte verblüfft.

»Französisch – und was noch?« Deathstones Interesse war erwacht. »Cree oder Blackfoot?«

»Chippewa«, korrigierte sie ihn. Dabei wurde ihr bewußt, daß Gaunt ihrem Gespräch nicht folgen konnte. »Mein Vater ist ein Métis – ein Mischblut. Ich selbst bin zu einem Achtel Indianerin.«

»Letzten Monat hatten wir einen MacKenzie aus Kanada hier«, sagte Deathstone nachdenklich. »Er ist Häuptling eines Stammes der Blackfoot-Konföderation.« Dazu machte er eine entschuldigende Geste. »Aber Sie sind nicht deshalb hergekommen.«

»Nein, sondern *deshalb*.« Gaunt brachte Lorna Andersons handgeschriebenen Stammbaum zum Vorschein, rollte ihn auf Deathstones Schreibtisch aus und ließ beide Hände auf dem Pergament liegen, damit es nicht wieder zusammenrollte. »Andy, ich brauche eine Bestätigung über die Richtigkeit dieses Stammbaums – und noch etwas...« Deathstone zog fragend die Augenbrauen hoch, setzte eine Brille mit dicken Gläsern auf und warf dann kurz einen Blick auf die Namen des Stammbaums.

»Er sieht ordentlich aus«, sagte er und blickte auf. »Wollen Sie mir sagen, daß da eine Eintragung fehlt?«

Gaunt nickte. »Eine Geburt.«

»Aha.« Deathstone nickte verstehend, dann warf er einen entschuldigenden Blick auf Lorna Tabor. »Auf der falschen Seite des Kissens geboren?«

»Ja. Meine Mutter.«

»Geburtsort?«

»Inverness, im Juni neunzehnhundertvierundzwanzig. Sie hieß Mary Fraser, und ihre Mutter war Lorna Jane Fraser.«

»Eine präzise Angabe.« Deathstone zeigte unverhohlen, daß er von Lorna Tabor angetan war. »Die Bestätigung des Stammbaums kann etwas länger dauern – und wir können nicht für die Abzweigungen in Übersee garantieren.« Er nahm die Brille ab und schaute Gaunt an. »Darf ich fragen, worum es geht?«

»Erwarten Sie keine allzu ausführliche Antwort«, entgegnete Gaunt.

»Aha.« Deathstone war eher amüsiert als beleidigt. »Aber was haben Sie Ihrer Meinung nach in der Hand, Jonny: zwei Zehner oder ein Full House?«

»Weder noch. Meine Leute halten die Bank«, sagte Gaunt lakonisch. »Miss Tabor hat angesagt.«

»Noch besser.« Deathstone grinste. »Das gefällt mir. Ich mache jetzt bald Mittag – können Sie beide gegen drei Uhr wiederkommen?«

Sie verabschiedeten sich.

Als sie draußen auf der Straße standen, überflog Lorna Tabor das Gebäude mit einem respektvollen Blick.

»Ist es wirklich so einfach herauszufinden?«

»Für ihn ja«, antwortete Gaunt. »Die Menschen faszinieren ihn – vorausgesetzt, sie sind schon eine Weile tot.«

Er kannte eine kleine Weinschenke, ein paar Straßenzüge entfernt. Sie befand sich im Souterrain, die Speisen des Tages standen, mit Kreide geschrieben, auf einer schwarzen Tafel, und die Tische und Stühle bestanden aus alten Weinfässern. Gaunt und Lorna fanden einen leeren Tisch in einer schummerigen Ecke, bestellten zwei Glas weißen Hauswein und wählten dann von der Tafel aus. Als der

Wein serviert war, trank Lorna erst einen Schluck aus ihrem Glas, stützte dann die Ellbogen auf das Holz der Tischplatte und stieß einen Seufzer der Zufriedenheit aus.

»Besten Dank – von der letzten der Frasers«, sagte sie. »Aber hören Sie auf, mich Miss Tabor zu nennen. Ich bin Lorna, und Sie nennt man Jonny, wie ich gehört habe.«

»Manche nennen mich so, ja.« Er kostete den Wein und schaute dann über den Rand des Glases hinweg seine Begleiterin an. Sie lächelte, aber ihre Augen wirkten müde. »Haben Sie schon ein Hotelzimmer?«

»Ich habe ein Zimmer im Carcroft – nicht Tante Lornas Zimmer, und ich habe das Türschloß überprüft, nachdem ich meine Koffer dort abgestellt hatte.« Sie kämpfte gegen ein Gähnen an und fuhr fort: »Übrigens, ich habe mich nach ihren Sachen erkundigt, und man sagte mir, die Polizei habe sie noch nicht freigegeben.«

»Ich werde sehen, was ich machen kann«, versprach er ihr. »Kann ich sonst noch was für Sie tun?«

»Ja.« Sie hielt ihr Glas in der Hand und zog die Stirn in tiefe Falten. »Jonny, nachdem Ihre Leute den Nachlaß übernommen haben, was ist da aus Peter Frasers persönlicher Habe geworden?«

»Der gesamte Nachlaß wird in der Regel bei einer öffentlichen Auktion versteigert. Die wertlos erscheinenden Dinge werden vorher vernichtet.«

»Aber bestimmt nicht die Jacht auf Teneriffa.« Sie lächelte, als er sie erstaunt anschaute. »Mr. Falconer hat sie erwähnt, und daß Sie dorthin fliegen würden.«

»Nach dem Wochenende, ja.«

»Um sie zu verkaufen.« Sie nickte. »Na schön. Ich werde nichts dagegen einwenden. Aber ich glaube, ich werde tun, was mir Mr. Falconer geraten hat: einen Rechtsanwalt nehmen. Wie wär's, wenn Sie mir jetzt etwas über Peter Fraser erzählen würden?«

»Da gibt es nicht viel.« Er wartete, bis der Kellner das Essen serviert hatte. »Was hat Falconer denn gesagt?« wollte er dann wissen.

»Sehr wenig. Ihm ging es mehr darum, mich auszuhorchen.«

Gaunt lachte. Während sie aßen, umriß er ihr kurz, was er wußte. Als er seinen Bericht beendet hatte, bemerkte er, daß die junge, dunkelhaarige Frau ihre Enttäuschung nicht verbergen konnte.

»Das ist nicht viel«, sagte sie unverblümt. »Hören Sie, Jonny, Lorna Anderson war nur drei Wochen hier. Und sie hat etwas herausgefunden in dieser Zeit – aber was?«

Er schüttelte den Kopf. »Ich wollte, ich wüßte es.«

»Dann dieser Einbruch in ihr Hotelzimmer – kann das damit im Zusammenhang stehen?«

Er zuckte mit den Schultern. »Vielleicht.«

»Das Wort ›vielleicht‹ scheint hier besonders in Mode zu sein«, erklärte sie spöttisch. Dann seufzte sie wieder. »Tut mir leid, aber ich kann einfach nicht vergessen, wie Lornas Stimme klang, als sie mich zum letzten Mal anrief. Sie hatte Angst, Jonny. Was sie auch entdeckt haben mag – sie hatte Angst.«

»Das glaube ich gern«, sagte er leise. Ihre Weingläser waren geleert. Er machte dem Kellner ein Zeichen nachzuschenken.

»Und was tun wir?«

»Wir?«

»Ja.« Es klang wie eine Herausforderung. Sie wartete, nahm eine Zigarettenpackung aus ihrer Handtasche, zündete sich eine Zigarette an.

»Sie haben vorläufig genug getan«, meinte er dann bedächtig. »Aber ich kann versuchen herauszufinden, wo sie gewesen ist – und mehr Informationen über Peter Fraser zu bekommen.«

Einen Augenblick lang schien sie ihm widersprechen zu wollen. Dann nickte sie zögernd.

Dann bezahlte Gaunt die Rechnung. Sein Rücken schmerzte und war wieder steif geworden, und er zuckte zusammen, während er sich erhob, um Lorna Tabor in ihren Mantel zu helfen.

»Etwas nicht in Ordnung?« fragte sie.

»Eingerostet«, antwortete er und verzog das Gesicht. »Schieben wir's aufs Wetter – das kann sich nicht wehren.«

»Gute Idee.« Sie schaute ihn einen Moment lang an, sagte aber nichts.

Es war noch früh am Nachmittag; Gaunt hatte die Ein-Uhr-Böllerschüsse vom Schloß gehört, als sie beim Essen waren. Die ganze Stadt schien Mittagspause zu machen.

Lorna Tabor hatte nichts dagegen, als Gaunt ihr vorschlug, sie solle ins Hotel fahren, auspacken und sich ein wenig ausruhen. Sie unterdrückte wieder ein Gähnen, während er ihr ein Taxi rief.

»Wir treffen uns dann um drei im New Register House«, versprach Gaunt, als sie sich trennten. »Wenn ich zu spät komme, fragen Sie nach Andy Deathstone.«

Danach ging er zu seinem Wagen, stieg ein, blieb einen Augenblick nachdenklich hinter dem Lenkrad sitzen, und startete dann den Wagen.

Das zuständige Polizeirevier für das Stadtzentrum lag in einer Seitenstraße nahe dem Leith Walk versteckt. Gaunt kam dort gleichzeitig mit einem großen, wild um sich schlagenden Betrunkenen an, der von zwei Polizistinnen abgeführt wurde. Der Betrunkene wollte die Beamtinnen wegen tätlichen Angriffs anzeigen und ging so, als ob jeder Schritt ihm weh täte. Gaunt wartete, bis es auf der Wachstation ruhiger geworden war, dann fragte er nach Detective Sergeant Angus.

Angus war im Dienst. Er kam durch einen Korridor, während Gaunt gerade die Fahndungsplakate am Schwarzen Brett studierte.

»Sie.« Der pferdegesichtige Kriminalbeamte gab gar nicht vor, als freue er sich über Gaunts Anblick. »Was gibt es diesmal?«

»Können wir kurz miteinander sprechen?« fragte Gaunt.

Angus machte eine einladende Geste, ging dann voraus durch den Wachraum und hinüber in den Bereitschaftsraum der Kriminalpolizei.

Der Schreibtisch des Sergeants stand direkt an der Heizung. Neben seiner Schreibmaschine waren eine Milchtüte und ein Karton mit einem Sandwich aufgebaut. Angus zog Gaunt einen Stuhl herüber, dann ließ er sich in den Sessel hinter dem Schreibtisch sinken.

»Ich muß aber in ein paar Minuten weg.« Er trank einen Schluck Milch. »Die Abteilung für Verbrechensverhütung hat mich überredet, vor einer Schulklasse zu sprechen. Dabei weiß die Hälfte der Kinder mehr über das Thema als ich.«

»Lorna Anderson«, fragte Gaunt. »Wie stehen die Ermittlungen?«

»Gar nicht«, sagte Angus düster, biß dann in sein Sandwich. »Die Spurensicherung hat in dem Hotelzimmer eine Niete gezogen. Es gab nicht mal ein paar verwischte Fingerabdrücke. Wir haben eine

Liste von dem Zeug unter die Leute gebracht, das ihr angeblich gestohlen worden ist, aber bis jetzt ist nichts davon aufgetaucht.« Er zuckte mit den Schultern. »Weitere Hinweise gibt es nicht.«

»Aber Sie hatten gewisse Zweifel«, erinnerte ihn Gaunt.

»Ja. Und jemand hat Sie beschattet – aber das haben wir erst heute erfahren.«

Sie schauten sich schweigend an. Schließlich deutete Angus auf seine Schreibmaschine. »Was glauben Sie, wie viele Berichte ich schreiben mußte, weil diese Frau gestorben ist?«

Gaunt schüttelte den Kopf. »Mich interessiert nur, ob in einem davon der Name Peter Fraser vorgekommen ist.«

»Das ist er.« Angus trank einen Schluck Milch. »Ich bin neugierig geworden und habe mich nach ihm erkundigt.«

»Und?« Gaunt zog erwartungsvoll die Augenbrauen hoch.

»Ich glaube kaum, daß man ihn eingeladen hätte, Mitglied beim Rotary Club zu werden.« Der Kriminalbeamte grinste. »Aber heutzutage, wer weiß? Jedenfalls taucht sein Name mehrmals in der Kartei des Betrugsdezernats auf, obwohl man ihm nie eine Straftat nachweisen konnte. Das war nun mal seine Art: Er galt als gutes Aushängeschild für risikoarme Schwindelmanöver, Tricks, die nur selten auffliegen. Und seit zwei oder drei Jahren ist er nicht mehr auffällig geworden.«

»War das, als er den Job bei der Firma Hispan Trading bekam?«

Angus nickte.

»Hat sich schon jemand diese Firma aufs Korn genommen?«

»Es ist eine ausländische Firma, scheint aber alles in Ordnung zu sein.« Angus machte klar, daß diese Kombination in seiner Begriffswelt etwas Ungewöhnliches darstellte. »Jedenfalls gab es bisher keinen Grund für Klagen, und abgesehen davon betreibt sie nicht gerade überwältigende Transaktionen.« Nach einer Pause fragte er: »Sonst noch Fragen?«

»Eine Verwandte von Lorna Anderson ist hier – aus Kanada. Sie will wissen, wann Mrs. Andersons persönlicher Besitz freigegeben wird.«

Angus nickte. »Wenn sie dazu berechtigt ist, werden wir das Zeug mit Freuden los.«

»Aber zuerst will ich alles durchsehen«, sagte Gaunt leise.

Angus seufzte, stand auf und ging voraus.

Der Raum für die Aufbewahrung von beschlagnahmtem und sonstigem Fremdeigentum wurde gerade renoviert; daher benutzte man zwei Haftzellen als vorübergehendes Lager. Angus betrat eine der beiden, kramte einen Koffer und einen Plastikbeutel hervor, stellte beides auf einen Tisch und trat dann zurück.

»Das ist alles.« Von weiter unten im Zellenblock drang lautes Schreien herauf. Gaunt erkannte die Stimme: Der Betrunkene, der vorhin eingeliefert worden war, verlangte jetzt lautstark nach einem Arzt. Angus achtete nicht auf das Gebrüll. »Kann ich Sie hier allein lassen? Das ist zwar nicht nach den Vorschriften, aber ich muß in diese verdammte Schule, und –«

»Wenn ich etwas ausborgen möchte, frage ich zuerst«, versprach Gaunt.

»Gut.« Der Kriminalbeamte zögerte. »Wegen Fraser: War er in Gaunereien verwickelt, bevor er starb?«

»Es ist möglich«, antwortete Gaunt. »Falls sich etwas in dieser Richtung ergibt, teile ich es Ihnen natürlich mit.«

Angus ging. Der Betrunkene hatte inzwischen seinen Protest aufgegeben und war verstummt.

Gaunt wandte sich dem Koffer und dem Plastikbeutel zu. Der Koffer, den er schon im Hotel gesehen hatte und der neben dem Schloß aufgeschlitzt worden war, schien von jemandem sehr ordentlich gepackt worden zu sein. Am Plastikbeutel war ein Anhänger vom Krankenhaus befestigt; er enthielt die Kleidung, die Lorna Anderson getragen hatte, als sie dort eingeliefert worden war.

Der Koffer enthielt nichts, was ein neues Licht auf die Angelegenheit geworfen hätte. Gaunt untersuchte den Inhalt des Beutels und breitete ihn auf dem Tisch aus. Als erstes fiel ihm ein gefütterter blauer Parka auf, der mit grauem Pelz besetzt war und zwei Außentaschen aufwies. Die eine war leer, in der anderen fand er ein Taschentuch und die Reste eines Schokoladenriegels. Gaunt legte den Parka zusammen und wollte ihn schon wieder in den Beutel stecken, als ihm eine Innentasche auffiel. Erst dachte er, sie sei leer, dann stießen seine Finger gegen zerknülltes Papier.

Die Tasche hatte unten ein Loch, und der größte Teil dessen, was Gaunt gefühlt hatte, war schon zwischen Mantelstoff und Futter gerutscht. Vorsichtig zog er das Papier heraus und glättete es auf dem Tisch.

Es war ein Handzettel mit der Überschrift HISPAN PROPERTIES und bot Häuser und Grundstücke auf den Kanarischen Inseln zum Kauf an. Unten auf dem Zettel standen zwei Postfach-Adressen, die eine in Edinburgh, die andere in Teneriffa. In Vierfarbdruck waren briefmarkengroß Villen und Apartmenthäuser mit Swimmingpools und Palmen abgebildet. Im Vordergrund posierten braungebrannte Mädchen in Bikinis. Und der vielversprechende Text sprach von Sonne, Meer und warmen, romantischen Nächten.

Gaunt lächelte vor sich hin und drehte das Flugblatt um. Auf der Rückseite standen eine Preisliste sowie Finanzierungsangebote ohne Nennung von Zinsen. Doch am rechten Blattrand entdeckte Gaunt eine Reihe von Zahlen in der sauberen, kleinen Handschrift von Lorna Anderson. Er schaute sie genauer an.

Als erstes stand dort eine Telefonnummer, die auffällig eingekreist war. Dann folgte eine Umrechnung von Britischen Pfund in Dollar, und am Schluß stand wieder eine eingekreiste Telefonnummer. Die Beträge der Rechnung waren bescheiden, und beide Telefonnummern begannen mit der Vorwahl von Edinburgh.

Der Betrunkene in der Zelle schien wieder munter geworden zu sein; jetzt sang er laut und falsch. Ein anderer Häftling begann zu brüllen, der Betrunkene solle aufhören mit dem Geschrei. Gaunt achtete nicht darauf, sah den Rest der Kleidung durch und packte alles wieder ein. Dann, mit einer stummen Entschuldigung an Sergeant Angus, steckte er das Flugblatt in die Innentasche seines Sakkos und verließ die Zelle.

Der Wachhabende teilte ihm mit, daß Angus das Haus bereits verlassen habe. Gaunt fragte, ob er telefonieren könne, und man schob ihm einen Apparat zu.

Er wählte die erste der beiden Telefonnummern, und das Rufzeichen ertönte eine ganze Weile, ehe am anderen Ende abgenommen wurde.

»Universal-Reisebüro«, sagte eine Männerstimme. »Was kann ich für Sie tun?« Gaunt verzog enttäuscht das Gesicht, drückte auf die Gabel und wählte dann die andere Nummer. Diesmal meldete sich eine Frauenstimme.

»Spanisches Konsulat«, sagte sie mit starkem Akzent. »Guten Tag.«

Er legte auf und fluchte leise.

»Kein Glück?« fragte der Wachhabende.

»Nicht besonders, nein.«

Aber er fragte sich, was das zu bedeuten hatte. Es war möglich, daß Lorna Anderson daran gedacht hatte zu verreisen, aber selbst wenn Teneriffa ihr Reiseziel gewesen wäre, konnte man wohl ausschließen, daß sich die Witwe aus Kanada dort ein Apartment oder eine Villa kaufen wollte.

Er dankte dem Wachhabenden und ging hinaus zu seinem Wagen. Eines stand fest: Es war höchste Zeit, etwas mehr über die Firmen Hispan Trading und Hispan Properties herauszufinden, auch wenn das bedeutete, daß er sich zu seiner Verabredung mit Andy Deathstone verspätete.

Das Büro der Firma Hispan Trading befand sich im Calvin House, einem großen Bürokomplex aus Glas und Beton am Rand eines kleinen Parks mit der Bezeichnung ›The Meadows‹. Das Bürohaus gehörte einer Versicherungsgesellschaft, die beiden untersten Stockwerke waren von einer Computerfirma belegt, und in den übrigen Etagen hatte eine Vielzahl verschiedener Unternehmer ihre Büros eingerichtet.

Unten im Foyer gab eine Hinweistafel Auskunft. Jonathan Gaunt stand davor und betrachtete sie, als ein kleiner, verschrumpelter Mann in einer grauen Portierslivree zu ihm herantrat.

»Kommen Sie zurecht?« fragte er.

»Wo finde ich die Hispan Trading?« fragte Gaunt.

»Die?« Der kleine Mann grinste und sah dabei wie ein Äffchen aus. »Im vierten Stock. Aber ich habe heute noch niemanden gesehen – außer der jungen Angela. Glaube auch nicht, daß sich sonst noch jemand von der Firma blicken läßt.«

»Es scheint nicht leicht zu sein, mit der Firma Kontakt aufzunehmen, wie?« sagte Gaunt milde.

»Nicht leicht?« Der kleine Mann stieß einen verächtlichen Laut aus. »Kennen Sie die Firma?«

»Nein.« Gaunt lächelte steif. »Das ist ja gerade mein Problem.«

Der Portier schaute ihn verständnisvoll an. »Worum geht es denn? Wollen Sie was verkaufen?«

»Ja, also…« Gaunt ließ es dabei.

»Ich gebe Ihnen einen Tip.« Der kleine Mann senkte verschwörerisch die Stimme. »Der Chef ist ein großer, magerer Typ. John Cass. Sieht freundlich aus und redet auch so. Aber davon darf man sich nicht beeindrucken lassen. Er kann knallhart sein, wenn es nicht so läuft, wie er will.«

Er blinzelte wieder, dann ging er zurück in seine Portiersloge.

Gaunt nahm den Lift in den vierten Stock. Das Büro der Hispan Trading lag hinter der letzten Tür links, nach einer Filiale der Gewerkschaft und einer Fotoagentur.

Gaunt ging hinein, und ein pausbäckiges Mädchen blickte hoch und legte dann die Illustrierte weg, in der es gelesen hatte. Der Schreibtisch war das dominierende Möbelstück in dem spärlich eingerichteten Raum.

»Hallo.« Sie betrachtete Gaunt mit offener Neugier.

»Hallo.« Er lächelte sie an. »Ist John Cass hier?«

»Nein. Niemand außer mir.« Sie war um die zwanzig, mit fahlblondem Haar, hatte eine Stupsnase, trug einen bunten Pullover und stellte den Ausdruck höchster Langeweile zur Schau. »Ich bin Angela.«

Gaunt nickte. »Der Portier hat es mir gesagt.«

»Charlie?« Sie lachte. »Er ist die Klatschtante vom Dienst.«

Gaunt sah sich um. Neben ihrem Schreibtisch standen zwei Aktenschränke, außerdem gab es eine Couch und einen kleinen Tisch in der Nähe des Fensters. An den Wänden waren Farbposter von Villen und Apartments mit Stecknadeln befestigt, und auf einer geschlossenen Tür hinter dem Schreibtisch des Mädchens stand PRIVAT.

»Angenommen, ich möchte ein Apartment kaufen?« fragte er.

»Dann nehme ich Ihre Wünsche auf und gebe sie weiter. Mr. Church ist der Verkäufer, aber er arbeitet nur stundenweise hier, meistens ist er zu Hause. Ich kann Ihnen ein paar Broschüren und Prospekte geben –«

»Nein, danke.« Gaunt versuchte es noch einmal. »Wann kann ich John Cass hier antreffen?«

»Das kann ich nicht genau sagen«, antwortete sie ziemlich vage. »Er hat heute morgen angerufen und gesagt, es kann Spätnachmittag werden. Mr. Cass schaut nur gelegentlich hier vorbei – es gibt Tage, da sehe ich ihn gar nicht. Ich kümmere mich nur um das Büro und gehe ans Telefon.«

Gaunt nickte verstehend. »Seit wann arbeiten Sie schon für die Hispan?«

»Seit zwei Monaten. Es ist nur vorübergehend«, sagte sie.

»Und – langweilig?«

»Es gibt nicht viel zu tun«, bestätigte sie.

»Eine Bekannte von mir ist kürzlich hiergewesen«, sagte Gaunt ganz beiläufig. »Eine Kanadierin, über sechzig. Erinnern Sie sich an sie?«

»Mrs. Anderson?« Das Mädchen lächelte. »Ja. Sie hat immer wieder angerufen, bis sie Mr. Cass erreicht hat. Dann kam sie her und hat mit ihm gesprochen.«

»Wann war das?«

»Ungefähr vor einer Woche.« Sie stützte die Ellbogen auf den Schreibtisch und war offenbar froh, endlich mit jemandem reden zu können. »Ich weiß nicht, worum es dabei ging, Mr. – äh –«

»Gaunt.«

»Also, sie waren im Büro von Mr. Cass. Und als sie gegangen ist, hat er nicht gerade glücklich dreingeschaut.«

»Haben die beiden miteinander gestritten?«

Das Mädchen zog die Stirn in Falten. »Nein, das glaube ich nicht. Ich meine, ich habe niemanden schreien gehört. Aber er war über irgend etwas sehr wütend – und dann hat er gesagt, ich kann den Nachmittag freinehmen.« Sie hielt inne. »Glauben Sie, es ist in Ordnung, wenn ich Ihnen das alles erzähle?«

»Nein.« Er lächelte sie an. »Aber machen Sie sich keine Gedanken darüber, Angela. Vielleicht komme ich später noch mal vorbei.«

Sie nickte, und als er hinausging, nahm sie wieder die Illustrierte vom Schreibtisch zur Hand. Unten im Foyer winkte ihm der kleine Portier zum Abschied nach.

Es war nicht einfach, einen Parkplatz in der Nähe des New Register House zu finden. Endlich gelang es Gaunt, seinen Wagen in eine eben freigewordene Lücke zu manövrieren, dann lief er durch den Schneematsch auf das Gebäude zu und ging hinein.

Lorna Tabor wartete bereits in Andy Deathstones Büro auf ihn. Sie saßen nebeneinander und waren in Dokumente vertieft, die Deathstone auf dem Tisch ausgebreitet hatte.

»Wo, zum Teufel, bleiben Sie so lange?« fragte Deathstone und nahm seine Brille mit den dicken Gläsern ab. Dann schaute er ihn düster an. »Ich strample mich ab, um Ihnen einen Gefallen zu erweisen, und was tun Sie?«

»Ich verspäte mich«, erwiderte Gaunt, nahm sich einen Stuhl, setzte sich den beiden gegenüber und schaute Lorna an. »Wie läuft die Sache?«

»Erstaunlich.« Sie deutete mit höchster Bewunderung auf die Dokumente. »Hier ist alles nachzulesen. Namen, Orte, Daten…«

»Und die kanadischen Papiere von Miss Tabor vervollständigen das Bild, Jonny«, ergänzte Deathstone, der ebenfalls hell begeistert zu sein schien. »Soweit ich das beurteilen kann, ist Miss Tabor ohne jeden Zweifel bestätigt als direkte Nachfahre des Kleinbauern Adam Fraser.«

»Sozusagen der letzte Zweig am Stammbaum?«

»Wir haben keinen anderen finden können.«

»Er wird sich das schriftlich geben lassen«, warnte ihn Lorna. »Vermutlich in dreifacher Ausfertigung.«

»Kein Problem.« Der kleine Mann in mittleren Jahren strahlte zufrieden. »Dieser Stammbaum, den Mrs. Anderson angefertigt hat, ist großartig – amateurhaft natürlich, aber trotzdem großartig. Ich habe Miss Tabor allerdings klargemacht, daß es in der Regel viel leichter ist, Nachkommen aufzuspüren als in anderer Richtung vorzugehen, also Ahnenforschung zu betreiben.« Er seufzte bei dem Gedanken daran. »Die Leute kommen hierher und sagen, daß sie alles über ihre Vorfahren wissen wollen. Dann muß man sechs Generationen zurückgehen, und jeder hat ein Anrecht auf vierundsechzig Ur-Ur-Ur-Urgroßeltern –«

»Ich glaub' es Ihnen gern«, stimmte Gaunt rasch zu. Dann lächelte er Lorna an. »Wenn Andy sagt, daß Sie ein legaler Nachkomme von Adam Fraser sind, dann kann selbst Henry Falconer nicht mehr viel dagegen einwenden.«

»Also sind jetzt alle davon überzeugt, daß es mich gibt.« Ihr leichter kanadischer Akzent verbarg nicht den Sarkasmus, der aus ihren Worten klang. »Großartig.«

»Ich habe einmal den Stammbaum meiner Frau verfolgt«, sagte Deathstone nachdenklich. »Und danach wäre es ihr wesentlich lieber gewesen, wenn ich es seingelassen hätte. Ich habe nämlich ein paar höchst unangenehme Zeitgenossen unter ihren Ahnen entdeckt.«

Er lehnte sich zurück und verschränkte die Arme vor der Brust. »Jonny, ich muß Ihnen eine Frage stellen. Was, zum Teufel, hat das zu bedeuten?«

»Was meinen Sie?«

»Ich will damit sagen, daß unsere Archivare den Namen Fraser bald nicht mehr hören können«, erklärte Deathstone ein wenig verdrießlich. »Erst kamen die Anfragen kurz nach seinem Tod. Dann – na ja, die Ihre ist die dritte innerhalb weniger Wochen. Die erste war Lorna Anderson.« Er brach ab und schaute Lorna Tabor an. »Das ist übrigens auch ein Hinweis: Der Name Lorna kommt in Ihrer Familie häufig vor.« Er sah, daß Gaunt ungeduldig wurde, und räusperte sich. »Ja, also, als erstes Lorna Anderson, vor zwei Wochen. Dann, ein paar Tage später, erkundigte sich ein Mann nach den Frasers.«

»Hatte dieser Mann einen Namen?« fragte Gaunt.

Deathstone seufzte. »Ja. Das heißt, er hat den Zettel mit seinen Anfragen unterschrieben. Sein Name lautete John Smith.«

»Das hilft uns viel«, bemerkte Gaunt trocken.

»Das Archiv ist öffentlich«, erinnerte ihn Deathstone verteidigend. »Wir sind nicht befugt, Identifikationen zu verlangen oder zu prüfen, ob die Anfragen berechtigt sind.«

»Ist es möglich, daß dieser Mann auf den Namen Lorna Tabor gestoßen ist?«

»Nein.« Deathstone war völlig sicher. »Lorna Tabor gab es bisher nur in Kanada.«

»Erinnern sich Ihre Leute irgendwie an die Erscheinung dieses John Smith?«

»Nein.« Deathstone schüttelte bedauernd den Kopf. »Tut mir leid.«

Lorna Tabor schaute die beiden nacheinander verständnislos an.

»Könnte einer von Ihnen mir freundlicherweise erklären, worum es bei dieser Konversation geht?« fragte sie.

»Um Peter Fraser, Ihre Tante Lorna und um jemanden, der sich für beide interessierte«, sagte Gaunt leise. »Es gab den Einbruch in ihr Hotelzimmer und ein paar weitere Hinweise. Betrachten Sie das alles im Zusammenhang, und dann erinnern Sie sich an das, was sie Ihnen gesagt hat.«

»Zum Beispiel, daß sie andeutete, Peter Fraser sei ein Gauner?«

Gaunt sah, daß Andy Deathstone sie bestürzt anschaute. Aber das war nicht so wichtig.

»Vielleicht gibt es bisher verborgen gebliebene Schätze oder etwas anderes, das jemandem wichtig ist«, sagte er langsam. »Und es sieht ganz so aus, als ob uns dieser Jemand zuvorkommen wollte.«

Lorna saß einen Augenblick lang schweigend da und schaute ihn an; dabei fiel ein Sonnenstrahl vom Fenster auf ihr dunkles Haar und ließ es rötlich schimmern. Ihr Gesicht war völlig ausdruckslos – wie eine indianische Steinskulptur, dachte Gaunt. Aber ihre dunklen Augen verrieten, daß sie zornig war.

»Es wird ihm nicht gelingen«, sagte sie einfach. »Nicht, solange ich es verhindern kann. Das bin ich Tante Lorna schuldig.«

Andy Deathstone machte Gaunt ein unmißverständliches Zeichen, welches bedeutete, daß die Erläuterungen warten könnten, aber daß er sie früher oder später fordern würde. Gaunt und Lorna dankten ihm für seine Mühe und gingen.

Draußen vor dem Gebäude entlud ein Bus der Stadtrundfahrt die dick angezogenen, mit Kameras behängten Touristen. Ihre Führerin trieb sie wie Schafe zusammen und zählte die Häupter.

»Jonny.« Lorna berührte Gaunts Arm, als sie an der Schar vorübergingen. »Haben Sie ein bißchen Zeit für mich übrig?«

Er nickte. »Dazu bin ich hier.«

»Dann –« Sie zögerte. »Können Sie mir sagen, wo Peter Fraser begraben ist?«

Er versuchte, seine Überraschung zu verbergen. Aber er erinnerte sich: Die Akte hatte eine Notiz enthalten, zusammen mit einer Aufstellung der Begräbniskosten.

»Ja. Warum?«

»Ich kann es nicht genau sagen«, räumte sie ein. »Ich habe nur das Gefühl, ich sollte – ja, also, ich sollte es wenigstens einmal aufgesucht haben.« Sie lächelte ihn bittend an. »Tun Sie mir den Gefallen, ja?«

Gaunt nickte und ging mit ihr zu seinem Wagen zurück.

Der Friedhof lag im Südosten der Stadt; eine weitläufige, alte Anlage, in der blassen Wintersonne ein verlassener, in Trauer erstarrter Ort. Kahle Bäume reckten ihre Zweige wie Arme von dürren Klageweibern in den Himmel, und der letzte Rest von Schnee tropfte von den Ästen auf bemooste Grabsteine. Vandalen hatten den Kopf eines Engels vor einem Grabmal in der Nähe des Eingangs abgebrochen und ein paar weitere Grabmäler mit Farbspray verwüstet.

Gaunt hielt vor dem Büro der Friedhofsverwaltung und ging hinein. Der Verwalter, ein kahlköpfiger, älterer Mann, verließ die Wärme des hell lodernden Kohlenfeuers und eine dampfende Tasse Kaffee, als er sah, daß er einen Besucher hatte.

»Kein Problem.« Er nickte freundlich und hilfsbereit, als Gaunt fragte, wo er Frasers Grab finden könne. »Sind Sie ein Verwandter?«

»Entfernt«, log Gaunt.

»Gut.« Der Mann ging zu einem Schrank, summte leise vor sich hin, während er ein Register überprüfte, kam dann zurück. »Es ist in einer der neuen Sektionen. Nehmen Sie den dritten breiten Weg auf der rechten Seite, und gehen Sie geradeaus bis zum Fergus-Familiengrab – Sie können es nicht verfehlen, es sieht aus wie ein mißglückter Tadsch Mahal. Dort nehmen Sie den Fußweg nach links.«

Gaunt dankte ihm und wandte sich zum Gehen.

»Die Wege sind vielleicht ein bißchen rutschig«, warnte ihn der Verwalter. »Matsch. Um diese Jahreszeit werden nur die Hauptwege freigehalten.« Er grinste. »Aber es gibt kaum Beschwerden. Die meisten unserer Kunden verhalten sich sehr ruhig.«

Lorna stand neben dem Wagen, als Gaunt zurückkam. Sie gingen nebeneinander zwischen den Reihen von Gräbern hindurch, sahen das Familiengrab der Fergus' und setzten den Weg fort über einen schmalen, kiesbedeckten Pfad.

Die ›neue Sektion‹ war kein erbaulicher Ort des Friedens. Sie kamen an zwei frisch ausgehobenen Gräbern vorüber, die mit Brettern und Leinwand abgedeckt waren. In der näheren Umgebung erhoben sich kleine Hügel der noch nicht völlig gesetzten, aufgebrochenen Erde. Die Wege rings um die Gräber waren morastig.

Peter Frasers Grabstelle umgab trockenes, im Herbst nicht mehr gemähtes Gras; sie war mit einem einfachen Grabstein geschmückt. Sein Name und die Geburts- und Todesdaten standen in schwarzen Bleibuchstaben auf dem hellen Stein.

Gaunt warf einen Blick auf Lorna. Sie lächelte ein wenig scheu, trat einen Schritt näher, blieb stehen und zog die Stirn in Falten.

Ein verwelkter Blumenkranz lag auf dem Gras am Fuß des Steins. Gaunt bückte sich, hob den Kranz hoch und störte dabei eine große, weiße Schnecke. Eine kleine Karte, schon ziemlich vergilbt, war mit einem dünnen, grünen Draht am Kranz befestigt. Die Worte waren noch leserlich.

»Was steht da drauf?« Lorna war neben Gaunt getreten und las mit leiser Stimme: »In stillem Gedenken. Marta, Puerto Tellas. – Liegt das auf Teneriffa?«

Er nickte. »Wo auch das Boot festgemacht ist.«

»Marta.« Sie sprach nachdenklich den Namen aus. »Eine Frau – sind Sie sicher, daß er dort keine Angehörigen hatte?«

»Wenn Sie meinen, ob er mit jemandem verheiratet war – nein, das haben wir überprüft.« Gaunt riß die Karte ab, steckte sie ein und legte dann den Kranz zurück auf das nasse Gras. »Wollen Sie noch einen Augenblick bleiben?«

»Nein.« Sie schüttelte den Kopf. »Ich war hier, das genügt.«

Sie gingen zurück zum Wagen, dann stattete Gaunt dem Verwalter noch einmal einen Besuch ab.

»Haben Sie ihn gefunden?« fragte der Mann und machte sich diesmal nicht die Mühe, von seinem Platz am Feuer aufzustehen.

Gaunt nickte. »Auf dem Grab hat ein Kranz gelegen. Hat sich schon einmal jemand nach dem Grab erkundigt?«

»Fraser?« Der Friedhofsverwalter kratzte sich am Kinn. »Nein, den hat niemand besucht. Aber ich erinnere mich an den Kranz. Die kommen nur selten auf diese Weise bei uns an.«

»Auf welche Weise denn?«

»Direkt vom Blumengeschäft.« Der Mann zuckte mit den Schultern. »Der Mann, der ihn hier abgeliefert hat, sagte, der Kranz sei über Interflora bestellt worden. Telegrafisch.«

»Erinnern Sie sich an den Namen der Firma?«

»Nein. Aber ich weiß, wann. Es war genau am ersten Jahrestag seines Todes.« Der Friedhofsverwalter kicherte leise. »Es gibt doch immer wieder irgend jemanden, der an einen denkt.«

»Irgendwo«, ergänzte Gaunt.

Die Dämmerung bricht früh im schottischen Winter herein, und der Himmel war bereits grau, während sie zurückfuhren in die Stadt. Als sie vor dem Carcroft Hotel hielten, wurde gerade die Straßenbeleuchtung eingeschaltet.

»Genug für einen Tag?« fragte Gaunt.

»Meiner Müdigkeit nach zu urteilen, ja.« Lorna Tabor hatte die Autotür halb geöffnet und lehnte sich für einen Moment zurück. Sie sah müde aus. »Ein Bett und ein paar Stunden Schlaf – das ist mein Programm für den Abend und die Nacht. Zuvor muß ich noch meinen Vater in Winnipeg anrufen.«

»Und morgen wird Henry Falconer noch einmal mit Ihnen sprechen wollen«, sagte Gaunt.

»Sie meinen, daß er mich jetzt anerkennt?« Sie zuckte mit den Schultern. »Ich werde darüber nachdenken. Es gibt so vieles, was mir durch den Kopf geht.«

»Sagen Sie es mir«, bat Gaunt.

»Später.« Es gelang ihr, ein Gähnen zu unterdrücken. »Erst muß ich mir selbst ein bißchen klarer darüber sein, Jonny. Vielleicht rede ich mit ein paar Leuten und lasse mich beraten.« Einen Augenblick lang war sie sehr nachdenklich. »Helfen Sie mir noch bei einer Sache?«

»Morgen?« Er nickte. »Vorausgesetzt, es ist nichts Ungesetzliches.«

»Bevor sie aus Kanada abflog, hat Tante Lorna sich an verschiedene Stellen gewandt und bekam eine alte Adresse von Peter Fraser. Ich nehme an, das war ihr Ausgangspunkt. Dann, als sie erfuhr, daß er tot war – nun, sie hat bestimmt von dem Bauernhaus gehört, in dem er wohnte. Ich möchte es gern sehen.«

Gaunt nickte. »Das kann ich arrangieren. Wenn es Ihnen nichts ausmacht, begleite ich Sie gern.«

»Damit hatte ich gerechnet. Danke.« Sie lächelte ihn an und stieg aus dem Wagen.

Gaunt wartete, bis sie im Hotel verschwunden war, dann startete er den Motor und fuhr los. Er hatte jetzt die Wahl, mit Henry Falconer zu sprechen oder es noch einmal im Büro der Hispan Trading zu versuchen. Die Entscheidung fiel zugunsten der Hispan aus; von Falconer hatte er für diesen Tag genug.

Der Verkehr auf den Straßen war jetzt schon ziemlich dicht und verstärkte sich noch, als in den Büros der Feierabend näherrückte. Gaunt erreichte den Bürokomplex Calvin House und fand dort nach dem allgemeinen Geschäftsschluß mühelos einen Parkplatz.

Er fuhr mit dem Lift hinauf in den vierten Stock. Das Vorzimmer von Hispan Trading lag im Halbdunkel und war nicht besetzt, aber durch die Milchglasscheibe der Tür, die ins Privatbüro führte, fiel Licht heraus. Er hörte Stimmengemurmel, undeutlich, aber es handelte sich um Männerstimmen. Gaunt trat an die Tür, klopfte an, und die Stimmen verstummten. Er hörte, wie ein Stuhl zurückgeschoben wurde, und eine Sekunde später ging die Tür auf.

»Wie, zum Teufel, kommen Sie hier herein?« fragte ein großer, hagerer Mann.

Gaunt deutete auf die Eingangstür. »Sie war nicht verschlossen.«

»Das verdammte Mädchen!« Der Mann war etwa im Alter von Gaunt und hatte kurzgeschnittenes, blondes Haar, schmale Lippen und eine große Hakennase. Seine Stimme war weich, klang fast ein wenig weiblich. Er trug einen grauen Anzug, dazu ein weißes Hemd und eine bordeauxrote Seidenkrawatte. Er blieb stehen, wo er war, und verstellte so den Einblick in das Büro. »Wir haben geschlossen. Kommen Sie morgen wieder.«

»Wenn Sie zufällig John Cass sind – es dauert nur einen Augenblick«, sagte Gaunt in lockerem Ton.

Der Mann runzelte die Stirn, nickte dann. »Also?«

»Ich war heute schon einmal hier.« Gaunt zeigte ihm seinen Dienstausweis. »Ich habe Angela gesagt, ich würde wiederkommen.«

»Ja, sie hat mir gesagt, daß jemand hier war.« Der schmale Mund von Cass wurde noch schmaler. »Sie haben sich nach dieser Kanadierin erkundigt. Warum?«

»Sie ist tot«, sagte Gaunt.

Cass zuckte mit den Schultern. »Das wußte ich nicht.«

»Dazu besteht auch kein Grund«, meinte Gaunt. »Aber es gibt da ein rechtliches Problem, und das steht im Zusammenhang mit Peter Fraser.«

»Das hätte ich mir denken können.« Cass warf nachdrücklich einen Blick auf seine Armbanduhr. Sie war aus Gold, mit einem breiten, dazu passenden Goldarmband. »Ich bin gerade mitten in einer privaten Besprechung, aber ich gebe Ihnen noch zwei Minuten – nicht mehr.«

Gaunt nickte. Cass kam heraus ins Vorzimmer und schloß die Tür hinter sich.

»Mrs. Anderson war eine entfernte Verwandte von Peter Fraser«, begann Gaunt.

»Das habe ich schon verstanden, als sie mich zum ersten Mal besuchte«, entgegnete Cass verdrossen. »Sie hat mir den Stammbaum unter die Nase gehalten und andere Papiere.«

»Wie oft haben Sie sie gesehen?«

»Zweimal, und ich würde sagen, das war zweimal zuviel«, erklärte Cass schnippisch. »Sie ist das erste Mal vor zwei Wochen hier aufgetaucht, um mich zu belästigen, dann noch einmal letzte Woche, genau gesagt, am vergangenen Mittwoch.«

»Was wollte sie?«

Cass zuckte unwillig mit seinen schmalen Schultern. »Diese gute Frau scheint gedacht zu haben, wir hätten Frasers Sachen noch hier herumliegen.«

»Und das war nicht der Fall?«

»Nein.« Cass ließ deutlich erkennen, daß er sich mühsam zur Geduld zwingen mußte. »Hören Sie, ich habe diesen Fraser nie kennengelernt. Ich kam erst hierher, als er schon tot war, und eine meiner ersten Begegnungen hier war die mit einem Anwalt, der Frasers Schreibtisch durchsuchen wollte, und dann mit der Polizei, die in derselben Absicht aufkreuzte.« Er verzog das Gesicht. »Sie haben ein paar Sachen mitgenommen. Und alles, was dann noch übrig war, wurde weggeworfen – alles.«

»Haben Sie das Lorna Anderson gesagt?«

»Zweimal. Vielleicht dachte sie, wir hätten hier einen Sack voll

Gold versteckt.« Cass rieb sich mit einem Finger an der Nase und schniefte spöttisch bei dem Gedanken. »Und jetzt? Sie sagen, sie ist tot. Ist vielleicht noch jemand wie sie aufgetaucht?«

»Dazu besteht immerhin die Möglichkeit«, wich Gaunt aus. »Außerdem haben wir Frasers Nachlaß noch nicht geregelt.«

»Die Jacht.« Der blonde Mann schneuzte sich. »Ich habe mich erst gestern mit dem Hauptbüro auf Teneriffa in Verbindung gesetzt. Sie erwähnten, daß jemand von hier nach Puerto Tellas kommen würde, um das Boot zu verkaufen. Sie?«

Gaunt nickte.

»Dann werden Sie ja meinen Chef kennenlernen. Paul Weber. Fragen Sie ihn doch nach Fraser – er hat ihn sehr gut gekannt.«

»Wird Marta auch dabeisein?« fragte Gaunt leise.

»Webers Schwester?« fragte Cass und blinzelte Gaunt an. »Wahrscheinlich. Was hat sie damit zu tun?«

»Jemand hat ihren Namen erwähnt«, antwortete Gaunt unbestimmt. »Wie ist sie denn?«

»Wie die Schwester vom Chef eben«, konterte Cass. »Sind Sie fertig?«

»Vorläufig, ja.« Gaunt ging hinüber zu einem der Fotos an der Wand. »Ein Freund von mir hat angedeutet, daß er daran denkt, sich ein Apartment auf den Kanarischen Inseln zu kaufen. Wie sieht die Marktlage aus?«

»Ganz gut.« Cass zögerte, dann fügte er mürrisch hinzu: »Sagen Sie ihm, er soll sich mit uns in Verbindung setzen. Sie können auch ein Wort mit Paul Weber darüber sprechen, wenn Sie dort sind – er baut gerade eine größere Anlage in Puerto Tellas, sozusagen als Nebenbeschäftigung.«

Danach trieb Cass Gaunt geradezu auf die Tür zum Korridor zu und drängte ihn dann hinaus auf den Gang. Die Tür fiel ins Schloß, und Gaunt hörte, wie von drinnen ein Riegel vorgeschoben wurde. John Cass wollte sichergehen, daß er bei seinem Gespräch nicht wieder gestört wurde.

Gaunt ging zum Lift, drückte auf den Rufknopf und dachte nach, während er wartete. Zumindest der Name ›Marta‹ ergab jetzt einen gewissen Sinn. Dann fiel ihm auf, daß Cass gar nicht gefragt hatte, wie Lorna Anderson ums Leben gekommen war.

Entweder es war ihm gleichgültig, oder er wußte Bescheid darüber, auch wenn er das abgestritten hatte.

Der Lift kam an. Gaunt zwängte sich zu einer Gruppe plappernder Sekretärinnen, und sie verstummten augenblicklich, so daß er sich vorkam wie ein Elefant im Porzellanladen.

Als der Fahrstuhl das Parterre erreicht hatte, ließ er die Mädchen zuerst aussteigen. Dann, während er durch das Foyer ging, trat ihm Charlie, der Portier, in den Weg.

»Schon wieder hier?« Der zerknittert wirkende kleine Mann in seiner grauen Livree grinste ihn an. »Glück gehabt, diesmal? Ich habe gesehen, daß Cass hier ist.«

»Wir haben miteinander gesprochen.« Gaunt hielt inne und erinnerte sich daran, daß der Portier die Klatschbase vom Dienst war, wie Angela ihn genannt hatte. »Aber er hatte wenig Zeit – vermutlich war Besuch bei ihm.«

»Wahrscheinlich einer von den Burschen, die er als ›Geschäftspartner‹ bezeichnet.« Der kleine Portier lachte in sich hinein. »Also, ich möchte keinem von denen nachts auf einer einsamen Straße begegnen.«

Wieder kam ein Schwung Büromädchen aus dem Lift und strebte auf den Ausgang zu. Gaunt nahm den Portier beim Arm und zog ihn zur Seite, neben einen Pflanztrog aus Beton mit Grünpflanzen.

»Sie könnten mir behilflich sein, Charlie«, sagte er leise. »Angela meinte, Sie hätten ein sehr gutes Gedächtnis. Erinnern Sie sich an Peter Fraser?«

»Der gestorben ist?« Der Portier rieb sich das Kinn. »Könnte sein, mein Freund. Aber ich kann kaum sprechen, so trocken ist meine Kehle.«

»Meinen Sie, damit können Sie sie anfeuchten?« Gaunt nahm zwei Pfundnoten aus seiner Brieftasche, faltete sie zusammen und wartete.

»Ich glaube, ja.« Charlie streckte die Hand aus und ließ die Scheine geschickt verschwinden. »Fraser hatte auch solche ›Geschäftspartner‹ zu Besuch.«

»Ich habe gehört, daß er nicht oft hier war.«

»Höchstens die Hälfte der Zeit im Jahr, und seine Post hat sich zu Bergen gehäuft – genau wie jetzt.« Der Portier schaute düster drein.

»Wir haben ein paar seltsame Mieter hier, aber diese Hispan ist bei weitem die merkwürdigste Firma im ganzen Haus.«

»Wieviel Post bekommt die Hispan denn?«

»Viele Bücher und Zeitschriften – das muß eine Menge Geld kosten. Aber Briefe – eher wenig.« Geistesabwesend zupfte der kleine Portier ein paar Blätter von der am nächsten stehenden Pflanze und zerdrückte sie in der Hand. »Post – davon hab' ich genug, seit diese Bohnenstange dort oben den anderen abgelöst hat.«

Gaunt schaute ihn verständnisvoll an. »Ärger?«

»Ja. Er war kaum hier, da hat er schon angefangen herumzubrüllen. Erst hat er gesagt, es fehlen Akten aus dem Büro, und wollte wissen, ob die von der Büroreinigung was weggeschmissen haben.«

»Und – war das der Fall?«

»Wenn etwas im Papierkorb liegt, wird es weggeworfen, das ist klar. Aber dann hat er mich angeschrien, weil angeblich Post gefehlt hat, die er erwartete.«

»Und?«

»Ich hab' ihm gesagt, er soll zum Teufel gehen«, antwortete der kleine Mann nicht ohne gewissen Stolz.

»Sie sagten, Bücher und Zeitschriften«, erinnerte ihn Gaunt. »Interessante Sachen?«

»Nee. Lauter geschäftliches Zeug. Technische Broschüren und so. Sie kommen immer noch an – und werden fast alle ungeöffnet weggeworfen. Also nur Arbeit für die Putzfrauen und Arbeit für mich.«

»Eine undankbare Welt«, murmelte Gaunt.

»Und verdammt durstig, nicht wahr?« Der Kleine zwinkerte ihm gnomenhaft zu. »Wenn Sie sich mal wieder mit mir über solche Dinge unterhalten wollen, kommen Sie jederzeit vorbei.«

»Falls es meine Zeit erlaubt, mit Vergnügen«, versprach Gaunt. »Gute Nacht, Charlie.«

Die Stadtflucht aus dem Zentrum des abendlichen Edinburgh hatte fast ihren Gipfel erreicht. Als Jonathan Gaunt zum Schatzamt zurückkehrte, war die Abteilung des Remembrancers nahezu ausgestorben.

Er setzte sich an eine der Schreibmaschinen im Zentralbüro und skizzierte einen grundlegenden Bericht für Henry Falconer. Als er damit fertig war, korrigierte er die auffallendsten Tippfehler mit Kugelschreiber, steckte den Bericht in einen Umschlag und legte ihn dann zur internen Post.

Danach verließ er das Gebäude.

Es war Mittwoch, und am Mittwochabend spielte er, wenn es seine Zeit erlaubte, mit ein paar Freunden Poker. Er gehörte zum festen Kern eines halben Dutzends regelmäßiger Spieler, und die Regeln waren klar und einfach: Die Treffen fanden von Woche zu Woche wechselnd bei einem anderen der Spieler statt, und die Einsätze durften nicht so hoch sein, daß ein eventueller Verlust zum finanziellen Ruin führte.

An diesem Abend war John Milton der Gastgeber. Milton war ein Börsenmakler, der genügend Humor besaß, seine Telegrammadresse ›Verlorenes Paradies‹ zu nennen, und genügend Geduld, um Gaunts Fragen über Anlageprobleme ertragen zu können.

Außerdem hatte er eine Frau, die ihre Mittwochabende in einem Fitneßklub verbrachte.

John Milton wohnte in einem großen, alten Haus in Barnton, und die meisten seiner Nachbarn arbeiteten ebenfalls bei Banken oder an der Börse, waren Direktoren größerer Gesellschaften oder pensionierte Generäle. Auf der Fahrt dorthin hielt Gaunt bei einem Restaurant, wo er ein Sandwich aß, und als er seinen Wagen auf der Straße vor dem Haus parkte, war es acht Uhr geworden.

Er ging über den Kiesweg und durch einen mit Bäumen gesäumten Garten, der wie ein etwas verwahrloster öffentlicher Park aussah, klingelte an der Haustür, und gleich danach wurde das Licht über dem Eingang eingeschaltet. Dann ging die Tür auf.

»Wir haben schon angefangen«, sagte Milton und bat ihn hinein. »Sie haben sich verspätet.«

»Ich habe gearbeitet«, sagte Gaunt.

»Mir kommen gleich die Tränen des Mitleids«, scherzte Milton und ging ihm voraus in sein Arbeitszimmer.

Er war tatsächlich der letzte, und die Partie war bereits im Gang. Der Geber, ein hoher Gewerkschaftsfunktionär, begrüßte ihn mit Augenzwinkern. Unter den anderen Gästen befand sich ein Geriatriker, ein Stadtrat vom rechten politischen Flügel und ein Profi-

Fußballer. Und einer der Spieler war Andy Deathstone.

Gaunt wartete. Das Blatt wurde ausgespielt, dann kam Deathstone zu ihm herüber.

»Ich habe gehofft, daß Sie auftauchen würden«, sagte Deathstone freundlich. »Deshalb bin ich heute abend hergekommen.«

Gaunt nickte, und sie standen ein paar Sekunden lang beisammen und sahen zu, wie neu ausgegeben wurde.

»Wollen Sie mir jetzt nicht sagen, worum es in dieser Fraser-Sache eigentlich geht?« fragte Deathstone, während die Spieler ihre Karten studierten. Er lehnte seinen kleinen, untersetzten Körper gegen Miltons Schreibtisch. »Wenn die Leute mit dem New Register House Murmeln spielen, möchte ich wissen, warum.«

»Es geht um Geld«, sagte Gaunt und betrachtete dabei die Karten der Spieler. Milton, der vier Damen hatte, wurde großartig vom Geriatriker geblufft, der nur drei Zehner in der Hand hielt. »Vermutlich um sehr viel Geld – vorausgesetzt, es existiert noch.«

»Und Ihre Miss Tabor mußte beweisen, daß sie selbst existierte.« Deathstone nickte verstehend. »Ich habe mich umgehört, nachdem Sie gegangen waren, Jonny. Ihre Mrs. Anderson – die eben verstorbene – hat unser Personal ganz schön in Trab gehalten. Es ging dabei nicht nur um den Stammbaum, sie wollte auch Nachschlagewerke und alte Kirchenregister einsehen, und sie versuchte sogar, an das Überseematerial in anderen Archivabteilungen heranzukommen.«

»Hat sie gesagt, warum?«

»Sie hat nur vage Andeutungen gemacht, und wir haben uns, offen gestanden, nicht sonderlich darum bemüht«, erwiderte Deathstone bedauernd. »Aber sie hat uns wie eine Leihbibliothek benützt.«

Milton schaute mit wild gefurchter Stirn herüber und befahl ihnen, leiser zu sein.

»Was erhoffte sie sich von dem Überseematerial?« murmelte Gaunt nach ein paar Sekunden.

»Irgendwas und nichts. Unsere Leute hatten das Gefühl, daß sie danach enttäuscht war.« Deathstone vollführte eine weit ausladende Geste. »Das Schlimme ist, daß immer so viel herumliegt. Wenn Familien aufräumen, nachdem einer ihrer Angehörigen gestorben ist, finden sie immer mal einen alten Schuhkarton mit Tagebüchern und

Briefen aus der Zeit, als Großvater versuchte, in Übersee sein Glück zu machen. Das alles lädt man bei uns ab. Wollen Sie wissen, wie es in Nordamerika wirklich war, bevor diese hochnäsigen Koloniebewohner ihre Manieren vergaßen? Das kann ich Ihnen ausführlich erklären. Oder interessieren Sie sich für Indien unter den Maharadschas, für Afrika, als Livingstone dort seine Touristennummer abgezogen hat...«

Ein gemeinsames, protestierendes Knurren der Pokerspieler unterbrach ihn an dieser Stelle.

Bei der nächsten Runde spielten sie mit. Gaunt strapazierte sein Glück mit zwei hohen Paaren und wurde von John Milton mit einem Herz-und-Karo-Flash niedergemacht.

»Das passiert, wenn man nicht bei der Sache ist«, sagte Milton und leerte den Topf mit dem Einsatz. »Wer gibt?«

Wie immer endete das Spiel um Mitternacht. Keiner hatte viel gewonnen oder verloren. Einer nach dem anderen verabschiedeten sich die Spieler, aber Gaunt blieb noch, trank sein Bier langsam aus und sah zu, wie Milton die Plastikchips wieder in die Behälter ordnete.

»John, Sie müssen mir Hilfestellung geben«, sagte er, als Milton damit fertig war. »Angenommen, ich will Geld beiseite schaffen, und zwar so, daß der Steuerfahnder nicht Lunte riecht. Ich weiß, wo er danach suchen würde – was mache ich also in diesem Fall?«

»Wie wär's mit einer Blechdose unter dem Bett?« Milton grinste. »Seit wann haben Sie solche Sorgen?«

»Ich glaube, jemand hatte sie – aber dann ist er überraschend gestorben.«

»Und wir dürfen annehmen, daß er es nicht mitgenommen hat.« Milton seufzte, öffnete eine Dose Bier und trank einen Schluck. »Schmutziges Geld?«

Gaunt nickte.

»Dann ist das eine Sache für Geldwaschanlagen.« Milton wischte sich mit dem Handrücken über den Mund. »Schweizer Banken sind heutzutage nicht mehr so großzügig wie früher. Sicher, es gibt die Karibik – ich weiß von Gegenden, wo man eine eigene Bank aufmachen kann, wenn man Lust hat dazu.«

»Und wie steht es mit Spanien?«

»Schwierig. Nicht unmöglich, aber schwierig.« Milton schüttelte den Kopf.

»Und hier, in Großbritannien?«

»Es gibt immer den berühmten Trick der Magier: ›Man sieht es, man sieht es nicht.‹« Milton trank wieder einen Schluck. »Man benützt verschiedene Banken, tritt unter verschiedenen Namen auf, eröffnet verschiedene Konten. Das Geld bleibt in Bewegung, wird hierhin und dorthin geschaufelt, in kleinen Mengen, aber oft und schnell. Und von Fall zu Fall zweigt man etwas davon ab, dorthin, wo man es endgültig haben will.«

»Und was könnte das sein?«

»Sagen wir, man hat sich eine kleine Firma gekauft, läßt sie mehr oder weniger ruhen, und die Gewinne sind praktisch Null. Man stockt das Kapital auf – das geht ganz einfach, ohne großes Aufsehen. Da die Firma keine Gewinne macht, braucht man auch keine Steuern bezahlen.«

»Und das kommt vor?«

»Manche von meinen besten Freunden würden es nicht abstreiten«, erklärte Milton und grinste vielsagend.

Ein kalter, böiger Wind aus Nordosten raschelte und pfiff in den Bäumen und Büschen, als Gaunt Miltons Haus verließ und durch den Garten auf seinen Wagen zuging.

Er hörte das Geräusch splitternden Glases, als er ein Rhododendrongebüsch neben dem Gartentor erreichte. Jetzt rannte er ein paar Schritte, blieb dann abrupt stehen und fluchte.

Eine untersetzte Gestalt in einer dicken Parkajacke stand vor seinem Ford. Ein Scheinwerfer war bereits zerschmettert, und der Mann holte mit einer Eisenstange aus, um den zweiten zu zerstören.

Gaunt brüllte und sprintete auf den Mann zu. Das Glas des zweiten Scheinwerfers zersplitterte, dann drehte sich der Mann grinsend um.

Und eine zweite Gestalt tauchte aus dem Schatten auf.

Gaunt hielt inne und beobachtete die beiden, wie sie sich ihm näherten. Die zweite Gestalt, in einen Parka gekleidet wie die erste, schwang eine Flasche, während die beiden auf ihn zukamen. Keiner sagte ein Wort.

Er mußte sie erst herankommen lassen – das war das Evangelium gewesen für den kleinen, drahtigen Trainer bei den Fallschirmspringern, der einem das Leben schwermachte, wenn man sich nicht an seine Anweisungen hielt. Nicht denken – handeln. Oder: Schneller handeln als der Gegner.

Sie hatten ihn schon fast erreicht, als er sich in Bewegung setzte. Ein Brüllen gespielter Wut, ein Satz nach vorn, ein Schlag zur Seite auf den, der die Scheinwerfer zerstört hatte, dann konzentrierte sich Gaunt kurz auf den Kerl mit der Flasche.

Er duckte einen schlecht gezielten Schwinger ab, der für seinen Kopf bestimmt war, ließ ihn an der Schulter abgleiten. Dann konterte er hart und schnell und traf die Gestalt zugleich mit dem Fuß dicht unter dem linken Knie. Aufschreiend vor Schmerzen, taumelte der Mann rückwärts, und die Flasche zersplitterte, als sie zu Boden fiel.

Knurrend näherte sich ihm der zweite Schläger. Seine Eisenstange sauste wie eine Peitsche durch die Luft. Gaunt trat einen Schritt zurück. Das brachte den anderen für einen Moment aus dem Gleichgewicht, während Gaunt wieder den rechten Fuß einsetzte und damit nach ihm trat. Dann, schon fast hinter dem Mann, packte Gaunt seinen Arm, riß ihn herum und versetzte ihm eine harte Gerade mitten ins Gesicht.

Halb betäubt, die Lippen aufgeplatzt, die Nase heftig blutend, taumelte der Angreifer im Parka zurück. Plötzlich näherte sich ihnen das Licht von Scheinwerfern.

Einer der beiden Gauner stieß einen Warnschrei aus, und beide flohen Hals über Kopf.

Während der Wagen vor dem Tor stehenblieb, kam John Milton vom Haus heruntergelaufen. Er war mit einem Golfschläger bewaffnet.

»Ich habe verdächtige Geräusche gehört«, sagte er. »Was, zum Teufel, ist hier los?«

Die Fahrerin des Wagens, eine Frau um die vierzig, stieg aus.

»Ich habe sie gesehen«, zischte sie wütend. »Betrunkene – jetzt geht auch dieses Viertel den Bach runter. Und wollen Sie wissen, was unsere überbezahlte Polizei dagegen unternimmt?« Sie deutete wütend in Richtung auf die Innenstadt. »Da hinten hat sich eine ganze Einheit aufgebaut, um den harmlosen Autofahrern eine Radarfalle zu stellen.«

Milton preßte die Lippen zusammen und schaute erst auf den Ford, dann auf Gaunt.

»Alles in Ordnung bei Ihnen?« fragte er.

Gaunt nickte.

»Gut.« Milton betrachtete prüfend einen Fleck auf dem Gehsteig. »Das ist Blut. Stammt das von Ihnen?«

»Nein.«

»Noch besser.«

»Warum führt man nicht wieder die Prügelstrafe ein?« fragte die Frau die Welt im allgemeinen.

»Betrunkene…« Milton schaute ihn wieder an, diesmal ein wenig argwöhnisch. »Soll ich die Polizei benachrichtigen?«

Gaunt schüttelte den Kopf. Die beiden Männer waren inzwischen längst über alle Berge. Er fragte sich, wie viele Betrunkene sich in einer vornehmen Wohngegend wie Barnton auf den Straßen herumtreiben mochten, und warum sie sich ausgerechnet seinen Wagen als Objekt ihrer Zerstörungswut ausgesucht hatten.

Er dankte Milton und der Frau, dann stieg er ein. Der Motor sprang an. Und obwohl die Scheinwerfergläser kaputtgeschlagen waren – die Glühbirnen funktionierten noch.

Es war Zeit, nach Hause zu fahren.

Am nächsten Morgen kam er wieder zu spät zum Dienst.

Vorher hatte er noch seinen Wagen in Dan Cafflins Reparaturwerkstatt bringen müssen, und das war ihm angesichts der beiden zerschmetterten Scheinwerfer, die ihm wie schmerzende Wunden vorkamen, nicht wesentlich leichter gefallen, als wenn er einen nahen Verwandten ins Krankenhaus hätte einliefern müssen.

Vielleicht sogar noch schlimmer, wenn er an die wenigen Verwandten dachte, mit denen er Kontakt hatte.

Cafflins Reparaturwerkstatt war eine rußig-schwarze Baracke am Ufer eines Stadtkanals, umgeben von verfallenen und verwahrlosten Mietskasernen. Cafflin, ein Kerl wie ein Kleiderschrank, betrachtete den Schaden, zog dabei die Stirn in tiefe Falten, nahm dann einen ölfleckigen Notizblock und kritzelte rasch mit einem Beistiftstummel darauf. Danach zeigte er Gaunt, was er geschrieben hatte.

»Glaub bloß nicht, daß ich irgendwo dagegen gefahren bin«, protestierte Gaunt. »Das waren zwei Schlägertypen mit einer Eisenstange.«

Cafflin warf den Kopf in den Nacken und stieß einen seltsamen, gepreßten Laut aus, der ein Lachen sein sollte. Sergeant Cafflin vom Royal Tank Regiment war bei einem dieser unsinnigen, überflüssigen Kriege zwischen arabischen Staaten, in denen immer ein paar britische Militärberater an vorderster Front standen, durch eine Landmine in die Luft geflogen. Dadurch hatte er die Sprache und das Gehör verloren. Er hatte Gaunt im Militärkrankenhaus kennengelernt.

Aber Dan Cafflin konnte von den Lippen ablesen – und Motoren einstellen, weil er ihr vibrierendes Leben mit den Fingerspitzen wahrnahm.

Wieder kritzelte Cafflin etwas auf seinen Block. Der Wagen könne gegen Mittag abgeholt werden. Er wartete, dann fügte er noch eine Zeile hinzu. ›Wie groß ist der Schlamassel, in dem du steckst?‹

»Das weiß ich noch nicht«, antwortete Gaunt. »Aber das ist ein

Spiel, bei dem ich nicht die Regeln bestimme, Dan.«

Cafflin schaute ihn an, nickte ernst und wandte seine Aufmerksamkeit dem Wagen zu.

»Wie groß ist der Schlamassel, in dem Sie stecken?«

Diesmal war es Henry Falconer, der die Frage stellte. Gaunt hatte bei seiner Ankunft im Schatzamt einen der berühmten ›Kommen Sie gleich zu mir‹-Zettel neben dem Telefon auf seinem Schreibtisch vorgefunden. Nachdem er das Büro des Verwaltungschefs betreten hatte, schickte ihn Hannah North sofort ins ›Allerheiligste‹, dann zog sie sich zurück.

»Schlamassel.« Henry Falconer wiederholte das Wort. Wie er so geduckt hinter seinem Schreibtisch saß, war es schwer festzustellen, ob er besorgt, wütend oder beides war. Er ließ sich Zeit, bot Gaunt auf dem gegenüber dem Schreibtisch stehenden Sessel Platz an. »Ihr Freund Milton hat angerufen – er meinte, ich sollte wenigstens wissen, was gestern abend geschehen ist. Nun?«

»Ich habe den Eindruck, als ob ich für jemanden ein Dorn im Auge wäre«, räumte Gaunt ein.

»Das ist sicher richtig«, sagte Falconer grimmig. »Aber das gilt für so viele, daß sie einen Klub gründen könnten. Sie müssen das schon ein bißchen präzisieren.«

»Dann sagen wir, ich bin der Firma Hispan Trading lästig«, meinte Gaunt. »Ich nehme an, man hat mich von dort aus beschattet –«

»Dieser – äh –«, Falconer warf einen Blick auf seine Notizen, »– dieser John Cass?«

»Beziehungsweise seine Leute, ja.«

»Aber nicht so, daß man es beweisen könnte.« Falconer nickte, dann seufzte er. »Wenn Sie die Sache als Randalieren von Betrunkenen behandeln – glauben Sie, daß Ihre Versicherung für den Schaden aufkommt?«

Gaunt nickte.

»Gut. Wir haben nämlich, wie Sie wissen, die Anweisung, so sparsam wie möglich mit unseren Spesengeldern umzugehen.« Falconer schien erleichtert, als er sich nach dieser Einleitung dem Stapel von Papieren zuwenden konnte, der vor ihm auf dem Schreibtisch lag. »Ich habe Ihren Bericht gelesen. Jetzt, da wir sicher sein können, daß diese Lorna Tabor echt ist, möchte ich sie noch einmal sprechen.«

»Ich habe ihr schon angekündigt, daß sie damit rechnen muß.« Gaunt schlug die Beine übereinander und schaute Falconer fragend an. »Und was werden wir sonst noch in der Sache unternehmen, Henry?«

»Ich bin nicht ganz sicher.« Falconer rieb sich das Kinn, während er nachdachte. »Diese Miss Tabor glaubt offenbar, daß Lorna Anderson einen Topf mit Gold am Ende des ›Fraser-Regenbogens‹ aufgespürt hat.« Er ließ eine Pause entstehen. »Aber es muß keineswegs Frasers Gold sein – zumindest nicht der ganze Topf. Seine – äh – Kompagnons waren vielleicht recht verärgert, als er so einfach starb und sie danach das Gold nicht finden konnten.«

»Dann taucht diese Lorna Anderson auf, und sie weiß etwas, was die anderen nicht wissen…« Gaunt lächelte. »Ich glaube, Sie haben eben den ersten Preis in unserem Ratespiel gewonnen.«

»Wahrscheinlich etwas Unaussprechliches, das obendrein nicht eßbar ist«, brummte Falconer. Dann tippte er mit dem Zeigefinger auf die Blätter mit den Protokollen und Berichten. »Sie schreiben, daß Sie die Absicht haben, mit dieser Tabor zu dem ehemaligen Bauernhaus von Fraser zu fahren.«

»Heute nachmittag, wenn ich es schaffe. Sie ist sehr interessiert daran, und uns kann es nur nützen.« Gaunt zählte auf, was er sonst noch zu unternehmen beabsichtigte. »Ich möchte noch mit Detective Sergeant Angus sprechen und ihn dazu überreden, daß er diesen John Cass unter die Lupe nimmt. Dann gibt es da noch einen Teilzeitangestellten bei der Hispan namens Church – er arbeitet von zu Hause aus und kümmert sich vorwiegend um den Verkauf. Ich finde, es ist der Mühe wert, daß man sich den ebenfalls genauer anschaut. Und die andere Sache – wie schnell arbeitet unser Register für Handelsgesellschaften?«

»Bei denen sieht es genauso aus wie bei uns hier: Die Leute sind unterbezahlt, unterbesetzt und überarbeitet«, erwiderte Falconer sarkastisch. »Sie kommen kaum noch zum Golfspielen. Was wollen Sie von ihnen?«

»Ich will wissen, ob Lorna Anderson ihnen auf die Nerven gefallen ist – oder ob sie bei der Hispan Trading etwas herausfinden können, was faul ist.«

»Sagen Sie ihnen das lieber selbst«, erklärte Falconer grimmig. »Wenn die mich nur sehen, fangen sie schon zu stöhnen an. Ich kümmere mich um die Sache mit der Polizei und setze den Hebel eine Stufe höher an als bei Ihrem Detective Sergeant. Dieser Church –« Er dachte angestrengt nach, dann plötzlich legte sich auf sein breites, fast immer bekümmertes Gesicht ein überraschendes Lächeln. »Hannah könnte ihn aufsuchen. Wir – das heißt, sie ist in meinem Auftrag damit beschäftigt, ein paar von diesen Immobilienangeboten in Spanien zu überprüfen, da könnte sie sich guten Gewissens als interessierte Kundschaft ausgeben.«

»Aber, warum ausgerechnet Hannah?«

»Weil Sie dann nicht in Erscheinung treten«, sagte Falconer. »Nach dem gestrigen Abend ist Ihr Gesicht zu bekannt für weitere Recherchen. Ich brauche Sie heil und gesund für Teneriffa – dieses verdammte Boot, erinnern Sie sich?« Jetzt machte das Lächeln wieder seinem bekümmerten Gesichtsausdruck Platz. »Nicht, daß dabei sehr viel mehr als Spesen herauskommen werden. Ich habe mit dem Remembrancer gesprochen; er meinte, wir sind moralisch verpflichtet, alles, was übrig ist, dieser Tabor auszuhändigen.«

»Aber Sie sind damit nicht so ganz einverstanden?« fragte Gaunt lauernd. Und lachte leise, als er keine Antwort erhielt. »Henry, passen Sie auf – am Ende berauben Sie noch arme Waisenkinder.«

»Zeigen Sie mir ein Waisenkind, das man berauben könnte«, knurrte Falconer. »Dann überlege ich mir, wie ich es bewerkstelligen werde.«

Henry Falconer rief Hannah North zu sich, und Gaunt ließ die beiden allein. Als er wieder in seinem Büro war, besorgte er sich einen Becher Kaffee von den Mädchen im Zentralbüro und nahm sich dann das Telefonbuch von Edinburgh vor.

Die beste und schnellste Methode, um an die Besitzer des Bauernhauses heranzukommen, das Peter Fraser gemietet hatte, war vermutlich über den Anwalt, der den Nachlaß des Verstorbenen geregelt hatte. Es klappte: Beim zweiten Anruf war er bereits mit einer Bäuerin aus der Nähe von Bathgate verbunden. Sie hieß Maisie Roberts, erzählte, ihr Mann sei zu einem der Wochenmärkte in der Umgebung gefahren, und sie bestätigte, daß das Mallard Cottage ihnen gehöre.

»Das Haus steht momentan leer«, sagte sie fröhlich. »Wenn Sie es mieten wollen –«

»Nein, es geht um etwas anderes«, unterbrach Gaunt. »Einer Ihrer früheren Mieter hieß doch Fraser, nicht wahr?«

»Das ist richtig.« Ihr Ton hatte sich verändert; Gaunt merkte, daß sie jetzt viel zurückhaltender reagierte. »Warum?«

»Eine Verwandte von ihm aus Kanada ist hier bei uns«, erklärte Gaunt und blieb dabei der Wahrheit so nahe, wie er es vertreten konnte. »Es ist vermutlich reine Sentimentalität, aber sie möchte das Haus besichtigen. Es dauert bestimmt nicht lange.«

»Schon wieder?« Die Frau verbarg nicht ihre Überraschung. »Vor einer Woche war schon einmal jemand da – eine Mrs. Anderson. Wie viele Verwandte kommen denn noch vorbei, um das Haus anzusehen?«

»Meines Wissens leben sonst keine weiteren Verwandten mehr«, beruhigte Gaunt sie. »Können wir uns heute nachmittag beim Mallard Cottage treffen?«

»Nein«, antwortete sie entschieden. »Ich bin nicht zu Hause. Weder mein Mann noch ich sind vor dem Abend zurück, aber wenn Sie danach noch vorbeikommen wollen, können wir es einrichten. Sie sagten ja, daß es nicht lange dauert.«

Sie einigten sich auf neun Uhr abends.

»Aber nicht später«, warnte sie ihn. »Wenn Sie nicht da sind – wir warten nicht.«

Gaunt bedankte sich, unterbrach die Verbindung und wählte dann die Büronummer von Detective Sergeant Angus. Er war unter seiner Nebenstelle zu erreichen und meldete sich unfreundlich, was sich auch nicht besserte, als er hörte, wer ihn sprechen wollte.

»Was gibt's diesmal?« fragte er mürrisch. »Ich habe einen Einbruch in einem Lagerhaus zu untersuchen, wir überprüfen gerade ein ganzes Regiment von Ladendieben, und obendrein rennt irgendein Verrückter nackt in den Princes Street Gardens herum. Erregung öffentlichen Ärgernisses! Er riskiert viel eher Frostbeulen und eine Lungenentzündung.«

»Es geht wieder um Lorna Anderson«, sagte Gaunt. »Als Sie an dem Abend mit ihr sprachen, ich meine, bevor sie zusammenbrach, hat sie dabei verlauten lassen, daß sie irgendwo hinfliegen wollte?«

Der Polizeibeamte brauchte ein paar Sekunden, um seine Gedanken zu ordnen. »Ich glaube, ich habe nichts dergleichen in meinem Bericht erwähnt…«

»Hat sie davon gesprochen?«

»Ja.« Nach einer Pause fuhr Angus fort: »Ich habe eine Bemerkung über das scheußliche Wetter gemacht, und sie meinte, das bißchen Schnee hier sei geradezu lächerlich im Vergleich zu dem, was in Kanada an Schnee an der Tagesordnung sei – und dann sagte sie, es mache ihr nichts aus, weil sie im Lauf dieser Woche ohnehin in die ›Sonne komme‹.«

»Hat sie gesagt, wo sie hinfliegen wollte?«

»Nein.« Angus war sicher. »Warum – was hat denn das zu bedeuten?«

»Es gibt da ein paar interessante Dinge.« Es schien Gaunt nur fair zu sein, Angus aufzuklären. »Fragen Sie mich nicht, warum, aber ich rate Ihnen, Ihre Berichte in diesem Zusammenhang komplett zu haben.« Gaunt lachte im stillen, als er den Polizeibeamten eine Obszönität murmeln hörte. »Ihren Dank für den Tip können Sie sich für später aufheben.«

Dann telefonierte er ein drittes Mal: mit dem Reisebüro, dessen Telefonnummer Lorna Anderson auf das Flugblatt der Hispan notiert hatte. Das Mädchen am Apparat des Reisebüros war freundlich und hilfsbereit und ließ Gaunt nicht einmal ein Minute lang warten. Ja, Lornas Name war in ihrer Kartei enthalten. Sie hatte sich nach einem Charterflug und nach regelmäßigen Linienflügen nach Teneriffa erkundigt, aber noch nicht gebucht.

»Wir sagten ihr, es sei völlig problemlos«, erklärte das Mädchen, »wenn zwei Personen zu dieser Jahreszeit auf die Kanarischen Inseln fliegen wollen –«

»Zwei?« fragte Gaunt.

»Ja«, antwortete das Mädchen. »Mrs. Anderson meinte, sie müsse noch warten, bis jemand aus Kanada hier eingetroffen sei.«

Er dankte ihr und legte auf. Wieder einmal hatte sich ein kleines Steinchen in das Mosaik eingefügt.

Als nächstes nahm Gaunt sich die Abteilung für Handelsgesellschaften vor. Sie befand sich im Parterre des Schatzamtes. Dort lebte man in einer Welt von Listen und Registern und vermied den Kontakt mit Fremden, wenn man es vermeiden konnte. Alte Holzschränke, vollgestopft mit abgelegten Akten, kämpften um Raum mit Computer-Terminals und Software. Irgendwann im Lauf der Jahrhunderte hatte sich der Remembrancer diesen Zweig einverleibt, auch wenn das die Leute von der Registratur der Handelsgesellschaften bis heute nicht so recht wahrhaben wollten.

Das Zentralbüro nahm Gaunts Telefongespräche entgegen, wenn er nicht an seinem Platz war. Er hinterließ eine Nachricht für den Fall, daß Lorna Tabor anrief und sich über den Stand in Sachen Bauernhaus erkundigte. Dann ging er die breite Marmortreppe hinunter zum Register der Handelsgesellschaften.

Die Hilfe, die er suchte, war in der Bibliothek zu finden. Dort herrschte Annie Blackthorn, eine große, etwas grobschlächtige, grauhaarige Frau, und niemand konnte sich erinnern, daß sie jemals eine andere Mitarbeiterin gehabt hätte. Winter oder Sommer, sie trug stets Dunkelblau und eine einreihige Perlenkette. Die jüngeren Angestellten gingen ihr aus dem Weg, wenn sie auftauchte, und selbst der Remembrancer hatte angeblich Respekt vor ihren Zornesausbrüchen.

Aber sie wußte mehr über die Abteilung als jeder andere und besaß die niemals in Zweifel gezogene Fähigkeit, selbst die kompliziertesten Verflechtungen von Gesellschaften auseinanderfasern und das, was sich dann herauskristallisierte, in klaren, verständlichen Begriffen darstellen zu können.

Gaunt näherte sich ihr behutsam, wie immer. Sie hörte ihm zu und zog die Augenbrauen hoch – ebenfalls wie immer.

»Sie interessieren sich für die Hispan Trading?« Annie Blackthorn bürstete mit der Hand ein imaginäres Stäubchen vom Kragen ihres dunkelblauen Kleides.

»Die haben wir vor Monaten schon einmal überprüft, kurz nachdem dieser Mr. Fraser gestorben war.«

Gaunt nickte. »Erinnern Sie sich an Einzelheiten?«

»Natürlich.« Sie bedachte die Frage mit Verwunderung. »Die Hispan befindet sich in spanischem Besitz. Sie hat hier eine kleine

Tochtergesellschaft gegründet und ins Register eintragen lassen – vermutlich aus Steuergründen.«

»War Fraser an der Firma finanziell beteiligt?«

»Nein.« Sie schüttelte entschieden den Kopf. »Genau das sollten wir damals ermitteln, Mr. Gaunt. Und das gilt auch für eine Tochtergesellschaft der Tochter – eine Häuser- und Grundstücksvermittlung.«

»Hispan Properties.« Gaunt seufzte. Die Lösung wäre zu einfach gewesen. »Würden Sie beide Gesellschaften noch einmal unter die Lupe nehmen?«

Annie Blackthorn zog wieder die Augenbrauen hoch, doch ihre Frage blieb unausgesprochen.

»Bei der Geschichte muß etwas faul sein. Entweder Fraser hat die Hispan ausgenutzt, oder die Hispan hat Fraser für ihre Zwecke eingespannt. Aber verlangen Sie jetzt nicht, daß ich es beweisen soll.«

»Ich verstehe«, antwortete sie, ohne daß sie besonders beeindruckt gewesen wäre. »Über die Muttergesellschaft freilich können wir gar nichts sagen. Besteht die Vermutung, daß dieser Mr. Fraser die Bücher der Tochterfirma manipuliert hat?«

»Vielleicht.« Gaunt zuckte mit den Schultern. »Jedenfalls steckt irgend etwas dahinter – so sieht es zumindest aus. Und es muß sich dabei keineswegs um Säcke voller Gold handeln.«

»Heutzutage sind gedeckte Schecks wesentlich bequemer«, sagte Annie Blackthorn. Es war das äußerste an Scherz, was man von ihr erwarten konnte. Dazu zeigte sie gar ein flüchtiges Lächeln. »Ich werde mir die beiden Firmen noch einmal genau ansehen«, versprach sie.

»Danke.« Als er sich umdrehte, um zu gehen, fiel ihm noch etwas ein. »Hat sich irgend jemand – ich meine von außerhalb – in der letzten Zeit nach der Hispan erkundigt?«

»Nein.« Sie schüttelte den Kopf. »Davon hätte ich gehört.«

Er glaubte ihr.

Als er an seinen Schreibtisch zurückkehrte, fand er keine Nachricht vor. Im Augenblick steckte er in einer Situation, wie er sie besonders haßte: Andere bestimmten Art und Tempo des Vorgehens, und er konnte vorläufig gar nichts unternehmen. Er überlegte und rätselte herum, gab es dann aber auf, schrieb ein Spesenprotokoll für seine Amsterdam-Reise aus und wollte gerade zum Telefon greifen, als der Apparat klingelte.

Lorna Tabor.

»Wie geht es?« fragte er.

»Gut.« Sie lachte. »Ich habe geschlafen wie ein Murmeltier, fühle mich wieder als Mensch und bin gerade auf dem kanadischen Konsulat.«

»Warum dort?« fragte er.

»Warum nicht dort?« entgegnete sie. »Schließlich bezahle ich meine Steuern wie jeder andere.« Danach wurde sie wieder sachlich. »Aus zwei Gründen, Jonny. Erstens wollte ich die Anordnungen kontrollieren, die sie getroffen haben, um Tante Lornas Leichnam nach Hause zu überführen. Die Verwandten ihres Mannes wollen sie an seiner Seite beisetzen. Und ich dachte – nun ja, ich habe sichergehen wollen, daß es dabei keine Probleme gibt.«

»Die Verwandten werden Ihnen dankbar sein«, sagte er leise. »Und der zweite Grund?«

»Ich habe das Konsulat gebeten, mir einen guten Anwalt zu nennen, der sich hier um meine Angelegenheiten kümmern kann.« Sie hielt einen Augenblick inne, dann fragte sie: »Was ist mit dem Bauernhaus, Jonny? Können wir heute noch hinfahren?«

»Ja, aber erst abends.« Er erklärte ihr, was er mit der Besitzerin vereinbart hatte.

»Das ist doch in Ordnung. Schließlich sind wir es, die die Frau um einen Gefallen bitten.« Es hörte sich so an, als freue sie sich darauf. »Wie reagieren Sie eigentlich, wenn eine Lady Sie zum Dinner einlädt?«

»Ich überprüfe ihre Zahlungsfähigkeit und sage dann zu.« Er grinste. »Ich hole Sie um halb sieben im Hotel ab. Und – ich kenne ein Restaurant in der Nähe des Bauernhauses.«

»Will Ihr Chef mich noch immer sprechen?«

»Mehr denn je«, erwiderte er lakonisch.

»Sagen Sie ihm, ich habe heute zu viel zu tun, werde aber morgen früh an seiner Schwelle stehen«, schlug sie vor. »Jetzt besuche ich gleich Ihren Freund Andy Deathstone. Ich habe ihn angerufen und ihm angekündigt, daß ich ihm noch ein paar Fragen zu unserem Stammbaum stellen möchte.«

»Aus welchem Grund?« fragte Gaunt argwöhnisch. »Was wollen Sie denn jetzt schon wieder herausfinden?«

»Ich weiß es selbst nicht«, gestand sie, »aber ich habe das Gefühl – das starke Gefühl, daß es wichtig sein könnte.« Jetzt klang ihre Stimme plötzlich geschäftlich-nüchtern. »Außerdem habe ich noch einen Termin bei diesem Anwalt... Ich muß jetzt gehen.«

Gaunt verabschiedete sich und legte auf.

Es war fast Mittag, als er in Henry Falconers Büro gerufen wurde. Der Verwaltungschef stand am Fenster, eingerahmt von der blassen Wintersonne wie von einem Strahlenkranz, und schnitt eine zunehmend düstere Miene.

»Ich habe Bericht von Hannah«, erklärte Falconer brüsk. »Sie hat sich mit Church, diesem Verkäufer von Hispan Properties, unterhalten – genau gesagt, hat sie ihn unter seiner Privatnummer angerufen, ihm erklärt, daß sie an einem Apartement im Süden interessiert sei, und er war an ihrer Tür, kaum, daß sie den Hörer aufgelegt hatte.« Er knurrte. »Unser Mr. Church ist ein pensionierter Bankangestellter, der sich so einen kleinen Nebenverdienst verschafft. Was er über die Zusammenhänge bei der Firma Hispan weiß, können Sie spielend auf eine Briefmarke schreiben.«

»Auch nicht schlecht«, sagte Gaunt nachdenklich. »Das engt die Möglichkeiten ein, Henry. Wo ist Hannah jetzt?«

»Sie hat den Rest des Tages freigenommen.« Falconer war nicht glücklich darüber.

»Und was ist mit Ihrem Freund bei der Polizei?«

»Ich habe mit ihm gesprochen. Er hat zurückgerufen, und wir treffen uns zum Lunch. Er hat nichts weiter zu unserem Fall gesagt.« Falconer trat vom Fenster weg und wirkte wieder weniger verklärt, dafür menschlicher. »Wann treffen Sie die Tabor?«

»Heute abend. Ich fahre mit ihr hinaus zum Mallard Cottage. Sie meinte, sie würde Sie morgen besuchen.«

Falconer zog die Stirn in Falten. »Behalten Sie sie im Auge. Ich bin zur Zeit nicht in der Stimmung, irgend jemandem zu vertrauen.«

Das Telefon klingelte. Seufzend ging Falconer hinüber zu seinem Schreibtisch, hob den Hörer ab und meldete sich. Dann legte er die Hand auf die Sprechmuschel.

»Annie Blackthorn, für Sie«, sagte er mit düsterem Blick.

»Warum gibt mir allein die Stimme von diesem verdammten Drachen das Gefühl, ich müsse die Hände an die Hosennaht legen?«

Gaunt nahm den Hörer.

»In Sachen Hispan Trading und Hispan Properties«, sagte Miss Blackthorn mit spitzer Stimme. »Ich habe getan, worum Sie mich gebeten haben, und alles noch einmal durchgesehen, was wir darüber haben.«

»Ich bin Ihnen sehr dankbar –«, begann Gaunt.

»Das glaube ich kaum«, unterbrach sie ihn. »Beide Firmen bezahlen ihre Steuern und Gebühren pünktlich und regelmäßig und haben uns noch nie irgendwelche Probleme bereitet.«

»Und es gibt keine Haken und Ösen?« fragte Gaunt.

»Keine«, antwortete sie ohne Umschweife. »Wenn man allerdings die gemeldeten Umsätze betrachtet, kann man nicht behaupten, daß es sich um ein sonderlich ertragreiches Unternehmen handelt. Jedenfalls nicht, bevor die Tochterfirma mit den Grundstücksgeschäften ins Leben gerufen wurde. Die läuft verhältnismäßig gut.«

»Gibt es Namen?«

»Nur einen – ein Paul Weber, der als alleiniger Inhaber fungiert und auf Teneriffa wohnt.« Annie Blackthorn atmete hörbar, dann schloß sie mit einem ihrer üblichen Peitschenhiebe. »Wenn Henry Falconer noch bei Ihnen ist, sagen Sie dem aufgeblasenen Tunichtgut, daß wir hier völlig unterbesetzt sind.«

»Ich werde es bestellen«, versprach Gaunt und legte auf.

»Was Neues?« fragte Falconer hoffnungsvoll.

Gaunt schüttelte den Kopf. »Nach den Unterlagen ist die Firma in Ordnung.«

»Gerade in solchen Fällen ist meistens etwas faul«, erklärte Falconer bestimmt. »Was hat sie sonst noch gesagt?«

»Sie läßt Sie herzlich grüßen«, antwortete Gaunt ausweichend.

»Ich glaube Ihnen kein Wort«, entgegnete Falconer verdrossen. Er schaute auf seine Armbanduhr. »Vielleicht haben wir mit John Cass mehr Glück. Sind Sie in der Gegend?«

Gaunt nickte.

»Dann können Sie sich damit die Zeit vertreiben.« Falconer nahm eine Akte von seinem Schreibtisch und reichte sie Gaunt. »Verbesserung der Sicherheitsvorkehrungen in den königlichen Residenzen Schottlands. Wir sind um einen Kommentar gebeten worden.« Er grinste Gaunt an. »Mir genügt ein kurze Stellungnahme. Es eilt nicht – irgendwann heute nachmittag wäre mir recht.«

Gaunt verließ sein Büro, um ein Sandwich zu essen, und war vor zwei Uhr wieder an seinem Schreibtisch. Dort saß er dann eine Weile, ging noch einmal alle bekannten Fakten durch, kam aber nicht weiter damit, gab es auf und schlug schließlich die Akte über die königlichen Residenzen auf.

Sobald er sich durch die etwas langatmige Einleitung gearbeitet hatte, stellte er fest, daß ein Teil der Empfehlungen tatsächlich interessante Lektüre waren. Holyrood Palace in Edingburgh und Balmoral Castle in Deeside waren nur zwei der Schlösser, um die es in der Akte ging. Wenn die Königin von England her die Grenze überschritt und Schottland erreichte, wurde sie zwar von ein paar ihrer ständigen Sicherheitsbeamten begleitet, aber die Mehrzahl wurde von dem jeweiligen Aufenthaltsort gestellt. Und mit jedem Ort änderten sich die Probleme, die es zu bewältigen galt.

Ein Heckenschütze mit Präzisionsgewehr und Zielfernrohr, der sich in einem Jagdgebiet versteckte, war mindestens eine ebenso große Gefahr wie ein möglicher Attentäter mit einer Pistole auf einer Londoner Straße.

Das galt auch für die Orte, an denen die Königin übernachtete. Die Armee stellte zwar zeremonielle Wachen zur Verfügung, und die Polizei konnte allzu aufdringliche Touristen abhalten. Aber möglichst hohe Sicherheit erforderte daneben vor allem ein unsichtbares Netz aus elektronischen Überwachungsgeräten.

So sollte es jedenfalls sein. Aber es gab Lücken. Und wenn man vor einer der königlichen Residenzen eine Grube aushob und das Telefonkabel durchschnitt, blieb an Sicherheitsvorkehrungen nicht mehr viel übrig. Also mußte eine Menge Geld ausgegeben werden, um den Schutz zu verbessern. Und selbst dann fragte sich Gaunt, ob es wirklich Garantien gab oder ob ein kleines, aber tüchtiges Team nicht sehr viel mehr erreichte.

Er las noch in dem Bericht, als es an seiner Tür klopfte. Eines der Mädchen aus dem Zentralbüro schaute herein.

»Sie haben einen Besucher«, erklärte das Mädchen. »Er sagt, daß er nicht angemeldet ist, aber er kennt Sie –«

»Und ich brauche nicht viel mehr als eine Minute«, vernahm Gaunt eine weiche, etwas feminine Stimme hinter ihr. Die elegant gekleidete Gestalt von John Cass lächelte ihn über die Schulter des Mädchens hinweg an. »Die haben Sie doch zur Verfügung, oder?«

Gaunt nickte dem Mädchen zu, bat Cass herein und deutete auf den freien Stuhl. Während die Tür geschlossen wurde, setzte sich Cass und schaute Gaunt an.

»Ich dachte, ich komme am besten her und spreche mit Ihnen.« Cass sah sich in dem Büro um. »Und so kann ich mir auch ein Bild machen, wo Sie arbeiten.« Sein schmaler Mund verzog sich wieder zu einem Lächeln. »Aber vor allem bin ich hier, um mich zu entschuldigen. Ich habe Sie gestern abend ja mehr oder weniger hinauskomplimentiert.«

»Es ist mir schon schlimmer ergangen.« Gaunt entschloß sich, erst einmal abzuwarten.

»Die Firma Hispan hat nicht viele wichtige Kunden, verstehen Sie. Der Mann, der gestern bei mir war, als Sie dort auftauchten, ist einer von ihnen, und er ist ziemlich ungeduldig.« Cass vollführte eine Geste mit beiden Händen, die so etwas wie Verteidigung ausdrückte. »Sie haben mich nach Peter Fraser gefragt – ich hätte Ihnen mehr erzählen können, und sicher auch mehr, als ich dieser Mrs. Anderson sagte.«

»Dann mal los«, forderte ihn Gaunt auf.

»Es kann durchaus sein, daß er den Finger in der Ladenkasse hatte. Es gab – nun ja, gewisse Fehlbeträge, als ich das Büro übernahm.«

Gaunt zog die Augenbrauen hoch. »Haben Sie das nach Teneriffa gemeldet?«

»Den Fehler habe ich leider gemacht.« Cass verzog leidend das Gesicht. »Ich wußte nicht, daß er ein – äh – ein guter Freund gewesen ist, ein sehr enger und guter Freund des Chefs. Man erklärte mir, daß es nun mal Irrtümer im Geschäftsleben gebe.«

»Mit anderen Worten, sie wollten nichts davon wissen?«

Cass nickte. »Deshalb bin ich seitdem sehr vorsichtig, wenn mich jemand nach Fraser fragt.«

»Unter dem Motto: Schlafende Hunde soll man ruhen lassen?« meinte Gaunt.

»So ungefähr.« Cass beugte sich vor. »Man könnte auch sagen, daß ich an meinem Job hänge.«

»Wieviel hat er denn entnommen?« fragte Gaunt ungerührt.

»Eine Menge. Zahlen kann ich dafür nicht nennen.« Cass schüttelte den Kopf. »Aber ich würde sagen, ungefähr ebensoviel, wie er offiziell verdiente. Es ist nicht schwer, wenn die Besitzer der Firma weit weg sind.«

»Hatte er Hilfe dabei?«

Cass seufzte und strich sich über das Kinn. »Ich habe keine Ahnung. Aber – nun ja, das konnte ich dieser Kanadierin doch nicht auf die Nase binden, oder?«

»Ein Gentleman bringt das nicht übers Herz«, antwortete Gaunt amüsiert. Dann stand er auf. »Vielen Dank, daß Sie mich besucht haben.«

»Es war mir ein Bedürfnis.« Cass stand auf, dann zögerte er. »Sie sagten, es gibt da noch einen Verwandten –«

»Wir haben Nachforschungen angestellt.«

»Nun ja, Sie kennen mein Problem. Aber Sie können jedem, der danach fragt, die Auskunft geben, daß wir nichts mehr im Büro aufbewahren, was Fraser gehörte.«

Cass lächelte etwas gezwungen. »Und den Rest brauchen Sie ja nicht zu erwähnen – weder hier noch auf Teneriffa. Ich bitte Sie sehr darum.«

Cass ging, schloß die Tür hinter sich, und Gaunt blieb noch eine Weile stehen. Er fluchte leise, und darin lag so etwas wie Bewunderung.

Er war schon früher hereingelegt worden, manchmal sogar erfolgreich, von Experten ihres Fachs. Aber John Cass hatte überzeugender als alle anderen gewirkt.

Fast schade, daß er dennoch gelogen haben mußte.

Eine weitere halbe Stunde verging, bevor Henry Falconer vom Lunch zurückkehrte. Sein Atem roch nach Gin, und er betrat mit unübersehbarem Selbstvertrauen Gaunts Büro.

»Ich habe, was wir von diesem Cass wissen wollten«, erklärte er und rieb sich die Hände. »Aus den Schatten, Jonathan, steigt die Morgenröte der Realität.«

»Wie poetisch«, erwiderte Gaunt bewundernd. Er stützte die Ellbogen auf die Schreibtischplatte und blickte zu Falconer auf, der vor ihm stand. »Wenn Sie ein bißchen früher zurückgekommen wären, hätten Sie es ihm selbst sagen können.«

»Er ist hiergewesen?« Falconer blinzelte erstaunt. »Ganz schön mutig. Was wollte er?«

»Er gab ein paar entschuldigende Redewendungen von sich und eine Geschichte, derzufolge die Hispan vertuschen wollte, daß Fraser sie beklaut hatte.«

Falconer schluckte und hockte sich dann auf die Schreibtischkante. »Und haben Sie es ihm geglaubt?«

»Nein«, antwortete Gaunt gelassen. »Wie war Ihr Lunch?«

»Teuer, aber das Geld wert.« Falconer stieß zufrieden die Luft aus und nebelte Gaunt erneut mit seinem alkoholisierten Atem ein. »Mein – äh – Polizeibeamter hat sogar mit Interpol Kontakt aufgenommen. Und eines kann man über diese Hispan sagen: Wenn sie wirklich eine ehrliche Firma sein soll, dann betreibt sie eine höchst eigenartige Einstellungspolitik.«

»Meinen Sie damit John Cass?«

Falconer nickte. »Er ist Belgier, aber abgesehen davon, praktisch eine Kopie von Fraser, oder was wir von ihm wissen. Er steht bei mehreren Ämtern auf der schwarzen Liste wegen Betrugs, war möglicherweise mehrfach an kriminellen Aktionen beteiligt – am Rande, nur am Rande. Und der einzige Unterschied zu Fraser besteht darin, daß Cass offenbar schon ziemlich viel in Europa herumgekommen ist.«

»Vorstrafen?« Gaunt zeigte sich nicht sonderlich überrascht.

»Eine, in Frankreich. Zwei Jahre Gefängnis, weil er billigen Wein mit teuren Etiketten versehen hat.« Falconer gestattete sich ein Lächeln. »Er hat die Weine an einige der besten Hotels in Paris verkauft, und dort hat man den Unterschied nicht bemerkt. Vor drei Jahren ist er aus der Haft entlassen worden, tauchte danach kurz in London auf, bis er wieder verschwand. Es hieß, er sei nach New York gegangen. Und niemand hat gewußt, daß er sich seit einiger Zeit hier aufhält.«

»Aber es handelt sich um ein und denselben Mann? Irrtum ausgeschlossen?« fragte Gaunt. Es war wichtig, ganz sicherzugehen.

»Vollkommen ausgeschlossen. Das ist es, was ein bißchen Zeit in Anspruch genommen hat.« Falconer schaute ihn freundlich an. »Die Telefone im Büro der Firma Hispan sind heute vormittag ausgefallen. Ein Techniker mußte die Apparate austauschen. Auf diese Weise sind wir an die Fingerabdrücke von Cass gekommen.«

»Sie haben da einen sehr zuvorkommenden Polizeibeamten«, sagte Gaunt überrascht.

»Alles im Sinne der Gerechtigkeit«, murmelte Falconer. »Obwohl – ich habe Ihnen doch gesagt, daß ich zu den Vorsitzenden meines Golfklubs gehöre, die über neue Mitgliedschaften beraten. Wir haben eine sehr lange Warteliste, aber manchmal werden auch Ausnahmen gemacht.«

»Bestechung und Korruption.«

»Genau«, stimmte Falconer ungerührt zu. »Er spielt obendrein sehr gut.« Jetzt wartete er, schaute Gaunt an und runzelte die Stirn. »Aber was wollte dieser Cass? Warum hat er versucht, Ihnen diese Geschichte zu verkaufen?«

»Vielleicht war es seine eigene Idee, oder man hat ihm den Auftrag erteilt, um Verwirrung zu stiften.« Gaunt zuckte zusammen, als ihm erneut eine Gin-Wolke vor die Nase zog. »Wir sollten abgelenkt werden.«

»Von der Hispan Trading?« Falconer überlegte, dann seufzte er. »Ich habe sie überprüft, reine Routine, gleich zu Anfang – ich meine, den Teil auf Teneriffa. Die spanischen Behörden haben nichts gegen die Firma einzuwenden.«

»Vielleicht sollten Sie es noch einmal versuchen«, sagte Gaunt scharf.

Falconer nickte.

»Und Cass?«

»Dafür habe ich gesorgt – er wird vorläufig nur überwacht.« Falconer stieß wieder einen Seufzer aus. »Kann eines von diesen Mädchen im Zentralbüro eine anständige Tasse Kaffee machen? Nachdem Hannah frei hat –«

»Leben Sie doch mal gefährlich«, schlug Gaunt vor. »Probieren Sie es mit den Schreibmädchen.«

»Gut.« Falconer rutschte von der Schreibtischkante. Sein Blick fiel auf die Akte über die Sicherheitsmaßnahmen in den königlichen Residenzen. »Kommen Sie voran damit?«

Gaunt nickte.

»Irgendwelche – äh – Beobachtungen?«

»Bis jetzt nur eine«, sagte Gaunt. »Seien Sie froh, daß es in unserer Nationalhymne immer noch *God save the Queen* heißt. So, wie es aussieht, wüßte ich nicht, wer sie sonst beschützen könnte.«

Der Rest des Nachmittags kroch dahin ohne bemerkenswerte Ereignisse. Um halb sechs verließ Gaunt das Schatzamt und fuhr mit dem Bus zu Dan Cafflins Reparaturwerkstatt.

Der Ford stand vor der Baracke, die Scheinwerfer waren ersetzt, und der Wagen war fahrbereit.

»Was bin ich schuldig?« fragte Gaunt.

Cafflin schrieb etwas auf seinen Notizblock, dann hielt er ihn Gaunt hin.

›Rechnung folgt, Extras umsonst‹, las Gaunt und zog die Augenbrauen hoch. »Was für Extras?«

In Cafflins ölverschmiertem Gesicht stand ein Grinsen, dann machte er eine einladende Geste, und Gaunt folgte ihm in die Werkstatt. Cafflin deutete auf einen kleinen Metallzylinder, der auf einer Werkbank lag. Mit der Kappe an einem Ende und ausgerüstet mit einem Auslöseknopf, war das ganze nicht größer als ein Füllfederhalter.

»Ja, und?« fragte Gaunt argwöhnisch.

Cafflin winkte ihn auf die Seite, dann nahm er den kleinen Metallzylinder, zielte damit auf einen Stützbalken der Baracke und drückte auf den Knopf.

Es gab ein leises Klicken und dann ein dumpfes Geräusch, als ein kleiner Stahlpfeil durch die Werkstatt sauste und sich dann tief in das Holz des Balkens bohrte. Gaunt fluchte leise und nahm den Zylinder aus Cafflins Händen.

»Eine gottverdammte Sprungfederpistole…« Er wußte, wie sie funktionierten: eine zusammengepreßte Stahlfeder, die genügend Energie entwickelte, daß sie das Projektil mit tödlicher Kraft losschleudern konnte. Aber er hatte noch nie ein so kleines, kompaktes

Exemplar gesehen. »Hast du die selbst gemacht?«

Cafflin nickte und zeigte auf einen Kaliberbohrer, der auf der Werkbank lag.

Gaunt schaute ihn düster an. »Weißt du, daß du ins Gefängnis kommen kannst wegen der Herstellung eines solchen Spielzeugs?«

Unbeeindruckt schrieb Cafflin etwas auf seinen Notizblock.

›Du hast gesagt, daß du Ärger hast‹, erinnerte ihn das Gekritzel.

Gaunt seufzte und nickte. »Ärger – ja. Aber ich befinde mich nicht im Krieg.«

›Bereit sein ist alles‹, schrieb Cafflin. ›Das hab' ich als Pfadfinder gelernt.‹ Er wandte sich um und nahm ein kleines Werkzeug, das wie eine Klampe aussah, um damit die Sprungfederpistole wieder zu laden. Als er das bewerkstelligt hatte, schaute er Gaunt an, steckte die Waffe in die Manteltasche und zog dann fragend die Augenbrauen hoch.

»Na schön«, kapitulierte Gaunt.

Cafflin schien erleichtert zu sein. Er lächelte und schlug Gaunt auf die Schulter.

Von der Werkstatt zum Carcroft Hotel brauchte Gaunt nur zehn Minuten. Der Abendhimmel über der Stadt war wie schwarzer Samt, mit Sternen übersät, die Princes Street ein Lichtermeer, und auch das Flutlicht, das das Schloß anstrahlte, war eingeschaltet worden. Gaunt erreichte das Hotel, parkte davor und stellte fest, daß Lorna Tabor bereits in der Hotelhalle auf ihn wartete.

»Habe ich mich verspätet?« Er schaute auf die Armbanduhr.

»Nein, aber ich halte mich nicht besonders gern in Hotelzimmern auf.« Sie zog die Nase kraus. »Außerdem wollte ich mit dem Mädchen am Empfang sprechen.«

Sie schien ausgeruht und erholt zu sein nach den Strapazen des vorangegangenen Tages; die Müdigkeit, die sich so deutlich um ihre dunklen, lebhaften Augen gezeigt hatte, war verschwunden. Sie hatte sich das schwarze Haar hochgesteckt und trug ein lila Wollkleid mit hochgeschlossenem Kapuzenkragen. In der Taille wurde es von einem passenden Gürtel mit großer Silberschnalle zusammengehalten.

»Sie sehen gut aus«, sagte Gaunt und meinte es ehrlich. Dann nickte er in Richtung auf den Empfang. »Gibt es dort ein Problem?«

»Ich weiß es nicht.« Lorna Tabor schürzte die Lippen. »Ich war fast den ganzen Nachmittag unterwegs, aber sie sagten mir, als ich zurückkam, daß ein Mann angerufen hätte. Er hat sich als Reporter der Tageszeitung *Scotsman* ausgegeben, der gehört hätte, daß eine Verwandte von Lorna Anderson aus Kanada hier eingetroffen sei. Er hat auch gefragt, ob sie etwas über mich wüßten.«

»Und – haben sie ihm etwas gesagt?«

Sie nickte bedrückt. »Sie berichteten ihm, daß ich hier abgestiegen sei, nannten aber nicht meinen Namen. Er hat nicht wieder angerufen – jedenfalls bis jetzt nicht. Was halten Sie davon?«

»Bisher stand in keiner Zeitung etwas über Lorna Andersons Tod«, sagte Gaunt langsam. »Hat sich der Mann mit einem Namen gemeldet oder eine Telefonnummer hinterlassen?«

Sie schüttelte den Kopf.

»Es kann stimmen und auch nicht.« Er zuckte mit den Schultern, aber die daraus resultierenden Möglichkeiten bereiteten ihm Sorgen. »Wenn er nicht angerufen hat, bis wir zurück sind, werde ich die Sache überprüfen.«

»Und ich glaube, ich brauche mir keine Gedanken wegen meines Zimmers zu machen«, sagte sie erleichtert. »Wie es hier auch gewesen sein mag, bevor das mit dem Einbruch in Tante Lornas Zimmer passiert ist, jetzt sind die Sicherheitsvorkehrungen mehr als ausreichend; ich habe den Eindruck, das gesamte Personal hält dauernd auf den Korridoren Wache.«

Ihr Mantel hing über einem Sessel. Sie nahm ihn, Gaunt half ihr hinein, und sie gingen hinaus zu seinem Wagen.

Lorna Tabor benützte ein leichtes, aber verführerisches Parfüm, wie Gaunt feststellte, als er von der Innenstadt in Richtung Westen fuhr und sich in den dichten, langsam dahinfließenden Verkehrsstrom einordnete.

»Wie war Ihr Tag?« fragte sie und machte es sich auf dem Beifahrersitz bequem.

»Es ging.« Er mußte bremsen, weil der Wagen vor ihm die Fahrt verlangsamte. »Wir sind noch immer dabei, hier und da herumzustochern, allerdings mit nicht allzu großem Erfolg.«

»War Peter Fraser ein Gauner?«

»Es sieht so aus.« Gaunt schaute sie von der Seite an. »Haben Sie gewußt, daß Tante Lorna die Absicht hatte, nach Teneriffa zu fliegen, und zwar mit Ihnen?«

»Nein.« In ihrer Stimme lag deutliche Überraschung. »Warum?«

Gaunt zuckte mit den Schultern. Fast alles, was er herausgefunden hatte, führte schließlich zu dieser Frage, und dabei hätte vielleicht eine einzige Antwort Sinn in das ganze Durcheinander bringen können.

»Wie war es bei Ihnen?« fragte er.

»Ereignisreich.« Sie zündete sich eine Zigarette an. Die kleine Flamme des Streichholzes blitzte in ihren Augen auf, dann verlöschte sie, und ihr Gesicht war nur noch eine Silhouette im schwachen Schein der Armaturenbeleuchtung. »Ich habe mit dem Konsul gesprochen, ging dann zu meinem Anwalt – das wissen Sie ja schon. Die juristische Seite scheint übrigens geklärt und eindeutig zu sein. Er meinte, daß das alles ohne weiteres über die Bühne gehen wird.«

»Dann sollten Sie Abstriche von seinem Honorar machen«, schlug Gaunt spöttisch vor. »Wie war es bei Andy Deathstone?«

»Das ist wirklich ein amüsanter Mann.« Sie lachte. »Er hat mich sogar zum Lunch eingeladen. Aber wir blieben dazu in seinem Büro. Er hat Akten und Unterlagen dahergeschleppt und mir Mikrofilme gezeigt – inzwischen kenne ich den Stammbaum der Frasers vorwärts und rückwärts. Danach erklärte er mir, wer was erben kann, und dabei bin ich nicht mehr mitgekommen.«

»Das nennt man das Erbfolgerecht«, sagte er geistesabwesend. »Und jeder, der sich nicht genau damit auskennt, gerät in den Dschungel der Vorschriften.« Der Verkehr hatte jetzt nachgelassen, und Gaunt nützte die Chance und überholte einen Flughafenbus und einen Lastwagen. »Das Dumme ist, daß die wenigsten Leute ein Testament machen. Als glaubten sie, ewig leben zu können.«

Was natürlich nicht der Fall war, und sobald sie dann verstorben waren, meldeten sich sämtliche Verwandten und forderten einen Teil des Erbes, und irgendein Rechtsanwalt verdiente sich an dem Streit eine goldene Nase.

Andere Länder, andere Gesetze. In Schottland berücksichtigte die Erbfolge alle abwärts, aufwärts und seitwärts verlaufenden Familienzweige, wenn kein Testament existierte. An erster Stelle stand der Ehepartner, aber er erhielt nicht alles. An zweiter Stelle in der

Erbfolge standen die Kinder, wobei kein Unterschied zwischen ehelichen, unehelichen oder adoptierten Kindern gemacht wurde. Wenn ein direkter Nachkomme bereits gestorben war, konnte sein Recht von dessen Kindern oder Enkeln beansprucht werden – auch das war schon vorgekommen.

Danach ging die Erbfolge wieder zurück zu Geschwistern oder Eltern des Verstorbenen. Ihnen folgten Onkel und Tanten, dann die Großeltern, deren Verwandten, und von da aus ging es weiter zu den entfernteren Blutsverwandten.

Es war fast immer so, daß die Verwandten entweder in Scharen auf den Plan traten oder daß sich überhaupt niemand meldete. Er warf einen Blick auf Lorna Tabor und mußte im stillen lächeln. Manchmal tauchten sie in letzter Minute auf, wie aus dem Nichts. Aber da war etwas anderes, was ihm Gedanken machte.

»Dieser Anruf in Ihrem Hotel«, begann er. »Sind Sie sicher, daß der angebliche Reporter nichts weiter gesagt hat?«

Lorna schüttelte den Kopf. »Das Mädchen, das den Anruf entgegengenommen hat, sagt nein.«

»Haben Sie mit irgend jemandem Kontakt aufgenommen, der Peter Fraser kannte?«

Sie schaute ihn verwirrt an. »Noch nicht. Aber –«

»Tun Sie mir einen Gefallen«, bat Gaunt. »Lassen Sie sich Zeit damit, und handeln Sie nicht übereilt.«

Er schaute in den Rückspiegel. Das tat er regelmäßig in kurzen Abständen, seit sie vom Hotel losgefahren waren.

Bis jetzt hatte er weder die beiden unterschiedlich starken Scheinwerfer hinter sich bemerkt – oder irgendein anderes Anzeichen dafür, daß sie von jemandem beschattet wurden.

Aber immerhin war er derjenige gewesen, der John Cass mehr oder weniger auf die Nase gebunden hatte, daß eine weitere Blutsverwandte von Fraser auf der Bildfläche erschienen war. Das war nun mal geschehen, und er konnte nichts mehr daran ändern – Sorgen machte er sich deshalb dennoch.

Und nach seinem Erlebnis in der vergangenen Nacht konnte er sich auf kein unkalkulierbares Risiko mehr einlassen.

Gaunt rutschte in seinem Sitz hin und her, bis er eine bequeme Stellung gefunden hatte, und dabei drückte der harte, schlanke Metallzylinder der Sprungfederpistole gegen seine Brust. Seltsam genug: Gaunt überkam ein kaum erklärbares Gefühl der Sicherheit.

Das Johnstone House war ein ehemaliges Herrenhaus, das in ein Restaurant umgebaut worden war – für Gäste, die ein erlesenes Essen zu schätzen wußten. An einer Nebenstraße gelegen, zwölf Meilen außerhalb von Edinburgh, hatte sich der Besitzer eigene Regeln für den kommerziellen Erfolg aufgestellt. Es gab keine große Speisekarte. Statt dessen bot das Johnstone House eine beschränkte, täglich wechselnde Auswahl von ausgewählten Gerichten zu einem Preis, der zwar hoch, aber angemessen war.

Die Auswahl der Speisen wurde erst am Morgen festgelegt, nachdem der Wirt das Beste eingekauft hatte, was der Markt an diesem Tag bot. Und dazu empfahl der Wirt aus dem gut bestückten Keller die passenden Weine.

Es war noch so früh, daß der flutlichterhellte Parkplatz am Ende einer Allee genügend Platz bot. Gaunt parkte den Wagen in der Nähe des Eingangs, der von einem steinernen Bogengang geziert war, ging um den Wagen herum, um Lorna Tabor beim Aussteigen behilflich zu sein, blieb dann einen Moment stehen und schaute sich um.

»Hübsch«, sagte sie nach einem Blick auf die alten Steinmauern und die hohen, spitzen Dächer der Gebäude. »Aber ich fürchte, hier gibt es keine Hamburger.«

»Nein, die gibt es hier nicht.« Und es hätte Gaunt nicht verwundert, wenn ihnen das Johnstone House allein wegen einer derartigen Zumutung ein paar Schindeln auf den Kopf geworfen hätte.

»Warum eigentlich nicht, verdammt noch mal?« Sie lachte ihn an und nahm seinen Arm. »Und ich darf Sie einladen, wie vereinbart – Sie wissen ja, ich bin eine Erbin.«

Sie nahmen einen Drink in der Kellerbar, die nach der Behauptung des Wirts früher einmal ein Folterkeller gewesen war. Gaunt zweifelte allerdings stark daran, denn immerhin gab es dort einen offenen Kamin, in dem ein Feuer loderte, dessen Rauch durch einen großen, alten Schornstein nach oben zog, und der mit Feldsteinen gepflasterte Boden war, wie man deutlich erkennen konnte, Teil der ursprünglichen Küche.

Das Restaurant befand sich in einem der oberen Stockwerke: ein langer, schmaler Raum mit antiken Möbeln. Die Tische waren mit edlem Tafelsilber gedeckt, die Servietten aus Leinendamast, und an den eichenholzgetäfelten Wänden hingen neben anderen schönen Ölgemälden zwei Canalettos.

Zu dieser frühen Stunde war nur ein einziger Tisch besetzt, und sobald sich Gaunt und Lorna Tabor im Speiseraum niedergelassen hatten, wurden sie geschickt und erfahren bedient, wobei über allem eine angenehme Gelassenheit lag. Dem delikat hausgeräucherten Lachs folgten eine Consommé und als Hauptgang Beef Wellington. Dazu tranken sie erst einen Muscadet und dann einen 1970er Chateau Guerry.

Während des Essens unterhielten sie sich entspannt, bestellten nach dem Beef Wellington noch Kaffee, und dazu kamen zwei kleine Silberteller, auf denen Drambuie-Trüffel lagen.

»Wie viele Zufluchtsstätten dieser Art kennen Sie?« fragte Lorna Tabor und lehnte sich zufrieden zurück.

»Ein paar.« Gaunt lächelte. »Für die Gelegenheiten, wenn jemand anderer mein Dinner bezahlt.«

Sie schaute ihn einen Augenblick lang nachdenklich an.

»Andy Deathstone sagte mir, daß Sie geschieden sind – ich habe ihn gefragt.«

Er nickte.

»Hat Ihre Frau wieder geheiratet?«

»Ja.«

Es tat jetzt nicht mehr besonders weh; Pattis neuer Mann besaß eine Fabrik für elektronische Geräte, und sie hatten ein Kind, das erst ein paar Monate alt war. Gaunt war zur Taufe eingeladen worden, hatte ein Geschenk für das Baby mitgebracht und besuchte sie manchmal. So, wie er und Patti auseinandergegangen waren, konnte man kaum einem davon die Schuld geben – es kam eben vor.

»Ich habe das auch durchgemacht«, sagte Lorna Tabor verständnisvoll. »Er war Lektor an der Universität, und wir dachten, daß uns das Leben nichts als Rosen bieten würde.« Sie hielt inne und zuckte mit den Schultern. »Nun, es gibt zwar genug davon – aber nicht in der Ehe. – Sagen Sie, wie weit ist es von hier zu dem Bauernhaus?«

»Ungefähr vier Meilen.« Gaunt ließ den Rest des Weins in seinem

Glas kreisen und schaute sie nachdenklich an. »Ich hätte gern den wahren Grund erfahren, weshalb wir dort hinfahren.«

»Wie meinen Sie das?« Ruhig öffnete sie ihre Handtasche, nahm eine Zigarette heraus und zündete sie an. »Es ist schon so, wie ich sagte. Ich habe nur das unbestimmte Gefühl –«

»Ich erinnere mich.« Er betrachtete sie grübelnd. »Und das ist alles?«

Lorna Tabor zögerte, dann streckte sie den Arm aus und berührte seine Hand.

»Machen wir es so, Jonny«, bat sie ihn leise. »Wenn es noch etwas anderes geben sollte, dann sage ich es Ihnen.«

Damit mußte er sich zufriedengeben.

Ein paar Minuten später brachen sie auf. Inzwischen hatte sich der Parkplatz gefüllt, und Gaunt schaute sich sehr genau und nach allen Seiten um, als sie zu seinem Wagen zurückgingen. Aber er konnte nichts Verdächtiges feststellen oder sonst etwas, was ihm besonders aufgefallen wäre.

Dennoch blieb er auf der Hut, als sie losfuhren, und Lorna schien seine Anspannung zu fühlen, auch wenn sie sie falsch auslegte.

»Wütend?« fragte sie ihn. »Dazu besteht kein Anlaß.«

Gaunt schüttelte den Kopf, dann schaute er wieder einmal in den Rückspiegel. Die Straße hinter ihnen war leer.

»Ich bin nur vorsichtig«, sagte er zu ihr.

»Ach ja, das hätte ich fast vergessen.« Sie seufzte, kam näher, und ihr Haar berührte seine Schulter. »Zum Teufel mit dieser Geschichte, zum Teufel meinetwegen auch mit dem Stammbaum der Frasers – aber das dürfen Sie nicht mir zum Vorwurf machen.«

»Ich werde es versuchen«, versprach Gaunt.

»Danke.« Ihre Lippen berührten seine Wange. »Wenn der heutige Abend vorüber ist, kann das alles meinetwegen zum Teufel gehen«, sagte sie. »Das ist ein Versprechen.«

Er hatte die Strecke zum Mallard Cottage zuvor auf der Karte studiert. Das Haus lag am Ende eines Gewirrs von Nebenstraßen, die teilweise durch Wälder und Ackerland verliefen. Das Licht aus den Scheinwerfern des Fords streifte lange Hecken, huschte über Gatter, und hier und da wurde es von Tieraugen reflektiert, die den Wagen aus ihrem Versteck beobachteten.

Als das Haus auftauchte, stellten sie fest, daß es klein und ebenerdig war, von weißen Steinmauern umgeben und mit einem grauen Schieferdach gedeckt. Ein alter Land Rover parkte vor der Haustür, und drinnen im Haus brannte Licht.

Sie parkten den Wagen neben dem Land Rover und gingen auf die Tür zu. Sie stand offen, und das Paar, das hier auf sie wartete, begrüßte sie mit einem reservierten Lächeln; dann bat man die beiden Gäste hinein. David Roberts war ein älterer, liebenswürdiger Kerl von Mann, der einen abgetragenen Tweedanzug trug. Seine Frau Maisie übernahm sofort die Führung des Gesprächs; sie war klein und erinnerte an einen Vogel.

»Es macht uns nichts aus, wenn Sie sich hier umsehen – vorausgesetzt, es dauert nicht lange«, erklärte sie kurz und bündig. »Das Haus ist seit zwei Monaten unbewohnt, und die Nacht ist kalt.«

Gaunt hatte die Kälte gefühlt, sobald er das Haus betreten hatte. Lorna Tabor behielt ihren Mantel an, als Roberts sie herumführte.

»Es ist natürlich nicht groß«, sagte Mrs. Roberts. Sie stand mitten in der Diele. »Nur ein Schlafzimmer, das Wohnzimmer, ein Studio, Bad und Küche. Es gab eine Garage –«

»Aber die ist zusammengebrochen«, ergänzte ihr Mann betrübt. »Sie war baufällig.«

Seine Frau überging die Bemerkung und führte die beiden ins Schlafzimmer. Es war einfach möbliert, das Bett bis auf die Matratze abgezogen.

»Die letzten, die hier wohnten, das war ein junges Paar – ungefähr in Ihrem Alter«, erklärte sie. »Aber sie sind schon vor Weihnachten ausgezogen.« Jetzt wandte sie die Aufmerksamkeit auf Lorna. »Diese andere kanadische Lady, die hiergewesen ist – war das Ihre Tante?«

Lorna nickte.

»Sie wollte sich auch nur umsehen hier.« Mrs. Roberts zeigte ein verwundertes, zugleich resigniertes Lächeln. »Ich kann nicht behaupten, daß ich das begreife, aber es ist vermutlich nichts dabei.«

Ihr Mann brummte etwas ungeduldig seine Zustimmung, dann gingen sie weiter. Als nächstes kamen die Küche und das Bad dran, beide Räume kalt und ein wenig feucht. Lorna warf in jeden nur einen kurzen Blick, dann war sie bereit, weiterzugehen.

»Wie war Peter Fraser als Mieter?« fragte Gaunt, als ihn die Roberts' in das Studio führten, einen großen Raum, der ebenfalls nur spärlich möbliert war.

Die beiden tauschten einen Blick.

»Wir haben nie Ärger gehabt mit ihm«, sagte die Frau, und ihr war irgendwie unbehaglich dabei.

Roberts brummte: »Aber er war auch nicht das, was man einen umgänglichen Menschen nennen könnte. Er war meistens allein, hatte auch nur selten Gäste. Und er hat das hier fast ganz neu möbliert, natürlich. Muß viel Geld gehabt haben.«

»Gab es Probleme, nachdem er gestorben war?«

»Ein paar«, antwortete Roberts. »Fragen Sie Maisie – ich hab' mich da rausgehalten.«

Seiner Frau schien die Erinnerung noch immer zuwider. »Es war ziemlich unangenehm: Seine Sachen kamen raus und unsere wieder rein. Aber zuvor sind Leute von seiner Firma hier gewesen und haben irgendwelche Geschäftspapiere gesucht. Die haben das Unterste zuoberst gekehrt. Und dann ist auch noch eingebrochen worden.«

»Die Einbrecher hätten beinahe alles kurz und klein geschlagen«, stimmte Roberts düster zu. »Aber so was kommt nun mal vor. Jemand stirbt, das Haus steht leer...«

»Wann ist das passiert?« unterbrach Gaunt den Mann.

»Zwei oder drei Tage nach der Beerdigung.« Roberts kratzte sich am Kinn. »Nicht, daß sie was von Wert mitgenommen hätten – jedenfalls, soweit wir das feststellen konnten.«

Während sie sprachen, war Lorna Tabor in dem großen Raum auf und ab gegangen, war dann bei einem kleinen Alkoven neben dem offenen Kamin stehengeblieben und hatte ihre Aufmerksamkeit auf einen kleinen, gerahmten Kupferstich gerichtet, der an der Wand hing.

»Wo stammt das denn her?« fragte sie mit mühsam beherrschter Stimme.

»Das da?« Maisie Roberts trat neben sie. »Es gehörte ihm – ein paar kleine Dinge sind hiergeblieben.« Sie nahm den Kupferstich vom Haken. »Sonderbar, daß Sie das fragen. Der Lady, die neulich hier war – Ihrer Tante –, ist er auch aufgefallen.«

Lorna Tabor sagte nichts dazu, schaute aber Gaunt nachdrücklich an, worauf dieser herüberkam.

Er betrachtete den Kupferstich und war verblüfft. Das Bild kam ihm eher wie die Fotokopie des Originals vor: eine idyllische Szene mit einem See der schottischen Hochebene und einem Fischerboot, das an einer Boje festgemacht war. Berge bildeten den Hintergrund, und am Ufer duckten sich kleine Häuser. Aber der Rahmen war billiges Plastikmaterial, und der Kupferstich, Kopie oder nicht, war von einem weißen Passepartout umgeben, das mehr als die Hälfte der verfügbaren Fläche einnahm.

Wieder schaute Gaunt das Bild an. Der Künstler besaß zwar ein gewisses Talent, aber das hier war zweifellos kein Meisterwerk…

»Behalten Sie es doch«, bot die Frau an und lächelte Lorna an. »Dann haben Sie ein Erinnerungsstück, etwas, was Sie mit nach Kanada nehmen können – Sie haben mehr Recht darauf als wir.«

»Und außerdem gefällt es uns gar nicht«, knurrte der Mann.

»Danke.« Lorna nahm das Bild. »Sie waren sehr großzügig. Ich – ich glaube, ich habe genug gesehen.«

Weder Roberts noch seine Frau waren darüber ungehalten. Das Innere des Hauses war so kalt, daß es jeden davon abschreckte, sich länger als unbedingt nötig hier aufzuhalten.

Gaunt dankte den beiden noch einmal. Dann, als sie das Haus absperrten, ging er mit Lorna zum Wagen. Sie stieg ein und hielt ihre Trophäe in der Hand.

»Nanu«, sagte Gaunt, nachdem er sich hinter das Lenkrad auf den Fahrersitz gesetzt hatte. »Was ist denn damit?«

»Nicht hier«, sagte sie leise. »Halten Sie irgendwo auf dem Weg zur Hauptstraße.«

Er startete, und sie fuhren eine halbe Meile weit durch die Dunkelheit, dann fielen die Scheinwerfer auf einen breiten, grasbewachsenen Randstreifen neben der Straße. Gaunt ließ den Wagen ausrollen, hielt auf dem Streifen und schaltete den Motor aus.

»Ich brauche Licht und ein Messer«, sagte Lorna mit tonloser, aber entschlossener Stimme.

Er schaltete die Innenbeleuchtung des Wagens ein und gab Lorna sein kleines Taschenmesser. Lorna legte das Bild mit dem Glas nach unten auf den Schoß und schnitt mit dem Messer durch das dicke

Klebeband, das die Rückseite des Rahmens zusammenhielt, dann nahm sie den Rücken ab. Sie hielt inne und zog nach ein paar Sekunden vorsichtig den Kupferstich heraus. Drehte ihn um, schaute ihn genau an und biß sich auf die Unterlippe.

»Ich würde ihn nicht unbedingt als wertvoll ansehen«, sagte Gaunt. »Mir kommt er eher vor wie eine Kopie des Originals.«

Sie antwortete nicht. Statt dessen öffnete sie ihre Handtasche, nahm einen Umschlag heraus und aus diesem eine einmal zusammengefaltete Fotokopie. Dann breitete sie das Papier aus und legte es neben den Kupferstich. Beide zeigten dieselbe Szene. Aber über und unter Lorna Tabors Kopie war ein Text in kräftigen, altmodischen Lettern zu erkennen.

Gaunt nahm die beiden Blätter und betrachtete sie prüfend. Der Text über Lorna Tabors Fotokopie lautete stolz ›Watermoor-Spinnerei GmbH, Inverness‹. Dann, unter dem Bild mit dem See, und über den kleingedruckten Statuten der Handelsgesellschaft, stand im Kupferstichdruck: ›Matthew Ranald Fraser, dreißig voll bezahlte Anteile zu je einem Pfund. Möge Gott dieses Unternehmen begünstigen.‹

Darunter standen die Unterschriften. Das Jahr war 1864.

»Wo haben Sie das her?« fragte er überrascht.

»Lorna Anderson besaß das Original. Sie hat mir eine Kopie gegeben«, sagte Lorna Tabor neben ihm ein wenig unwillig. »Zwei Fraser-Brüder haben eine Spinnerei gegründet. Angus Fraser war der ältere und besaß den Großteil des Geldes, und Matthew Fraser war sein Juniorpartner. Tante Lorna sagte, daß die Spinnerei schon vor fast hundert Jahren kaum noch Ertrag brachte. Deshalb emigrierte Matthew Fraser nach Kanada. Er war ihr Urgroßvater.«

»Hat Lorna Anderson Sie gebeten, diese Kopie mitzubringen?«

Lorna nickte.

»Hat sie Ihnen auch gesagt, warum?«

»Nein. Aber es war das einzige, was sie nicht bei sich hatte.« Sie schaute ihn scharf an. »Ich habe Ihren Freund Andy Deathstone heute nachmittag nach der Watermoor-Spinnerei gefragt. Er erklärte, daß sie nach den Unterlagen ein rein privates Unternehmen war und keineswegs bankrott gegangen sei. Sie hat nur aufgehört, Handel zu treiben.«

Gaunt betrachtete wieder die beiden Blätter in seinen Händen. Er hatte oft genug alte Anteilscheine gesehen, die, abgesehen von ihrer Bedeutung für Sammler, wertlos waren. Aber eine alte Privatgesellschaft, die nur ruhte, die scheinbar vergessen worden war... Jetzt fiel ihm wieder John Miltons Ratschlag ein. Wenn der Börsenmakler aus Edinburgh recht hatte, bot eine ruhende Privatgesellschaft die besten Möglichkeiten, um schmutziges Geld vor der Neugier der Behörden zu schützen.

Wer hätte sich Gedanken gemacht, wenn man einen alten, legitimen Familienbetrieb wieder zum Leben erweckte?

Noch einmal verglich er die beiden Kopien und schaute sie genauer an. Die Kopie aus dem Mallard Cottage, bei der alles außer der Illustration durch das Passepartout abgedeckt wurde, unterschied sich dennoch von der anderen. Das kleine Fischerboot trug einen Namen am Bug, und in die untere Ecke hatte jemand irgend etwas in ganz kleinen Buchstaben geschrieben.

»Was ist das?« fragte Lorna verwirrt.

»Warten Sie.« Er hielt das Blatt näher an die Innenbeleuchtung, wobei er Lornas Schulter berührte, dann fluchte er leise.

Der Name auf dem Fischerboot lautete *Black Bear*. Und der Text in der rechten unteren Ecke: ›Für Marta, die sich an den Sturm erinnern wird. Für alles. P. F.‹

Er zeigte Lorna, was er entdeckt hatte.

»Marta – das war doch der Name auf der Karte, die an dem Kranz hing«, sagte sie mit leiser Stimme. »Jonny, wenn er wollte, daß sie es bekommt –«

»Aber warum?« fragte Gaunt.

Es waren viele Fragen offen, und er hatte keine Ahnung, wohin sie führen würden. Aber wenigstens hatten sie jetzt etwas in den Händen, das ihnen vielleicht weiterhelfen konnte.

»Sonst haben Sie nichts mehr im Ärmel?« fragte er lakonisch und gab Lorna die beiden Kopien zurück.

»Gar nichts«, antwortete sie entschieden.

Sie war ihm noch immer sehr nahe, schaute ihn an. Sachte zog er sie zu sich heran, und ihre Lippen fanden sich. Ihre Hand strich zart über sein Gesicht, während er seinen Arm um ihre Schultern legte. Dann trennten sie sich wieder.

»Ich bin sicher, wir finden etwas, wo wir es bequemer haben«, flüsterte sie.

Er lächelte und ließ den Motor an.

Kapitel
4

Der Überfall erfolgte genau nach einer Meile Fahrt, und zwar in zwei Stufen.

Sie hatten eine Nebenstraße passiert, die zu einem Bauernhof führte, als der Peugeot aus seinem Versteck raste und ihre Verfolgung aufnahm, wobei er die unterschiedlich hellen Scheinwerfer aufgeblendet hatte. Gaunt schob mit einer Hand den Innenspiegel zur Seite, dann schaltete er vom dritten in den zweiten Gang zurück und beschleunigte, daß der Motor aufheulte.

Lorna rief Gaunt etwas zu, aber er mußte sich aufs Fahren konzentrieren. Der Peugeot stieß gegen das Heck des Fords, fiel zurück, näherte sich dann wieder. Gaunt schaltete in den dritten Gang hoch. Vor ihnen tauchte im Scheinwerferlicht eine Kurve auf. Gaunt riß den Ford herum, und die Lichter des Peugeots waren für Sekunden verschwunden. Dann bohrte sich das Licht der aufgeblendeten Scheinwerfer wieder durch das Rückfenster, und Lorna packte Gaunt an der Schulter.

»Wer ist das?« Sie mußte brüllen, um sich verständlich zu machen. »Jonny –«

»Ich weiß es nicht.« Er konzentrierte sich auf die von Schlaglöchern übersäte Straße, die zu schmal war, als daß der Peugeot sie hätte überholen können, und überaus gefährlich bei der Geschwindigkeit, mit der sie dahinrasten. »Halten Sie sich vor allem gut fest.«

Sie näherten sich einer zweiten Kurve. Gaunts Blick fiel kurz auf einen Stapel hochgeschichteter Baumstämme neben dem Straßenrand, dann steuerte er die Kurve an.

Wie eine lange, dunkle Schlange erhob sich plötzlich vor ihnen eine dicke, verrostete Metallkette, die in Lenkradhöhe zwischen einem großen Baum und einem schweren, teilweise beladenen Holzfahrzeug am anderen Straßenrand gespannt war. Gaunt hatte nur noch Sekunden zur Verfügung, und er wußte, daß ein Bremsmanöver bei dem geringen Abstand nichts genützt hätte. Jetzt konnte er nur noch entscheiden, ob der Wagen gegen den Holzstoß auf der einen Seite steuern sollte oder gegen eine mit Bäumen durchsetzte Hecke auf der anderen Seite.

Gaunt entschied sich für die Hecke und riß das Lenkrad herum. Der Wagen kam ins Schleudern, rutschte quer, und Gaunt hörte, wie Lorna aufschrie, als sie seitwärts gegen die Hecke prallten. Dann stießen sie gegen einen Baum, und ein heftiger Schlag traf den Wagen auf Lornas Seite. Sie schienen sich vom Boden gelöst zu haben; dann stürzte der Wagen um, Metall knirschte, Glas splitterte.

Der Ford blieb schräg auf der Beifahrerseite liegen, in einem Graben. Benommen, nach vorn geschleudert und im Sicherheitsgurt hängend, versuchte Gaunt, sich zu bewegen. Sein Rücken schmerzte. Er wandte sich Lorna Tabor zu. Sie lag zusammengesunken und bewegungslos da. Dann wurde die Szenerie, die eben noch im Dunkel gelegen hatte, auf einen Schlag hell erleuchtet. Der Peugeot hatte die Stelle erreicht und hielt an. Gaunt sah Blut auf Lornas Stirn und hörte aufgeregte Stimmen von der Straße her.

»Fast hättest du alles verpatzt«, erklärte die eine, rauh vor Anspannung. »Du wärst fast zu spät gekommen mit der verdammten Kette.«

»Es hat doch geklappt«, protestierte der andere ärgerlich. Er wartete einen Moment, dann fügte er fast ehrfürchtig hinzu: »Mensch, schau dir seinen Wagen an –«

»Ich bin fünfundsechzig Stundenmeilen gefahren, und er wäre mir beinahe entwischt.« Die Stimme des ersten Mannes hatte sich beruhigt. »Also gut, bringen wir es zu Ende. Du kümmerst dich um die beiden, und ich mache die Kette los.«

»Ich glaube, die sind tot«, sagte der zweite Mann hoffnungsvoll.

»Sieh zu, daß du es erledigt hast, bevor hier jemand vorbeikommt!« Nach dem Geräusch zu urteilen, hatte sich sein Kumpel bereits in Bewegung gesetzt. »Wir verbrennen den Wagen, das war der Plan – und dieser Dreckskerl hätte mich gestern abend fast zum Krüppel geprügelt! Also: Tempo, Tempo. Wir können keine Zuschauer brauchen.«

Eilige Schritte und das leise Säuseln des Windes im Hintergrund wurden vom gelegentlichen Knacken des sich abkühlenden Metalls des Wagens unterbrochen. Es gelang Gaunt, den Sicherheitsgurt zu lösen, und er versuchte, sich umzudrehen, aber dabei grub sich etwas Hartes in seine Brust. Er tastete unter seine Jacke und bemerkte, daß sich der kleine Zylinder der Sprungfederpistole von Danny Cafflin in der Brusttasche seiner Jacke festgeklemmt hatte.

Er wartete. Die Schritte näherten sich, aber Gaunt war zu weit in seinem Sitz nach unten gerutscht, um irgend etwas sehen zu können, bis plötzlich die Tür neben ihm aufgerissen wurde. Der Mann, der da draußen aufgetaucht war, hatte eine hagere Gestalt und ein schmales Gesicht; er wirkte so, als sei ihm gar nicht wohl bei seiner Tätigkeit. Er knurrte, versuchte, einen Plastikkanister auf die Tür des Wagens zu stützen, und schaute ins Wageninnere. Zugleich stach der Geruch von Benzin in Gaunts Nase.

Gaunt bewegte sich. Der Mann stieß einen Laut der Überraschung aus, warf den Kopf zurück, und Gaunt drückte auf den Knopf der Sprungfederpistole.

Der kleine Zylinder klickte leise und tödlich, und am Hals des Mannes war ein rundes, dunkelrotes Loch zu sehen, wo sich der scharfe Stahl in einem nach oben gerichteten Winkel durch Muskeln und Gewebe gebohrt hatte.

Der hagere Mann stieß einen seltsam erstickten Laut aus, dann stürzte er hintenüber. Dabei riß er den Benzinkanister mit sich, und sein Inhalt ergoß sich über den Boden.

Aber da war immer noch der andere, der sich darangemacht hatte, die Kette zu lösen. Wie lange würde es dauern, bis er seinen Kumpel vermißte? Gaunt mußte alle ihm noch zur Verfügung stehenden Kräfte mobilisieren, um sich aus dem Wrack des Fords zu befreien und sich aus der Gefahrenzone zu schleppen. Er stürzte auf Hände und Knie neben der Gestalt, die zusammengesunken auf dem Randstreifen der Straße lag.

Der Mann war tot; seine Augen starrten leer in den nächtlichen Himmel. Der Benzinkanister, der auf dem Boden lag, gurgelte immer noch, während er auslief, und daneben lag eine Pistole. Gaunt bereitete jede Bewegung höllische Schmerzen, aber es gelang ihm, die Pistole zu fassen: eine Neun-Millimeter-Luger.

Jetzt schaute er sich um. Der Peugeot stand dreißig Meter weiter hinten am Straßenrand und war leer. Und in der anderen Richtung war die Kette, die quer über die Straße gespannt gewesen war, verschwunden. Hinter ihm bewegte sich etwas in dem Schatten, und Gaunt ließ sich unwillkürlich neben dem Toten in Deckung sinken. Eine Kugel zischte über seinen Kopf hinweg. Gaunt warf sich herum, nahm die Luger in beide Hände und drückte zweimal ab; die schwere Pistole ruckte heftig beim Abfeuern der Geschosse.

Ein Schmerzensschrei drang aus einem Gebüsch in der Nähe des Peugeots. Dann, nach ein paar Sekunden Stille, tauchte ein Mann auf, der sich eine Hand an die rechte Seite drückte, während er auf den Peugeot zulief. Kalt und mit voller Überlegung hob Gaunt wieder die Luger an und zielte.

Eine Welle wahnsinniger Schmerzen breitete sich in seinem Körper aus. Er konnte die Waffe nicht ruhig halten, sah, wie sein Ziel in den Peugeot taumelte, hörte, wie der Motor angelassen wurde. Dann beschleunigte der Wagen, kam auf ihn zu, raste vorüber, und Gaunt hatte sich so weit gefangen, daß es ihm gelang, einen Schuß auf einen der Reifen abzugeben.

Das Neun-Millimeter-Geschoß, das aus nächster Nähe traf, zerriß Gummi und Gewebe, und von da an registrierte Gaunts Gehirn das weitere Geschehen in einem Durcheinander von einzelnen Bildern. Erst wurde der Reifen zerfetzt, dann geriet der Peugeot ins Schleudern. Der Fahrer schien immer noch zu beschleunigen, denn der Wagen schlingerte völlig außer Kontrolle noch etwa hundert Meter weiter. Seine Scheinwerfer beleuchteten kurz einen riesigen Holzstoß am Straßenrand – und im nächsten Augenblick prallte der Wagen auch schon dagegen.

Baumstämme wirbelten wie Zündhölzer hoch und stürzten krachend wieder zu Boden, und es hörte sich an wie langanhaltender Donner. Dann trat Stille ein, man hörte nur noch das leise Rauschen des Windes, und durch die Wolken drang schwaches Mondlicht.

Gaunt erhob sich mühsam, umklammerte die Luger, humpelte die Straße entlang, erreichte den halb unter Baumstämmen begrabenen Peugeot, schaute hinein auf den Fahrersitz und wandte ich sofort wieder ab, weil er gegen heftigen Brechreiz ankämpfen mußte.

Der Mann, der auf ihn geschossen hatte, saß noch hinter dem Lenkrad. Aber ein dicker Baumstamm hatte die Windschutzscheibe durchbohrt wie eine stumpfe Lanze und den Mann auf dem Sitz in Brusthöhe festgenagelt.

Gaunt schleppte sich zurück zum Wrack seines Fords, legte die Pistole neben den Wagen und kletterte hinein. Lorna Tabor lag noch zusammengekrümmt und bewegungslos da, aber sie atmete. Er versuchte, sie zu befreien – es gelang ihm nicht. Kraftlos ließ er den Kopf gegen das Lenkrad sinken.

Etwas näherte sich auf der Straße. Gaunt war sich nur schwach der Lichter bewußt, hörte einen Motor, ein Fahrzeug, das anhielt. Er vernahm eilige Schritte und Stimmen, die ihm vertraut vorkamen. Als sie sich näherten, hörte er, wie jemand einen Laut des Entsetzens ausstieß, dann zupfte eine Hand an seiner Schulter.

Er hob den Kopf. Maisie Roberts starrte ihn aus weit aufgerissenen Augen an. Ihr grobschlächtiger Mann stand hinter ihr, und ihr alter Land Rover war ein paar Meter entfernt oben auf der Straße.

»Was ist denn passiert, Mr. Gaunt?« Die Frau schaute an ihm vorbei und zog dann scharf die Luft ein. »Davie, das Mädchen –«

»Sie ist eingeklemmt«, gelang es Gaunt zu krächzen. »Besorgen Sie einen Arzt, und die Polizei –«

»Natürlich.« Der Mann schob die Frau zur Seite, schaute selbst nach, und seine Lippen preßten sich zusammen. Dann tasteten die großen, kräftigen Hände nach Gaunt und halfen ihm aus dem Wagen, wobei Roberts ihn beinahe tragen mußte. »Was ist das für ein Wagen weiter vorn?«

Gaunt schüttelte den Kopf. Dann begann sich alles zu drehen, und er verlor das Bewußtsein.

Im Krankenwagen kam er kurz zu sich. Sie fuhren schnell, die Sirene des Wagens heulte, und ein Sanitäter beugte sich über die Bahre auf der anderen Seite des Fahrzeugs. Der Mann bewegte sich, und Gaunt sah, daß Lorna dort lag. Ihr dunkles Haar war blutverkrustet, und ihr Gesicht, das die Sanitäter notdürftig gereinigt hatten, leuchtete kalkweiß. Ihre Augen waren geschlossen.

Dann senkte sich wieder die Dunkelheit über ihn.

Später merkte er, daß er in einem Krankenhausbett lag. Diesmal fühlte er sich besser, und er blieb eine Weile wach. Die Welt bestand offenbar nur noch aus Ärzten, Schwestern und uniformierten Polizeibeamten, die ihm mit jedem Blick einen Rang höher vorkamen als zuvor. Gaunt glaubte unbestimmt zu erkennen, daß sich auch Falconer unter ihnen befand. Fragen wurden leise und freundlich gestellt, aber zugleich beharrlich. Er versuchte, sich nach Lorna Tabor zu erkundigen, erhielt aber keine klare Antwort.

Dann wurde er wütend, und die Schmerzen kehrten zurück. Die Polizeiuniformen verschwammen, und eine Ärztin im weißen Kittel beugte sich über ihn, während im Hintergrund eine Krankenschwester bereit stand.

»Ich weiß«, beruhigte ihn die Ärztin. »Machen Sie sich keine Sorgen. Sie kommt durch, Mr. Gaunt.«

Gleichzeitig fühlte er einen Stich im Arm, und dann wollte er nur noch schlafen.

Als er wieder erwachte, taten ihm sämtliche Knochen im Leib weh, dennoch fühlte er sich wohler. Er lag in einem Krankenzimmer, draußen war heller Tag, und die Schwester in ihrer gestärkten, weißen Tracht blickte ihn freundlich aufmunternd an. Er befand sich im Edinburgh Royal Hospital, und dagegen konnte er, zumindest was die medizinische Versorgung betraf, nichts einwenden.

»Leichte Gehirnerschütterung, starke Blutergüsse und eine gebrochene Rippe«, erklärte die Schwester fast fröhlich und nahm ihm mit Zeigefinger und Daumen fachmännisch den Puls. Dann lächelte sie ihn an. »Wir wissen Bescheid über Ihr Rückgrat – es kann sein, daß Sie eine Weile empfindlich sind in der Gegend, aber zum Glück ist nichts ernsthaft in Mitleidenschaft gezogen worden.«

»Sehr beruhigend.« Seine Lippen waren trocken, aber neben seinem Bett standen ein Glas und eine Flasche mit Mineralwasser. Doch zuvor mußte er sich nach Lorna erkundigen. »Ich hatte eine Beifahrerin –«

»Diese junge Kanadierin.« Die Schwester wandte sich ab und war einen Moment lang damit beschäftigt, seine Bettdecke glattzuziehen. »Ich – ja, also, sie mußte leider operiert werden, Mr. Gaunt.« Dann schaute sie ihn mit einem erfahrenen Blick an. »Aber sie hat es gut überstanden, machen Sie sich also ihretwegen keine Sorgen.«

»Wie geht es ihr?« fragte Gaunt hartnäckig. Die Schwester antwortete nicht und tat wieder so, als müsse sie sich um sein Bett kümmern. Er packte sie am Handgelenk. »Ich will es wissen.«

»Es ist noch zu früh, man kann nichts Genaues sagen.« Sie versuchte, sich frei zu machen aus seinem Griff, gab es dann auf. »Ich habe gehört, daß man einen bekannten Neurologen erwartet, der sie untersuchen wird. Vielleicht kann man danach...« Sie verstummte, und in ihren Augen war deutlich Mitleid zu lesen. »Miss Tabor ist mit Kopf-, Bein- und Hüftverletzungen eingeliefert worden, aber keine davon wäre als ernst zu bezeichnen. Es ist allerdings möglich, daß ihr spinales Nervensystem gewisse Schäden davongetragen hat. Sie selbst haben das ja vor einiger Zeit durchmachen müssen.«

Gaunt starrte sie an und ließ ihr Handgelenk los.

»Es tut mir leid«, sagte sie leise.

»Kann sie – wird sie wieder gehen können?« Er stützte sich auf die Ellbogen. Daraufhin begann sich die Welt wieder langsam zu drehen, und er mußte sich wieder zurücklegen.

»Das weiß man noch nicht«, bedauerte die Schwester leise.

Dann ging sie aus dem Zimmer und ließ Gaunt zurück, der wie betäubt dalag und zur Decke starrte. Alte Erinnerungen kehrten zurück, Erinnerungen an die Angst, die er gefühlt hatte, während er auf das Ergebnis der Untersuchungen seines Rückgrats wartete. Es war eine lange, schreckliche Wartezeit gewesen, bis man ihm schließlich mitteilte, er habe großes Glück gehabt. Danach hatte er vor Erleichterung geweint.

Er wußte, daß Lorna Tabor Mut und Lebenswillen besaß. Sie würde beides brauchen.

Einige Zeit später kam ein Arzt, stupste ihn hier und drückte ihn da, gab Laute der Zufriedenheit von sich und ging wieder, ohne auch nur den Versuch eines Gesprächs unternommen zu haben. Ein junger Pfleger brachte Gaunt etwas zu essen – Rührei auf Toast und lauwarmen Tee – und kicherte, als sein Patient fragte, ob das als Frühstück oder als Lunch gedacht sei.

Gaunt hatte gegessen und das Tablett gerade zur Seite geschoben, als Henry Falconer das Zimmer betrat. Er sah müde aus. Er schenkte Gaunt ein etwas gezwungenes Lächeln, setzte sich auf die Bettkante, daß sie knarrte, und schaute sich in dem Krankenzimmer um. Sein großflächiges, schwermütiges Gesicht wirkte grimmig.

»Sie wissen von dem Mädchen.« Es war eine Erklärung, keine Frage.

Gaunt nickte.

»Der Neurologe, den sie zugezogen haben, ist gut – der beste, den es gibt«, sagte Falconer. »Ich habe ihren Vater verständigt; er fliegt her, wird morgen hier sein. Sie müssen zur Beobachtung bis morgen hierbleiben, dann werden Sie entlassen, vorausgesetzt, es geht Ihnen nicht schlechter.«

Er zuckte mit den Schultern. »Die ganze Geschichte ist ein einziges Durcheinander, nicht wahr?«

»Ein totales«, sagte Gaunt leise.

»Immerhin haben uns die Polizei und ein paar andere Leute ihre Mitwirkung zugesichert.« Falconer blickte starr auf einen Fleck an der gegenüberliegenden Wand und zog die Stirn in Falten. »Gestern abend haben wir von Ihnen eine Menge Unzusammenhängendes zu hören bekommen – aber genug, daß wir mit der Arbeit beginnen konnten. Aber jetzt will ich alles noch einmal hören, und zwar von Anfang an und der Reihe nach.«

Gaunt berichtete. Es schien eine Ewigkeit zu dauern, und als er geendet hatte, fühlte er sich erschöpft. Falconer saß danach eine Weile schweigend da, ehe er Gaunt ein paar Fragen stellte. Die Antworten schienen ihn zufriedenzustellen.

»Es gibt eine Menge zu tun. Ich leite alles in die Wege.« Während er es sagte, stand er vom Bett auf. »Offiziell ist gestern abend folgendes passiert: Zwei Männer wurden getötet, als ihr Wagen von der Straße abkam und gegen einen Holzstoß prallte. Dabei war kein weiteres Fahrzeug im Spiel. Haben Sie verstanden?«

»Ja.« Gaunt nickte müde. »Henry, das mit Lorna –«

»Ich habe es Ihnen doch gesagt: Der Mann, der sich um sie kümmert, ist einer der besten, die die Neurologie aufweisen kann.« Falconer ging zur Tür, öffnete sie und drehte sich dann noch einmal um. »Ehrlich gesagt, Sie sehen wirklich verheerend aus.«

»Und ich fühle mich auch so«, bestätigte Gaunt.

»Das ist meistens ein gutes Zeichen«, tröstete ihn Falconer. »Übrigens, Ihren Wagen können Sie abschreiben. Lassen Sie sich eine gute Geschichte für die Versicherung einfallen.«

Falconer ging hinaus, schloß die Tür, und Gaunt war wieder allein.

Er schlief eine Weile, und als er erwachte, waren seine Schmerzen noch ebenso stark wie zuvor, aber er konnte klarer denken. Die Oberschwester kam herein. Sie wollte ihm auf einen Stuhl helfen, doch er bestand darauf, allein und ohne ihre Hilfe im Zimmer auf und ab zu gehen.

»Nicht schlecht«, lobte die Schwester anerkennend. »Jetzt noch mal.«

Er wiederholte seinen Spaziergang im Zimmer, grinste sie triumphierend an und stellte danach fest, daß es vielleicht doch sinnvoller war, wenn er sich für ein paar Minuten auf den Stuhl setzte. Die Schwester half ihm beim Waschen und Rasieren, betrachtete das Ergebnis und schien damit zufrieden zu sein. Dann nahm sie einen Morgenmantel aus einem Schrank, und Gaunt sah, daß seine Kleidungsstücke daneben hingen.

»Ich nehme Sie jetzt mit auf einen Besuch«, sagte die Oberschwester. »Ihre Freundin ist bei Bewußtsein und fragt nach Ihnen.« Sie runzelte die Stirn und machte dazu eine warnende Geste. »Sie steht unter dem Einfluß von Beruhigungsmitteln. Sie können sie nur für einen Moment sehen, und man hat ihr noch nichts gesagt.« Sie schüttelte den Kopf, weil sie Gaunts Frage ahnte. »Nein, er hat sie noch nicht untersucht.«

Draußen stand ein Rollstuhl, und ein Krankenpfleger wartete auf Gaunt. Eingehüllt in seinen Morgenmantel, wurde Gaunt durch ein Labyrinth von Korridoren geschoben, bis sie in der chirurgischen Frauenabteilung angekommen waren. Die Stationsschwester und Gaunts Pfleger unterhielten sich kurz und leise miteinander, dann wurde Gaunt in eines der Krankenzimmer gefahren.

»Sie haben Besuch, Miss Tabor«, sagte die Stationsschwester fröhlich. Dann schaute sie den Pfleger an, nickte, und die beiden gingen hinaus.

Lorna Tabor lag sehr still im Bett, den Kopf in Bandagen gehüllt, den Schlauch einer Infusion an einem Arm, und ihr gebräuntes Gesicht sah merkwürdig fahl aus gegen das Weiß des Kissens. Einen Augenblick lang dachte Gaunt, sie sei eingeschlafen. Doch dann schlug sie die Augen auf, schaute ihn an, und sie versuchte ein Lächeln.

»Hallo.« Es war nicht mehr als ein Flüstern. »Hübsches Fahrzeug, das Sie da haben. Wie geht es Ihnen?«

»Ich bin nur ein bißchen angekratzt.« Vorsichtig stand Gaunt vom Rollstuhl auf, beugte sich über das Bett und küßte Lorna auf die Wange. »Und Sie?«

»Ich fühle nicht viel.« Sie blickte ihm fragend an. »Vermutlich hat man mir Betäubungsmittel gegeben –«

»Bis obenhin«, sagte Gaunt leise.

»Aber wir haben es geschafft.« Sie hielt die Augen geschlossen. »Wir haben Glück gehabt.«

»Ja.«

»Warum, Jonny?« Wieder schaute sie ihn aus ihren dunklen Augen an. »Wegen dieser verdammten Fraser-Sache?«

Er nickte.

Sie seufzte und schloß die Lider.

Die Zimmertür ging auf, und die Stationsschwester und der Pfleger kamen herein. Gaunt ignorierte den Rollstuhl und ging an ihnen vorbei.

»Jonny.« Das Flüstern erreichte ihn an der Tür. »Bis später.«

»Bis bald«, versprach er und ging hinaus.

Er schaffte es allein zurück in sein Zimmer. Danach war er froh, daß er sich wieder hinlegen konnte, froh, eine Weile allein zu sein und auszuruhen.

Es dämmerte schon, als die Oberschwester hereinkam. Sie hatte sich einen Mantel über die Schwesterntracht gezogen.

»Ich habe Feierabend.« Sie kam zu ihm herüber, blieb neben ihm stehen und glättete gewohnheitsmäßig die Bettdecke. »Ich dachte, daß es Sie interessiert – wegen Miss Tabor. Man hat sich entschlossen, noch einmal zu operieren.«

»Wann?«

»Morgen, irgendwann im Laufe des Tages. Und dann – na ja, dann muß man noch ein paar Tage abwarten.« Sie zeigte ihm ein ermutigendes Lächeln. »Der beratende Neurologe meint, es besteht eine gute Chance.«

»Danke, daß Sie mich benachrichtigt haben.«

»Die Ärzte meinen, sie hat sehr gute Chancen.« Jetzt warf sie einen Blick auf ihre Armbanduhr. »Du meine Güte – ich muß meinen Bus erwischen! Viel Glück, Mr. Gaunt.«

Die Zeit schleppte sich dahin. Eine neue Schwester brachte das

Abendessen, und ein anderer Arzt schaute für ein paar Minuten herein. Gaunt stand auf, unternahm einen kurzen Erkundigungsgang auf dem Korridor und wurde von einer indignierten Schwester zurückgescheucht in sein Bett.

Dann, es war schon acht Uhr abends, bekam er überraschenden Besuch. Hannah North stürmte herein, in der Hand eine Einkaufstüte.

»Ich bin hier, weil man mich hergeschickt hat.« Sie ließ sich auf dem Stuhl nieder, musterte Gaunt einen Augenblick lang und gestattete sich dann ein leises Kichern. »Man hat mir gesagt, daß Sie schrecklich aussehen. Ehrlich gesagt, ich finde keinen großen Unterschied zu sonst.«

»Danke.« Gaunt grinste. »Was ist geschehen?«

»Eine Menge.« Hannah ließ sich Zeit beim Aufknöpfen ihrer Pelzjacke. Ein gutes Stück, sah aus wie Nerz, und er hatte sie noch nie an ihr gesehen. »Ich soll Ihnen sagen, daß Henry es heute abend nicht mehr schafft, Sie zu besuchen. Es heißt immer noch, daß Sie morgen entlassen werden, also wartet um zehn Uhr vormittags ein Wagen mit Chauffeur auf Sie.«

»Fein.« Er stützte sich auf einen Ellenbogen. »Und jetzt will ich auch das übrige hören, Hannah. Sie wissen in der Regel mehr als alle anderen.«

»Tut mir leid, diesmal nicht. Er wird es Ihnen selbst sagen, morgen vormittag«, erklärte sie spröde, aber in ihren Augen war ein Zwinkern zu sehen. Gaunt wurde plötzlich bewußt, das sie eigentlich eine sehr attraktive Frau war. »Aber ich kann Ihnen soviel verraten, Jonny: Sie haben jemandem, der unter zu hohem Blutdruck leidet, nicht gerade einen Gefallen getan.«

»Das war nicht meine Absicht.«

»Ich weiß.« Sie sagte es ganz nüchtern. »Das mit dem Mädchen tut mir leid, Jonny.«

Er nickte und fühlte, daß sie es ehrlich meinte.

»Was ist mit meinem Wagen?« fragte er, um etwas zu sagen.

»Wir haben Ihren Freund Dan Cafflin beauftragt, ihn abzuholen. Und er bat mich, Ihnen etwas zu bringen.« Hannah öffnete ihren Plastikbeutel und brachte ein Paket in braunem Papier zum Vorschein, das mit einer Schnur verschnürt war. Sie legte es auf das Bett, dann kramte sie noch ein Paket hervor. »Und vielleicht hilft Ihnen das, sich die Zeit zu vertreiben – ich bringe den Armen und Bedürftigen immer etwas mit.«

»Danke, Hannah.« Er war gerührt.

»Ich werde versuchen, es unter Spesen abzubuchen.« Dann stand sie unvermittelt auf und knöpfte ihre Pelzjacke zu. »Schlafen Sie gut, Jonny.«

Sobald sie gegangen war, langte Gaunt nach den Paketen. Das eine, das von Dan Cafflin stammte, roch leicht nach Motorenöl. Als er es aufgemacht hatte, stellte er fest, daß es eine Viertelliterflasche Malz-Whisky enthielt. Er grinste, dann öffnete er Hannahs Päckchen. Es enthielt ein Buch über die Geschichte des Jazz, hübsch mit einer Geschenkschleife verziert. Gaunt fragte sich, woher sie wußte, daß er sich für Jazz interessierte.

Aber er wäre noch glücklicher gewesen, wenn sie ihm mitgeteilt hätte, was da draußen vor sich ging.

Regen schlug gegen das Fenster, als er am nächsten Morgen erwachte. Nach dem Frühstück kam ein Arzt herein, ein älterer Mann, der rauchte, während er Gaunt nochmals untersuchte.

»In Ordnung.« Der Arzt zündete sich die nächste Zigarette am Stummel seiner letzten an und setzte sich dann auf die Bettkante. »Es geht wieder. In einer vernünftigen Welt würde ich Ihnen eine Woche Erholung verschreiben, ohne körperliche und geistige Anstrengung, und ähnlichen Quatsch. Bei gebrochenen Rippen legen wir heutzutage keinen Druckverband mehr an, und die Natur ist glücklich darüber.« Er schaute Gaunt mit mildem Interesse an. »Hat man Ihnen einen Vorrat an Schmerzmitteln für Ihre alte Rückenverletzung verschrieben?«

Gaunt nickte.

»Typisch Armeelazarett.« Der Arzt stieß einen Laut der Mißbilligung aus. »Ich würde die nicht einmal einem Pferd verschreiben. Aber halten Sie sie bereit, wie gehabt, machen Sie sich auch gefaßt auf einen oder zwei Tage, an denen Sie sich steif fühlen und Ihnen sämtliche Glieder schmerzen, und seien Sie dankbar, daß Sie sehr großes Glück gehabt haben.« Er zog an seiner Zigarette, hustete, dann befahl er: »Stehen Sie auf, stellen Sie sich gerade hin und berühren Sie dann die Zehen mit den Fingerspitzen.« Gaunt gehorchte und unterdrückte einen Aufschrei, als seine Muskeln schmerzhaft dagegen prostestierten.

»Genau das habe ich gemeint«, sagte der Arzt freundlich. Dann stand er auf, um zu gehen. »Wir machen noch einige Tests bei Miss Tabor, um ein genaues Bild zu erhalten, dann wird heute nachmittag operiert – oder spätestens morgen früh. Also bis auf weiteres keine Besuche – tut mir leid.«

Der Arzt ging. Gaunt blieb eine Weile am Fenster stehen und schaute hinaus in den Regen. Dann nahm er seine Kleidung aus dem Schrank und zog sich an, wobei er sich viel Zeit ließ. Seine Sachen waren ausgebürstet und oberflächlich gereinigt worden, wiesen aber noch Blutflecken auf, Lornas Blut an seiner Jacke, und Gaunt entdeckte auch kleine Glassplitter, die im Stoff hafteten.

Er war ruhig und erleichtert, als er um zehn Uhr vormittags das Krankenhaus verließ. Ein Wagen des Schatzamtes mit Chauffeur wartete auf ihn vor dem Gebäude, und dann fuhren sie durch die nassen Straßen der Hauptstadt, durch die Normalität der samstäglichen, hupenden Taxis und schwerfälligen Busse. Es war eine andere Welt, vielleicht die Realität, aber momentan nicht die seine, wie Gaunt sehr deutlich bewußt wurde.

Kurz vor halb elf war er im Büro des Remembrancers. Samstag, und wie immer nur wenige Leute im Amt, aber Hannah North saß an ihrem Schreibtisch vor dem Büro von Henry Falconer. Sie begrüßte ihn mit einem Lächeln, gab aber keinen Kommentar dazu und erklärte ihm lediglich, er könne gleich hineingehen.

Henry Falconer hatte bereits einen Besucher. Um einen Tisch in der Mitte des Raums hatte man drei Stühle aufgestellt, und auf dem Tisch wartete eine Kaffeekanne.

»Gut.« Falconer betrachtete ihn eingehend und schien mit dem, was er sah, zufrieden zu sein. Dann wandte er sich an den Fremden neben ihm. »Jonathan, das ist Detective Superintendent Afton. Er – er war so freundlich, sich mit der Angelegenheit zu befassen.«

»Lambert Afton.« Der Kriminalbeamte blickte Gaunt neugierig an, während ihn Falconer auf den Tisch zusteuerte. Als sie Platz genommen hatten, sagte er: »Sie haben einige Unruhe verursacht, Gaunt.«

»Ich habe mich nicht darum gerissen«, bemerkte Gaunt.

Falconer gab ein glucksendes Geräusch von sich, das ebensogut Zustimmung wie Ablehnung bedeuten konnte, und schenkte Kaffee ein. Das gab Gaunt Gelegenheit, Afton genauer zu betrachten. Der Detective Superintendent war ein großer, grauhaariger Mann Ende vierzig. Er hatte ein schmales, gutgeschnittenes Gesicht und trug eine Golfkrawatte, die mit der von Falconer identisch war.

»Fangen wir an?« fragte Falconer und schien davon auszugehen, daß seine Gäste einverstanden waren. »Ich glaube, Jonathan, daß wir Sie als erstes über das informieren müssen, was sich inzwischen ereignet hat. Was am Donnerstagabend geschah, bleibt vorläufig ein Verkehrsunfall, genau wie ich das vorgeschlagen habe.«

Gaunt schaute Afton an. »Wie haben Sie das bewerkstelligt?«

»Mit viel Mühe und nur vorübergehend«, antwortete der Kriminalbeamte. »Es war besonders schwierig, weil eine der Leichen hundert Meter von der anderen entfernt gelegen hat.« Er steckte eine Hand in die Jackentasche, zog sie wieder heraus, und die winzige Sprungfederpistole rollte über den Tisch. »Ist das Ihre?«

Gaunt gab keine Antwort. »Eine Gehirnerschütterung beeinträchtigt meistens das Erinnerungsvermögen«, stellte Afton nachdrücklich und ernst fest. Dann nahm er den kleinen Zylinder wieder in die Hand. »Gute Arbeit – so ungefähr das beste, was ich auf diesem Gebiet gesehen habe. Die werde ich behalten. Hoffentlich erinnern Sie sich wenigstens an das andere.«

»Das nehme ich an«, sagte Falconer ausdruckslos.

Afton zuckte mit den Schultern. »Abgesehen davon, hat die Menschheit nicht gerade einen schweren Verlust erlitten. Der Mann im Wagen war Frankie Marcus, seinen Fingerabdrücken zufolge. Der andere hieß Josh Reilly. Zwei ganz üble Burschen, Berufskiller, beide bereit zu töten, vorausgesetzt, der Preis stimmt.«

»Und es gab natürlich nichts, was uns darauf schließen ließ, wer die beiden angeheuert hat«, sagte Falconer. Er trank seinen Kaffee, wobei er den Henkel der Tasse geziert zwischen Finger und Daumen hielt. »Aber das Ding, das sie über die Straße gespannt hatten, war eine Kette, wie man sie zum Schleppen und Befestigen von Baumstämmen benutzt. Wenn Ihr Wagen da hineingefahren wäre, hätte keiner von Ihnen überlebt.«

»Die Killer haben also recht gute Arbeit geleistet«, sagte Gaunt bitter. »Henry, warum müssen wir die Sache eigentlich vertuschen?«

»Um etwas Zeit zu gewinnen – ich dachte, ich hätte Ihnen das gestern schon klargemacht«, sagte Falconer geduldig, als spreche er mit einem etwas zurückgebliebenen Schüler. »Die Besitzer des Mallard Cottage, die Sie gefunden haben, waren bereit, mitzumachen, genau wie die Leute im Krankenhaus. Wir erreichten sogar genau solche Zeitungsberichte, wie wir sie uns wünschten, und eine entsprechende Meldung im Radio –«

»Der Peugeot kam ins Rutschen und Schleudern, vermutlich auf einer vereisten Strecke«, erklärte Superintendent Afton, und seine schläfrig wirkenden Augen waren fast geschlossen. »So etwas kommt vor.«

Gaunt nickte.

Er vermutete, daß dieses Manöver schnelle und tüchtige Arbeit erfordert hatte.

»Aber wenn jemand versucht, Lorna in ihrem Hotel zu erreichen?« fragte er.

»Das ist bereits geschehen«, murmelte Falconer. Er verschränkte die Arme vor der Brust. »Dieser angebliche Zeitungsreporter, von dem Sie berichteten, hat gestern zweimal angerufen – einmal am Vormittag, das zweite Mal am Spätnachmittag. Wir hatten zuvor die Geschäftsleitung des Hotels entsprechend unterrichtet. Beim ersten Anruf war Miss Tabor außer Haus, beim zweiten hatte sie ihre Zelte abgebrochen, die Rechnung bezahlt und war abgereist – erst nach London, dann zurück nach Kanada.« Leiser Spott war im Klang seiner Stimme nicht zu überhören. »Und was Sie betrifft: John Cass von der Firma Hispan Trading kam gestern nachmittag hierher und wollte Sie noch einmal sehen.«

Gaunt blinzelte. »Hat er gesagt, weshalb?«

»Um sich noch einmal mit Ihnen über Peter Fraser zu unterhalten.« Falconers Gesicht blieb ausdruckslos. »Im Zentralbüro hat man ihn wissen lassen, Sie hätten den Nachmittag freigenommen, um Miss Tabor zum Flugplatz zu bringen und sich von ihr zu verabschieden.«

Wenn man beide Versionen zusammen betrachtete, klangen sie

glaubhaft. Gaunt trank einen Schluck von seinem Kaffee; die alte Standuhr in der Ecke tickte laut. Er wußte, daß beide Männer ihn jetzt beobachteten, und war sicher, daß sie ihm noch mehr zu berichten hatten.

Er trank wieder einen Schluck, dann stellte er die Tasse ab.

»Was muß ich noch wissen?« fragte er.

Falconer und Afton tauschten einen Blick. Dann nickte Afton.

»Lorna Anderson«, begann Falconer leise. »Sie hatte recht. Da steckt mehr Geld dahinter – sehr viel mehr Geld. Der alte Familienbetrieb der Frasers, die Watermoor-Spinnerei, hat sich zwar vor über einem Jahrhundert aus dem aktiven Geschäftsleben zurückgezogen, doch inzwischen stehen zweihunderttausend Pfund auf ihrem Bankkonto.«

»Peter Fraser«, ergänzte Superintendent Afton, »sein Konto weist seit seinem Tod keine Bewegungen auf, und woher das Geld stammt, wissen die Götter.« Er schaute Falconer finster an. »Sagen Sie es ihm. Sie haben die Schmutzarbeit geleistet und dem Filialleiter der Bank das Fürchten beigebracht.«

Henry Falconer räusperte sich, bevor er begann, dann berichtete er präzise und in wohlgesetzten Worten, als entwerfe er bereits den Bericht, der an den Remembrancer gehen würde.

Er hatte den Anteilschein der Watermoor-Spinnerei an sich genommen, der bei der Durchsuchung von Gaunts Autowrack gefunden worden war. Damit hatte er die zunächst höchst skeptische Miss Blackthorn aufgesucht und von dort aus dann die Sache weiter verfolgt.

Die Watermoor-Gesellschaft war noch im Handelsregister eingetragen. Die Bank von Zentral-Schottland war einer der Bürgen des kleinen Unternehmens gewesen, und Miss Blackthorn hatte eine Freundin, die im Rechenzentrum dieser Bank arbeitete.

Eine Stunde später flog Falconer mit einem Propellerflugzeug nach Inverness, wo er von einem Wagen der Bankfiliale abgeholt wurde. Er kam gerade rechtzeitig in einer der Filialen der Bank von Zentral-Schottland an, um in seiner unnachahmlichen Weise dem Filialleiter den Appetit am Mittagessen zu verderben.

Es nahm den größten Teil des Nachmittags in Anspruch, um der Sache auf den Grund zu gehen.

Das ganze hatte vor über vier Jahren begonnen – also drei Jahre vor Peter Frasers tödlichem Verkehrsunfall.

Freundlich, vertrauenswürdig und als offensichtlich vermögender Mann, so war Peter Fraser bei der kleinen Landfiliale aufgetreten. Er gab sich als Londoner Investitionsberater aus, mit Geschäftsbeziehungen in ganz Europa. Aber er habe nun auch einmal eine sentimentale Ader und wolle das Land seiner Vorväter an seinem Erfolg Anteil nehmen lassen. Die Bank sei in dieser Hinsicht gewiß bereit, ihn zu unterstützen.

Es sei seine Absicht, die alte, in der Gegend ansässige Watermoor-Spinnerei wiederzubeleben und in ihrem Namen und auf ihrem Grundstück eine moderne Fabrik für elektronische Zulieferteile zu gründen. Aber natürlich sei das ein geheimer Wunsch von ihm, der sich nur ganz allmählich realisieren lassen würde.

Und der kleine, verwirrte Filialleiter hatte Falconer auch den Rest der Geschichte berichtet. Fraser besaß zwei Drittel der Anteile an der ursprünglichen Watermoor-Gesellschaft – das Zertifikat habe hier auf seinem Schreibtisch gelegen. Fraser wollte ein neues Konto für die alte Firma bei dieser Filiale eröffnen und legte dazu dreißigtausend Pfund in bar auf den Tisch. Im Augenblick sei die Elektronikfabrik natürlich noch ein Traum. Aber das neueröffnete Bankkonto sei eine Grundlage, und Fraser wolle es einstweilen zu verschiedenen Zwecken nutzen.

Ein beachtliches, neues Konto und rosige Aussichten, die das Hauptbüro beeindrucken würden, wenn erst der Tag der Fabrikeröffnung gekommen war – das überzeugte den Filialleiter. Er und seine Frau wurden am Abend von Fraser zum Dinner eingeladen, und das Watermoor-Konto war eröffnet.

»Den Rest können Sie sich denken«, berichtete Falconer müde. »Große Geldsummen, die in regelmäßigen Intervallen eingezahlt wurden, und gelegentlich auch größere Abbuchungen. Aber das Konto wies stets einen stattlichen Positivsaldo auf – der Traum eines jeden Bankleiters.«

Dann plötzlich hörten Frasers regelmäßige Besuche auf. Es wurde kein Bargeld mehr auf das Konto eingezahlt, keine Beträge mehr davon abgebucht. Zwei äußerst vorsichtig abgefaßte Briefe an die Londoner Hoteladresse, die Fraser angegeben hatte, blieben unbeantwortet. Zurück blieb nur das Bankkonto mit einer Summe von zweihunderttausend Pfund, und ein verwirrter, wenn auch keineswegs sonderlich besorgter Filialleiter.

»Normalerweise verlangen Bankmanager gewisse Referenzen«, bemerkte Gaunt.

Superintendent Afton lächelte. »Geld ist die beste Referenz, die man sich denken kann. Wollen Sie wissen, wieviel Bargeld über dieses Watermoor-Konto gegangen ist?« Er wartete. »Fast eine ganze Million, Gaunt – so, als ob diese kleine Bank nichts weiter als eine Drehtür gewesen wäre.«

»Gab es auch Abhebungen in bar?«

»Ja – aber nicht so, wie Sie denken«, sagte Falconer düster. »Meistens in ausländischer Währung: alles, von Dollars bis Deutsche Mark.«

»Auch Peseten?«

Falconer nickte.

»Und was geschieht nun mit unserem Filialleiter?«

»Initiativen lohnen sich immer«, sagte Falconer und trank den Rest des Kaffees, der sich noch in der Kanne befand. »Er wird als Bankdirektor oder als Klomann enden – immerhin hat er genug Regeln verletzt, um sich für beide Berufe zu qualifizieren.«

Aber nachdem die Sache erst einmal angelaufen war, hatte es keine Schwierigkeiten mehr gegeben, dachte Gaunt. Selbst wenn der Filialleiter manchmal den Verdacht hegte, es könnte sich um eine Geldwaschanlage handeln, es war immer noch besser, die Sache so zu lassen, wie sie war, als das Konto für die Zweigstelle zu verlieren.

»Und sonst keine Anhaltspunkte, die weiterführen?« fragte er.

»Nein.« Afton stützte die Ellbogen auf den Tisch. »Das ist alles, was wir wissen – bis jetzt. Außer, daß Fraser nicht das Format gehabt haben dürfte, um ein solches Unternehmen auf eigene Faust aufzuziehen. Das gilt auch für John Cass. Er wird von uns beobachtet. Aber –« Und er zuckte mit den Schultern und verstummte.

Eine Weile herrschte Schweigen, und wieder fühlte Gaunt, daß ihn die beiden Männer beobachteten, um zu einer Entscheidung zu gelangen – oder zu einer Feststellung.

Irgendwo klingelte ein Telefon. Dann hörte er das gedämpfte Klappern von Hannahs Schreibmaschine.

»Bleibt also die Hispan Trading«, fuhr Falconer schließlich fort. »Die Hispan – und Teneriffa.« Er ließ wieder eine Pause entstehen. »Der Arzt, der Sie heute morgen untersucht hat, meint, daß Sie durchaus reisen dürfen. Was meinen Sie?«

»Ja«, sagte Gaunt schlicht.

Wenn die Wahrheit auf Teneriffa zu finden war, wollte er sie dort suchen, nicht zuletzt deshalb, weil er selbst eine offene Rechnung zu begleichen hatte.

»Gut.« Falconer warf Afton einen flüchtigen, aber erleichterten Blick zu. »Ihr Flug ist ja bereits für die Montagmaschine gebucht; man erwartet Sie in Puerto Tellas, damit Sie diese verdammte Jacht verkaufen. Fliegen Sie hin, verhalten Sie sich völlig normal – aber versuchen Sie dabei so viel herauszufinden, wie möglich ist.«

»Aber gehen Sie behutsam vor«, murmelte Superintendent Afton. »So, wie ich es sehe, werden Sie dort wie auf rohen Eiern gehen müssen. Es könnte schlimm werden, wenn eines davon zerbricht.« Er verzog das Gesicht, was wohl sein Bedauern für diesen Fall ausdrücken sollte. »Denken Sie immer daran, daß wir nichts gegen diese Leute in der Hand haben. Und – Sie bekommen Unterstützung, falls Sie sie wirklich brauchen sollten. Wir regeln das mit den spanischen Behörden. Aber, keinen direkten Kontakt.«

Falconer überraschte ihn mit einem strahlenden Lächeln.

»Außerdem habe ich noch ein anderes Arrangement getroffen«, sagte er fröhlich. »Hannah wird zur selben Zeit dort sein.«

»Hannah?« Gaunt starrte ihn an, als könne er Falconers Worten nicht trauen. »Sie meinen –«

»Sie fliegt mit derselben Maschine wie Sie und bleibt in Puerto Tellas«, bestätigte Falconer. »Niemand weiß, daß sie hier bei uns beschäftigt ist. Sie steht bereits auf der Liste der Hispan als einer der Interessenten für ihre Ferienwohnungen – also macht sie einen Kurzurlaub und benützt ihn zur Besichtigung der angebotenen Immobilien. Sie hat mit dem Verkäufer gestern abend noch einmal gesprochen und ihm erklärt, daß es dabei bleibt.« Er bemerkte den Protest in Gaunts Gesichtsausdruck. »Hannah spricht übrigens fließend Spanisch. Sie können mit ihr in Verbindung treten – aber nicht mehr.«

»Weiß sie das auch?« fragte Gaunt.

»Natürlich«, besänftigte ihn Falconer. Dann zog er die Stirn in Falten. »Was wäre selbstverständlicher? Sie betreten eine Hotelbar, unterhalten sich mit einer gutaussehenden Frau – ich kenne viele Leute, die diese Chance beim Schopf fassen würden.«

»Vielleicht auch Hannah«, sagte Gaunt.

»Ja, vielleicht.« Bei dem Gedanken daran vertieften sich die Falten auf Gaunts Stirn. »Jedenfalls, so wird es gemacht, und nicht anders«, bekräftigte Falconer.

Gaunt nickte zögernd und wußte, daß er keine Wahl hatte.

Es regnete immer noch in Strömen, als er das Schatzamt durch den Hintereingang verließ. Eine Gasse führte von dort zur Princes Street, und Gaunt nahm einen Bus zu Dan Cafflins Reparaturwerkstatt am Stadtkanal.

Cafflin war gerade dabei, die Werkstatt vor dem Wochenende aufzuräumen. Als er seinen Besucher sah, packte er Gaunt freudig an den Schultern in einer bärenhaften Umarmung.

»Vorsichtig«, protestierte Gaunt.

Cafflin gab ihn frei, trat zurück und schaute ihn fragend an.

»Ich gelte als zerbrechlich«, sagte Gaunt. »Wo ist mein Wagen?«

Cafflin ging voraus, an einer Reihe von überdachten Stellplätzen neben der Baracke entlang. Cafflin öffnete eine der Türen, dann trat er zur Seite und ließ Gaunt den Vortritt.

Da stand der schwarze Ford: ein Wrack aus verbogenem Blech; das Lenkrad hing an der Fahrertür, und das Innere war ein einziges Chaos. Knurrend zog Cafflin seinen Notizblock heraus und begann rasch zu schreiben. Er empfehle ein »Begräbnis erster Klasse« auf dem nächsten Schrottplatz.

Mit zusammengepreßten Lippen ging Gaunt einmal um den Wagen herum, dann hatte er genug gesehen.

»Weißt du, was passiert ist?« fragte er Cafflin.

Cafflin nickte und schrieb wieder etwas auf den Block. ›Wie geht es dem Mädchen?‹

»Nicht gut.« Gaunt schaute den ehemaligen Sergeant düster an. »Aber ohne dich wären wir beide lebendig gegrillt worden.«

Cafflin imitierte einen Pfeil, der durch die Luft fliegt. Gaunt nickte.

Einen Augenblick lang bewegte Cafflin die Lippen. Dann nahm er wieder den Block. Ob die Sache denn zu Ende sei?

»Noch nicht, Dan.« Gaunt schüttelte den Kopf. Er sah, daß Cafflin wartete und noch immer seine Lippen beobachtete. »Aber vielleicht bald – ich gehe am Montag auf eine Reise. Danach könnte die Sache erledigt sein.«

Cafflin zog die Augenbrauen hoch und strich über sein unrasiertes Kinn. Inzwischen schien er einen Entschluß gefaßt zu haben. Er gab Gaunt das Zeichen, zu warten, ging zurück durch den vom Regen aufgeweichten Hof und hinein in die Werkstatt, blieb ein paar Minuten dort. Als er zurückkam, hatte er eine kleine, khakifarbene Segeltuchtasche in der Hand. Mit ausdrucksloser Miene reichte er Gaunt die Tasche.

Gaunt öffnete sie – und starrte auf zwei dunkelgrüne Handgranaten in Plastikbehältern – vom Standardtyp, wie ihn die Armee benützte.

»Wo, zum Teufel, hast du die her?« fragte er.

Cafflin grinste und schrieb auf seinen Block: »Souvenirs.«

»Und was soll ich damit?«

Wieder nahm Cafflin den Block, riß die Seite heraus und schrieb auf das neue Blatt: »Benutzen.«

Dann drehte er sich um, warf einen Blick auf das Autowrack, dann auf Gaunt und nickte bedeutungsvoll.

»Vielleicht hast du recht«, sagte Gaunt.

Als Gaunt in seine Wohnung kam, war es früher Nachmittag. Hinter der Tür lag die Post von drei Tagen, aber es war nichts Wichtiges darunter. Er legte sich frische Wäsche zurecht, nahm eine Dusche, betrachtete nachdenklich die Blutergüsse, die er davongetragen hatte, dann zog er sich wieder an. In der Küche öffnete er ein paar Konservendosen und aß ohne besonderen Appetit.

Kurz nachdem er mit dem Essen fertig war, klingelte es an der Tür.

Draußen stand ein Fremder mit grimmigem Gesicht, der einen Regenmantel trug: ein Mann mit hohen Wangenknochen, dunklem, an den Schläfen ergrautem Haar und ruhigen Augen, die ihre eigene Geschichte zu erzählen schienen.

»Ich bin John Tabor«, sagte der Mann mit weichem kanadischem Akzent. »Lornas Vater – Ihr Chef hat mir Ihre Adresse gegeben. Könnten wir miteinander sprechen?«

»Ja.« Gaunt nickte und streckte ihm die Hand zur Begrüßung entgegen. Tabor lächelte scheu, schüttelte Gaunt kurz die Hand und betrat dann die Wohnung.

»Ein Drink?« fragte Gaunt, sobald Tabor im Wohnzimmer Platz genommen hatte.

»Scotch – pur. Danke.« Tabor legte den Regenmantel, den er beim Hereinkommen ausgezogen hatte, auf den Boden. »Machen Sie sich keine Umstände; es dauert nicht lange.«

»Ich habe nichts mehr vor.« Gaunt brachte die Drinks.

Einen Augenblick lang trank Tabor schweigend, dann blickte er auf.

»Ich mußte Lorna sehen, komme gerade aus dem Krankenhaus.« Er biß sich auf die Unterlippe. »Nicht daß wir viel miteinander gesprochen hätten. Sie hatten eben die Tests beendet und bereiteten die Operation vor. Wahrscheinlich hätte ich sie gar nicht mehr sehen dürfen, aber sie meinten, fünf Minuten.« Wieder wartete er. »Dann habe ich mit dem Chirurgen gesprochen. Er scheint zu wissen, was er tut.«

»Das habe ich gehört«, versicherte Gaunt.

»Lorna wollte, daß ich mit Ihnen spreche.« Diesmal trank Tabor einen Schluck, dann schwenkte er das Glas mit dem Rest des Whiskys. »Sie meint, daß sie ihr Leben Ihnen zu verdanken hat.«

»Sind Sie darüber im Bilde, was geschehen ist?« fragte Gaunt.

»Ihr Chef hat es mir in Umrissen geschildert – jedenfalls genug für den Augenblick.« Tabor trank aus, nahm seinen Mantel und erhob sich unvermittelt. »Ich bleibe in Kontakt mit dem Krankenhaus. Sobald es etwas Neues gibt, rufe ich Sie an.« Wieder lächelte er das scheue Lächeln. »Das ist das mindeste, was ich Ihnen schuldig bin.«

Der Rest des Nachmittags verging ereignislos, und der frühe Abend brach an. Gaunt blieb zu Hause, saß eine Zeitlang vor dem Fernseher, las dann in Hannah Norths Jazz-Buch.

Es war neun, als John Tabor anrief.

»Sie hat es überstanden«, sagte er schlicht. »Es war ein Blutgerinnsel, das auf eine Nervenbahn drückte – die Ärzte sagen, es dauert ein paar Tage, bis sie wissen, ob die Operation erfolgreich war. Bis dahin darf sie keine Besuche empfangen.«

»Ich bin ohnehin nicht da«, erklärte Gaunt.

»Das hat mir Ihr Chef auch gesagt.« Tabors Stimme war plötzlich kalt und bitter. »Ich hoffe, Ihre Reise ist erfolgreich, Mr. Gaunt. Ich hoffe es bei Gott!«

Dann hängte er ein.

Fünf Minuten später klingelte das Telefon wieder. Diesmal meldete sich Harry Falconer. Er rief von zu Hause an, und seine Stimme klang unpersönlich.

»Wollte Sie nur auf dem laufenden halten«, sagte er knapp. »Afton hat mich angerufen. Seine Leute haben heute nachmittag John Cass aus den Augen verloren – sieht so aus, als habe er sich entschlossen, eine Weile unterzutauchen.«

»Verständlich«, antwortete Gaunt lakonisch.

»Aber vermutlich nur vorübergehend.« Im Hintergrund vernahm man die zänkisch klingende Stimme einer Frau. Falconer seufzte. »Lassen wir es dabei, es sei denn, es passiert irgend etwas. Viel Glück für die Reise, und – äh –«

»Ich passe auf Hannah auf«, versprach Gaunt. »Gute Sekretärinnen sind schwer zu finden.«

»Da haben Sie recht«, antwortete Falconer mit Nachdruck, dann knallte er den Hörer auf die Gabel.

Die Piloten der großen Düsenmaschinen zählen den Anflug auf die Kanarischen Inseln vor der Nordwestküste Afrikas am Spätnachmittag zu den dramatischsten der ganzen Welt.

Erst erscheint weit draußen im grenzenlosen Blau des Atlantiks eine seltsame Ansammlung dunkler Umrisse. Die Gebilde wachsen, trennen sich und werden zu wolkenbedeckten Inseln, von denen Teneriffa die größte ist, und der massive, schneebedeckte Pico de Teide stößt mit seinem Gipfel durch die Wolken. Der Teide ist ein Kennzeichen und eine Warnung zugleich, denn unter diesen Wolken liegt eine ganze Gruppe kleinerer Berge, hochragend und wildgezackt. Wenn sich die Wolken auflösen, werden diese Bergmassive in ihrer ganzen Gefährlichkeit sichtbar.

Jonathan Gaunt hatte einen Fensterplatz in der Mitte der Touristenklasse einer Boeing 737 der Iberia. Er trank sein Glas aus, das gleich wieder von einer der Stewardessen abgeräumt wurde, dann leuchtete auch schon die Schrift »Bitte Sicherheitsgurt anlegen« und »Rauchen einstellen« in drei Sprachen auf. Hannah North saß weiter vorne; sie reiste erster Klasse. Henry Falconer hatte es ihm so erklärt: Als mögliche Käuferin mußte sie ein gewisses Image wahren.

Und das tat sie vollendet. Er hatte sie beobachtet, wie sie in Heathrow an Bord der Maschine gegangen war, ohne das geringste Zeichen des Erkennens, genau wie sie es abgesprochen hatten.

Gaunt schaute durch das Fenster hinaus und beobachtete, wie sich die Boeing senkte. Auf ihrem Flug überquerte sie eine felsige Küstenstrecke, die von der Brandung weiß gesäumt war, und gleich darauf erschienen kurz ein großes, weißes Hotel und ein paar Apartmentblocks in seinem Blickfeld. Dann strich die Maschine im Landeanflug über kahle Hügel und dunkles Vulkangestein, das hier und da von kleinen Bauerndörfern und grünen Ackerflächen unterbrochen war.

Die Flugzeit von London hatte etwas mehr als vier Stunden betragen – und seit seiner Begegnung mit John Tabor am Samstag waren achtundvierzig Stunden vergangen.

Gaunt war den ganzen Sonntag im Haus geblieben, ausgenommen die eine Stunde, in der er seine geschundenen Muskeln zur Tätigkeit zwang und im nahegelegenen Park ein paar Runden joggte. John Tabor hatte noch einmal angerufen, aber nur berichten können, daß Lornas Zustand unverändert war. Später hatte sich Henry Falconer zweimal telefonisch gemeldet, um mit ihm Einzelheiten für seinen Aufenthalt auf Teneriffa zu besprechen und mitzuteilen, daß die Polizei John Cass noch nicht aufgespürt hatte, obwohl er angeblich bei der Fahrt in Richtung Süden durch die englischen Midlands gesehen worden war, und daß sich die Chance verstärkte, eine Verbindung zwischen Cass und den beiden Männern herzustellen, die nach der offiziellen Version bei einem Verkehrsunfall ums Leben gekommen waren.

Aber Edinburgh und alle Ereignisse der letzten Tage lagen nun weit hinter ihm, und für die nächste Zeit zählte nur das, was vor ihm lag. Gaunt bewegte seine steif gewordenen Glieder, versuchte eine etwas bequemere Stellung einzunehmen, und dann setzte der Pilot endgültig zur Landung an. Der Fluggast neben ihm, eine ältere Irin, die während des ganzen Fluges gelesen hatte, schlug jetzt mehrmals das Kreuzzeichen und starrte wie gebannt auf die Rücklehne des Sitzes vor ihr.

Ein paar Minuten später waren sie auf dem Reina-Sofia-Flughafen gelandet und traten in das warme Sonnenlicht hinaus, das sie begrüßte. Teneriffa im Februar erschien Gaunt wie Sommer, verglichen mit dem kalten und feuchten Wetter in Großbritannien. Die Luft war trocken, Blumen blühten rings um die Flughafengebäude, und dahinter erhoben sich hohe Kaktusbäume und Palmen.

Sie befanden sich auf der Südspitze der Insel. Reina Sofia war ein neuer Flughafen, der erst halbfertig aussah, und die Einreise- und Zollformalitäten beschränkten sich auf das Vorbeischlendern an zwei Schreibtischen, hinter denen zwei uniformierte Beamte saßen, die die Passagiere rasch durch die Schranke winkten. In der schattigen Kühle der großen Halle des Terminals sah Gaunt noch einmal Hannah North. Ein Gepäckträger karrte ihre Sachen durch die Halle. Dann erblickte er einen Mann, der eine Tafel hochhielt, auf der in etwas ungelenken Lettern SR. GAUNT prangte.

Er ging zu ihm hin. Der Mann war Ende zwanzig, schlank und von olivfarbener Hautfarbe, er hatte dichtes, glattfrisiertes, schwarzes Haar. Er trug einen gutgeschnittenen, leichten braunen Anzug zu einem weißen, am Kragen offenen Hemd, hatte zwei dünne Goldketten um den Hals, und eine dickere schmückte sein rechtes Handgelenk.

Er lächelte Gaunt mit einem strahlenden Lächeln an.

»Mister Gaunt?« Der Mann warf die Tafel in einen Abfallkorb und streckte ihm dann die Hand entgegen. »Ich bin Milo Bajadas. Ich arbeite für Paul Weber – er hat mich beauftragt, Sie abzuholen.« Sein Englisch war fehlerlos, der Händedruck leicht und beiläufig. Er bückte sich und nahm Gaunts Reisetasche. »Ich habe einen Wagen draußen.«

Der Wagen war ein weißer Mercedes mit Klimaanlage und Sitzbezügen aus Schaffell. Bajadas stellte Gaunts Reisetasche in den Kofferraum, hielt ihm die vordere Beifahrertür auf, ging dann ohne Eile auf die andere Seite und setzte sich hinters Lenkrad.

»Hatten Sie einen guten Flug?« fragte er, während er den Motor anließ und den Mercedes durch ein Gewirr von Omnibussen, Taxis und Privatwagen steuerte.

»Problemlos.« Gaunt lehnte sich zurück, dann versuchte er, sein eingerostetes Spanisch zu beleben. »*Muchas gracias.* Ich hatte nicht damit gerechnet, abgeholt zu werden.«

»Paul ist ein hilfsbereiter Mensch«, antwortete Bajadas. Er hupte, um ein paar planlos herumirrende Passagiere aus dem Weg zu scheuchen. »*Si*... Und außerdem sind Sie hergekommen, um etwas zu verkaufen, was er gern haben möchte.« Er schaute Gaunt von der Seite an und lachte leise. »Ich bin sein persönlicher Assistent, also weiß ich, wie die Dinge stehen. Haben Sie die rechtliche Seite erledigt?«

»Es sind nur noch ein paar letzte Formalitäten zu klären, das ist alles.« Sie fuhren mittlerweile auf der Hauptstraße, und Bajadas beschleunigte den Wagen. Gaunt schüttelte den Kopf, als ihm Bajadas Zigaretten anbot. »Ich habe das Rauchen aufgegeben. Seit wann arbeiten Sie bei der Hispan?«

»Zwei Jahre, Mister Gaunt.« Bajadas nahm selbst eine Zigarette und zündete sie sich mit dem Zigarettenanzünder am Armaturenbrett an. Dann ließ er die Zigarette im Mundwinkel hängen. »Das erste Mal auf der Insel?«

Gaunt nickte.

»Ich stamme vom Festland, aus Barcelona.« Der Mann lenkte den Wagen lässig und geschickt mit den Fingerspitzen. »Paul Webers Vater ist aus der Schweiz hierhergekommen. Die Einheimischen« – er zuckte mit den Schultern – »sind überwiegend Bauern. Schwerblütig und nicht allzu clever.«

»Dann können sie froh sein, wenn Leute wie Sie hier frischen Wind bringen«, sagte Gaunt milde.

Bajadas grinste, gab aber keine Antwort.

Auf der westlichen Küstenstraße in Richtung Norden dauerte die Fahrt vom Flughafen nach Puerto Tellas ungefähr eine Stunde. Ebenes, teilweise kultiviertes Land mit karger, steiniger, hellbrauner Erde wich rasch einer felsigen Einöde. Die Straße wurde schmaler, ansteigend und wand sich durch Klippen aus schwarzem, vulkanischem Gestein. Manchmal, wenn sie sich dem Ozean näherten, führte sie an Bananenplantagen vorüber, die sich an die Abhänge schmiegten und über ein System aus rostigen Bewässerungsrohren beregnet wurden, die von einer höhergelegenen Quelle gespeist wurden. Die wenigen Häuser an der Straße glichen eher aufgeputzten Hütten, vor denen barfüßige Kinder spielten.

Bajadas konzentrierte sich aufs Fahren, summte leise vor sich hin und deutete gelegentlich auf Sehenswürdigkeiten hin. Nach einer Weile beschränkte sich Gaunt darauf, nur zu nicken und die Fahrt zu genießen, wobei er die Augen halb geschlossen hielt.

Dennoch war die Gegend, durch die sie fuhren, keineswegs eine einsame, öde Landschaft. Links tauchte immer wieder der Ozean auf, und manchmal sah man ein Dorf, das tief unten in einer der Buchten lag, und Boote, die an einem Kai aus Steinquadern vertäut waren. Das war der noch unberührte Teil der Insel, der vom Tourismus beherrschte bot gelegentlich überraschende Ausblicke auf Hoteltürme aus Glas und Beton, und die Hauptstraße war stark befahren.

Vor ihnen tauchte eine Landzunge auf. Der Mercedes kletterte einen Hügelkamm empor, überwand einen letzten Höhenzug, und dann bot sich Gaunt der Blick auf Puerto Tellas und die Bucht sowie

auf einen großen, halbrunden Krater, vermutlich die zusammenge-
sunkenen Reste eines prähistorischen Vulkans. Die nördliche Hälfte
bestand aus fast vertikalen Klippen, die direkt aus dem Meer aufstie-
gen. Die Südseite türmte sich zu felsigen Höhen, denen steile Hügel
vorgelagert waren, und unten am Wasser ergoß sich der Strand aus
schwarzem Sand.

Puerto Tellas bestand aus zwei Teilen: der alten und der neuen
Siedlung. Der nördliche, größere Bezirk war die Domäne der Touristen, erbaut um einen modernen Jachthafen mit einer großen Mole
aus Steinquadern, dazu gehörten ein riesiges Hotelgebäude mit vielen Stockwerken und ein paar Wohnkomplexe, die es umgaben. Ein
kleiner, älterer Kai und eine Ansammlung niedriger Häuser mit roten Ziegeldächern, das ursprüngliche Dorf, klammerte sich an den
Südrand der Bay. Und dazwischen befanden sich Villen und Swim-
ming-pools, Tennisplätze und Apartmenthäuser, die teilweise geradezu abenteuerlich an den Felsvorsprüngen klebten.

Das ganze wirkte so, als ob ein verrückter Riese mit einem
Schwert das ursprüngliche Gebirge von oben bis unten durchge-
hackt und den Abfall ins darunterliegende Meer geworfen hätte –
dann war der Mensch gekommen und hatte sich bemüht, aus dem
Rest das Beste zu machen.

»Willkommen in unserem kleinen Reich«, sagte Bajadas ironisch;
dabei lenkte er den Mercedes in beängstigendem Tempo die gewun-
dene Zufahrtsstraße hinunter. Er kam ganz nahe an die Steinmauern
heran, welche die scharfen Kurven schützten, und steuerte lässig wie
zuvor. »Sie sind zu einer guten Zeit gekommen, Mister Gaunt. Jetzt
ist keine Saison, da gibt es nicht allzu viele Touristen.« Er lachte.
»Sie werden sehen: Wer einmal hier war, kommt immer wieder.«

Die Straße senkte sich und erreichte die Küstenlinie am staubigen
Rand des alten Dorfes. Gaunt sah schäbige kleine Häuser, deren
Mauern Sprünge aufwiesen und halb verfallen waren; ein einzelnes,
verwittertes Fischerboot schaukelte vertäut am Kai, und die verwit-
terten Reste eines zweiten lagen kieloben auf dem Sand.

»Wie lange wird es noch dauern, bis dieser Teil ganz verschwunden ist?« fragte Gaunt.

Bajadas zuckte mit den Schultern. »Ein, zwei Jahre vielleicht.
Muy triste... Aber das ist nun mal der Preis des Fortschritts.«

Das Neue trat deutlicher in Erscheinung: eine breite betonierte Küstenstraße, gesäumt von modernen Villen und Apartmentblocks. Weitere befanden sich im Bau.

»Das ist unser neuestes Projekt.« Bajadas deutete auf eine Baustelle, ein zweistöckiges Apartmenthaus, wo Zementmischmaschinen dröhnten. »Paul ist dabei, ein weiteres auf die Beine zu bringen, auf einem der Hügel weiter draußen. Mit einer fabelhaften Aussicht – vorausgesetzt, die Beine machen mit.«

Sie erreichten das neue Ortszentrum. Bars und ein paar Läden scharten sich um das Hochhaus des Hotels Agosto, dessen Eingang Palmen schmückten, und eine Fontäne sprühte. Hannah North hatte ein Zimmer im Agosto gebucht, und dort war auch eines separat für Gaunt reserviert.

»Machen Sie sich keine Gedanken«, meinte Bajadas leichthin. »Paul wird Ihnen alles erklären.« Er fluchte und bremste scharf, als eine Gruppe von Touristen unmittelbar vor dem Wagen auf die Straße trat, die Männer in Shorts und Sporthemden, drei Mädchen in knappen Bikinis, aber großen Sonnenbrillen. Eines der Mädchen lachte in den Wagen herein. Bajadas zwang sich zu einem Lächeln, murmelte aber leise: »Verdammte Idioten. Wollen wohl im Sarg nach Hause geflogen werden.«

Gaunts Interesse galt dem kleinen Wald aus Masten, der vor dem Hotel beim Jachthafen zu sehen war.

»Ich möchte die *Black Bear* gerne einmal anschauen«, sagte er zu Bajadas. »Wissen Sie, wo sie liegt, Milo?« Bajadas nickte, zog aber die Stirn in Falten. »Vielleicht später, Mister Gaunt«, schlug er vor. »Zuerst müssen Sie Paul Weber sehen – okay?«

Gaunt hielt es für besser, nichts dagegen einzuwenden. Der Wagen fuhr um eine Ecke, wo vor einer kleinen Bar Tische auf dem Gehsteig standen. Ein Mann von der Guardia Civil in graugrüner Uniform und schwarzer Ledermütze, die Daumen in den Ledergürtel gesteckt, an dem das Pistolenhalfter befestigt war, nickte grüßend. Bajadas winkte als Antwort.

»Mit den Vertretern des Gesetzes muß man sich gut stellen.« Er zwinkerte Gaunt zu. »Eine alte Regel hier... *comprendido?*«

»*Comprendido*«, bestätigte ihm Gaunt trocken. »Eine nützliche Regel – überall.«

Der Wagen fuhr weiter, kam wieder an Apartmenthäusern und Villen vorbei, dann bog er in eine Auffahrt ein, die von jungen Pinienbäumen gesäumt war. Hinter den Bäumen leuchtete ein rotes Dach, und nach kurzer Fahrt hielten sie vor einer großen, zweistöckigen Villa mit Sonnenpatio, einem blau gekachelten Swimmingpool und einem hübsch angelegten Terrassengarten. Als sie aus dem Wagen stiegen, erhob sich ein Deutscher Schäferhund von seinem Lager im Schatten eines Busches und knurrte.

Gaunt hörte ein zirpendes Pfeifen, dann rasche, leichte Schritte. Ein junges Mädchen kam von der Villa auf sie zu, zwölf oder dreizehn, in Shorts und einem alten Hemd. Das Mädchen lockte den Hund, kraulte ihn am Hals, und das Tier versuchte, dem Mädchen das Gesicht zu lecken.

»*Hola*, Milo«, begrüßte sie Bajadas.

»*Buenas tardes*«, antwortete Bajadas, und auf sein schmales, hübsches Gesicht traten Sorgenfalten. »Eines Tages bringt das verdammte Biest noch jemanden um.«

»Nur dann, wenn ich es ihm befehle.« Sie lachte und umarmte den Schäferhund. »Du verstehst eben nichts von Hunden, Milo.«

»Und das kann meinetwegen so bleiben«, erwiderte Bajadas.

Sie lachte wieder, warf einen interessierten Blick auf Gaunt, dann zerrte sie den Hund zum Swimming-pool.

»Das ist Marta – Paul Webers Schwester«, sagte Bajadas mürrisch. »Ein wildes Ding.«

Gaunt verbarg seine Überraschung. »Sie ist sehr jung.«

»Dreizehn.« Bajadas zuckte mit den Schultern. »Gott sei uns gnädig, wenn die erst einmal ins heiratsfähige Alter kommt – dann wird sie erst wirklich zu einem Bündel von Sorgen.« Er deutete auf die Villa. »Gehen wir hinein.«

Gaunt folgte ihm in eine kühle, mit Terrazzo geflieste Diele, wo an der einen Wand ein riesiges Aquarium mit tropischen Fischen stand. Bajadas blieb vor einer der Türen stehen, klopfte an, öffnete und winkte Gaunt in einen großen Raum, der an drei Seiten holzgetäfelt war, während die vierte ganz aus Glas bestand. Der Mann, der an dem riesigen Panoramafenster stand, war Ende dreißig, braungebrannt, kräftig gebaut und mittelgroß. Er hatte hellbraunes Haar, das schütter zu werden begann, scharfe, selbstsichere Augen. Er trug ein einfaches Sporthemd mit offenem Kragen und eine dazu passende Hose.

»Du hast ihn also gefunden, Milo.« Er kam auf sie zu und schüttelte Gaunt die Hand. »Ich bin Paul Weber. Alles geklärt, daß Sie mir das Boot verkaufen können, Senor Gaunt?«

»Fast. Sobald ich den hiesigen Papierkrieg erledigt habe«, meinte Gaunt. »Ich hoffe, das dauert nicht allzu lang.«

»Bis jetzt hat es immerhin über ein Jahr gedauert«, sagte Weber spöttisch. Er nickte Bajadas zu. »Besorg dir ein Bier, Milo. Aber verkrümel dich nicht zu weit weg, klar?«

Bajadas verließ die beiden, schloß die Tür hinter sich. Gaunt sah sich in dem Raum um, er war schlicht, aber teuer möbliert; ein großer, mit Papieren übersäter Schreibtisch stand in der Mitte, gepolsterte, bequeme Sessel in dunkelgrünem Leder gruppierten sich um einen niedrigen Marmortisch. Auf einem Sideboard glänzten ein paar Silberpokale und andere Trophäen, und über einem in Stein gehauenen, offenen Kamin hing ein Plan von Apartmenthäusern, der jeden Architekten entzückt hätte.

Gaunt richtete den Blick wieder auf Weber und wußte, daß ihn dieser in der kleinen Pause mit Blicken maß.

»Ihre?« fragte er und deutete auf die Trophäen.

»Scheibenschießen.« Weber zuckte mit den Schultern. »Heutzutage hab' ich nicht mehr viel Zeit dafür.«

»Und wieviel Zeit haben Sie für eine Jacht?« fragte Gaunt.

Webers Augen verengten sich für einen Augenblick, dann lachte er.

»Genug – dafür werde ich sorgen. Abgesehen davon gibt es noch mehr Gründe, warum ich das Boot haben will, Gaunt. Nennen Sie mich sentimental, aber es war Peter Frasers Boot, und wir sind viel damit gesegelt. Außerdem halte ich die Jacht für eine gute Investition. Es gibt hier genügend Touristen, die eine Jacht bedienen können; also werde ich sie vielleicht vermieten.« Er hielt einen Augenblick inne, fragte dann: »Kann ich Ihnen einen Drink anbieten?«

»Ein Bier, wenn es keine Umstände macht.« Gaunt nickte dankbar.

Weber ging zum Sideboard hinüber und öffnete eine der Türen, hinter der sich ein eingebauter Kühlschrank befand. Er brachte zwei

Dosen, riß sie auf, schenkte das Bier dann in Gläser und reichte Gaunt eines, nachdem er zum Schreibtisch zurückgekehrt war.

»*Salud.*« Weber trank einen Schluck und nickte dann in Richtung auf die Ledersessel. »Machen wir es uns doch gemütlich.«

Sie ließen sich nieder und schauten einander über den Marmortisch hinweg an. Gaunt trank einen großen Schluck aus seinem Glas.

»Haben Sie Fraser gut gekannt?« fragte er.

»Besser als gut. Er hat für mich gearbeitet, aber er war mein Freund. Warum?«

»Er hat uns ein paar Probleme hinterlassen«, erwiderte Gaunt nachdenklich. »Kein Testament, keine Verwandten – so jedenfalls hat es lange Zeit ausgesehen. Dann tauchte eine Verwandte auf, wir waren gerade dabei, ihre Rechtmäßigkeit zu überprüfen – da starb sie.«

»Ich habe davon gehört, durch John Cass.« Weber nickte. »Er sagte mir auch, daß eine zweite Verwandte sich gemeldet haben soll.«

»Es ist möglich – wir überprüfen derzeit die Situation und sind noch zu keinem Ergebnis gekommen.« Gaunt legte deutlichen Zweifel in seine Worte. »Sie tauchte auf nach dem Tod der ersten, erhob Anspruch auf die Hinterlassenschaft, und jetzt ist sie auf dem Rückweg nach Kanada. Das alles dauert eben seine Zeit.«

»Hier, unter spanischen Gesetzen, würde es vermutlich noch länger dauern«, murmelte Weber. Er lehnte sich zurück und spielte mit seinem Glas. »Fraser fehlt mir sehr. Sein Tod war ein schwerer Verlust für uns alle. Wissen Sie Bescheid über die Handelsbeziehungen der Hispan Trading?«

Gaunt schüttelte den Kopf.

»Die Möglichkeiten sind beschränkt. Teneriffa exportiert Bananen, etwas Obst und Gemüse, auch geringe Mengen von Wein. Was Industrieprodukte betrifft, noch weniger, und außerdem sind neue Märkte schwer zu erschließen.« Weber verzog verdrießlich das Gesicht. »Wir sind Vermittler, und für uns springt weder an dem einen noch an dem anderen Ende viel heraus. John Cass hat es nicht leicht.«

»Ich habe versucht, vor meinem Abflug noch einmal mit ihm zu sprechen«, sagte Gaunt. »Ich hörte, er sei verreist.«

»Er jagt Aufträgen hinterher – dafür wird er bezahlt.« Weber trank wieder einen Schluck Bier. »Aber jetzt haben wir uns auf etwas Lohnenderes konzentriert: Immobilien. Wir verkaufen den Leuten einen Platz an der Sonne, damit wir uns im Schatten ausruhen können.« Er lächelte amüsiert. »Und ich möchte gern, daß Sie begreifen, was das bedeutet – als mein Gast.«

»Wie das?« Gaunt zog fragend die Augenbrauen hoch.

»Ich habe Ihre Reservierung im Agosto stornieren lassen«, erklärte Weber. »Statt dessen biete ich Ihnen an, eines unserer neuen Apartments zu bewohnen – ich nehme an, daß es Ihnen gefällt. Was die Mahlzeiten betrifft, bitte ich sie, als mein Gast im Restaurant des Agosto zu speisen. Es ist bereits alles arrangiert.«

»Schön.« Gaunt wußte, daß es unangenehm aufgefallen wäre, wenn er abgelehnt hätte. »Danke, Mr. Weber.«

»Falls Ihnen das Apartment gefällt, empfehlen Sie es Ihren Freunden weiter«, erklärte Weber beiläufig. »Das ist alles, worum ich Sie bitte. Und noch etwas: Ich möchte Sie für morgen abend, nachdem wir den Verkaufsvertrag für die *Black Bear* unterschrieben haben, bei mir zum Dinner einladen.«

»Und wenn etwas nicht so läuft bei den Verhandlungen?« fragte Gaunt trocken.

»Zu solchen Befürchtungen besteht kein Anlaß. Ich kenne die Leute, die Sie deshalb sprechen müssen, und der hiesige Gemeinderat ist gut befreundet mit mir.« Weber stellte sein Glas ab und stand auf. »Sie wohnen in unserem El-Barco-Projekt – ich kann es Ihnen von hier aus zeigen.«

Er ging ans Fenster, zog an einer Schnur, und die Jalousien öffneten sich. Sonnenlicht flutete in den Raum, und Weber wies mit der Hand hinaus. »Dort drüben, auf dem Hügel oberhalb des Jachthafens.«

Was Weber so beiläufig einen Hügel nannte, war eher eine Klippe, und der Apartmentblock, der im Licht der späten Nachmittagssonne rosig schimmerte, war treppenförmig gestaltet, als ob er sich an den Fels klammern würde.

»Ich habe noch ganz andere Pläne.« Weber blieb am Fenster stehen. »Es gibt sieben größere Inseln hier, und der nächste Nachbar von Teneriffa ist Gomera – kleiner und noch wenig entwickelt. Ich besitze Grundstücke auf Gomera, und die Hispan Properties wird dort in absehbarer Zeit bauen. Mein Vater und meine Stiefmutter leben auf Gomera.« Er lachte. »Es würde Ihnen sicher Spaß machen, meinen Vater kennenzulernen; er ist ein typischer alter Schweizer. Meine Mutter starb, als er sechzig war; ein Jahr danach hat er wieder geheiratet, und seine Frau ist halb so alt wie er. Wieder ein Jahr später hatte ich eine Stiefschwester.«

»Marta.« Gaunt nickte. »Ich habe sie bei meiner Ankunft kurz gesehen – und ihren Hund.«

»Wo Marta hingeht, da folgt ihr Oro hin. Sie wohnt meistens hier – mein Vater hat genug Geld, um zu reisen, und hält sich die Hälfte des Jahres mit meiner Stiefmutter in Europa auf.« Weber schien in mitteilsamer Stimmung zu sein. »Es hat Marta hart getroffen, als Peter Fraser starb. Er war ein *tio* für sie, ein Lieblingsonkel.«

»Hat er Ihnen nicht auch ein Problem hinterlassen, als er starb?« fragte Gaunt jetzt gezielt.

»Es kursierte das alberne Gerücht, unsere britischen Geschäftsbücher könnten frisiert sein.« Webers Lippen preßten sich ein wenig zusammen. »Ich selbst habe mir alles angesehen, und damit war der Fall erledigt.«

»Eine Jacht wie die *Black Bear* ist nicht billig«, wandte Gaunt nachdenklich ein. »Vielleicht haben sich die Leute gefragt, woher er das Geld dafür hatte.«

»Es gibt Menschen, die denken zuviel über andere nach.« Weber blieb erstaunlich ruhig. »Als ich ihn kennenlernte, hatte Fraser gerade einen Vertrag im Nahen Osten gelöst. Er konnte sich alles leisten, was er wollte. Hätte ich ihn bitten sollen, mir sein Bankkonto zu zeigen, als ich ihn anstellte?«

Die Besprechung war zu Ende. Paul Weber brachte Gaunt zum Wagen, wo Bajadas immer noch wartete.

»Viel Spaß im Apartement, und einen angenehmen Aufenthalt«, sagte Weber, als sie abfuhren. Dann lächelte er. »Ich freue mich auf morgen abend. Wissen Sie, ich bin noch nie Besitzer einer Jacht gewesen.«

Die Fahrt zum Apartmentblock dauerte nur ein paar Minuten. Über dem Haupteingang prangte das holzgeschnitzte Modell eines Fischerboots. Da es keinen Lift gab, trug Milo Bajadas die Reisetasche von Gaunt und ging voraus über die Treppe bis zum obersten Stockwerk. Dort gab es drei Türen auf dem Treppenabsatz. Bajadas nahm einen Schlüssel, sperrte die dritte Tür auf, stellte Gaunts Tasche hinein und trat dann zurück.

»Wenn Sie etwas brauchen oder sonst irgendwelche Wünsche haben, lassen Sie es mich einfach wissen«, sagte er. »Wir haben ein Verkaufsbüro im Hotel Agosto – melden Sie sich dort, und die setzen sich mit mir in Verbindung.«

Dann ging er wieder hinunter.

Gaunt betrat das Apartment und schloß die Tür. Er brauchte nicht lange, um sein unerwartetes Quartier zu inspizieren. Das Apartment war nicht allzu groß, aber möbliert in der Art eines Studios, doch mit einem zusätzlichen Schlafraum. Ein Fenster ging hinaus auf einen Balkon, von dem aus man den Jachthafen und die Reihen von Vergnügungsbooten fast aus der Vogelperspektive sehen konnte.

Eines von ihnen mußte die *Black Bear* sein. Über ein Jahr lang lag sie nun schon dort vor Anker und war in dieser Zeit vermutlich nicht ausreichend gepflegt worden. Warum war Paul Weber so sehr darauf versessen, ihr Besitzer zu werden? Gaunt seufzte und schaute hinunter auf die Masten und Rümpfe. War es möglich, daß die *Black Bear* noch nach mehr als einem Jahr die Lösung bot für das ganze verwirrende Durcheinander, dieses Netz aus Querverbindungen, das sich von Teneriffa nach Edinburgh und zurück erstreckte?

Der Gedanke rief einen anderen, noch unerfreulicheren ins Bewußtsein. Wenn Weber in all der Zeit nicht in der Lage gewesen war, das zu bekommen, was er haben wollte – welche Chance hatte dann jeder andere?

Daß es Weber bedeutend lieber war, seinen Gast in der Isolation eines Apartmentblocks zu wissen statt im Hotel Agosto, konnte er verstehen. Weber wollte ihn im Auge behalten, und das würde ihm, Gaunt, das Leben nicht unbedingt erleichtern.

Er blieb einen Moment am Fenster stehen und betrachtete den Sonnenuntergang. Er war wildromantisch, und der Eindruck verstärkte sich, als die letzten Strahlen der Sonne auf die Felsen im Norden trafen und alles in tiefes Rot tauchten.

Rot wie Blut. Er ging hinein, schloß das Fenster und sah sich noch einmal in dem Apartment um. Ein kleines Bad mit einer modernen Dusche. Die Küche mit einem gut bestückten Kühlschrank und einem Regal, auf dem genug Flaschen standen, daß man eine Bar damit eröffnen konnte. Ein Warmwasserbereiter mit Gasbetrieb, dessen Zündflamme brannte, befand sich in einer offenen Nische an der Rückseite.

Gaunt packte seine Tasche im Schlafzimmer aus. Unter der ersten Lage von Kleidungsstücken befand sich seine Kameraausrüstung. Die Kamera war echt. Dann nahm er einen Pappkarton heraus mit der Aufschrift ›Zusatzgeräte‹.

Darin befanden sich Dan Cafflins Sprenggranaten. Gaunt schaute sich nach einem Versteck dafür um, fand schließlich eines im Bad: ein Lüftungsschacht mit Ventilator an der Decke, dessen Blende mit zwei Schrauben befestigt war. Mit dem Taschenmesser schraubte Grant die Blende ab und fand dahinter genügend Platz für den Pappkarton. Eine Minute, und die Blende war wieder an Ort und Stelle.

Gaunt trat ans Fenster. Die Dämmerung war schnell hereingebrochen. Eine Neonreklame am Hotel Agosto war ein heller grüner Farbfleck, und hinter vielen der Hotelfenster leuchtete bereits das Licht. Hannah mußte irgendwo dort drüben sein, und vermutlich wunderte sie sich, warum er nicht sein Zimmer bezogen hatte. Sie würde noch eine Weile warten müssen, bis Gaunt die Grundregeln kannte, nach denen Paul Weber vorging.

Eine halbe Stunde später verließ er, geduscht und in einem frischen Hemd und einer Sporthose, das Apartment. Es war schon fast finster, und die hellen Sterne am Himmel bildeten ein ihm unvertrautes Muster. Inzwischen strahlten viele Neonreklamen in der Touristengegend von Puerto Tellas, und das Hotel Agosto bildete einen strahlend weißen, hell erleuchteten Turm in der Nacht.

Gaunt ging daran vorüber und war nichts weiter als einer unter vielen umherschlendernden Feriengästen, die in der Kühle des Abends auf den Straßen flanierten. Er ließ sie hinter sich, als er den Rand des Touristenzentrums erreichte, und schlenderte weiter in das alte Fischerdorf.

Die Lichter, die Geräusche, die Gerüche – die ganze Atmosphäre war hier anders. Kleine Kinder saßen in den offenen Haustüren und schauten ihn interessiert an – und immer war eine wachsame Großmutter in der Nähe. Hier und da flackerte bläulich ein Fernsehschirm hinter einem Fenster. Er hörte eine Frau singen und ein Baby schreien. Eine kleine schwarze Katze mit einem weißen Fleck auf einer Pfote machte Jagd auf etwas Unsichtbares am oberen Rand einer Mauer, und ein Junge in weißer Kellnerjacke brauste auf einem Motorrad durch die Straße.

Die »Bar Tomas« war eine windschiefe Bruchbude, mit einem Blechdach gedeckt. Gaunt entschied sich für diese Kneipe, weil die Tür offenstand und weil unter den Gästen, alles Einheimische, auch zwei Männer von der Guardia Civil waren. Die Polizei, ganz gleich welcher Nationalität, war meist ein brauchbarer Führer, wenn man nach einem preiswerten und guten Restaurant suchte.

Er ging in das rauchgeschwängerte Lokal hinein. Die Gespräche verstummten für einen Augenblick, und Gaunt zog ein paar überraschte Blicke auf sich, dann entschlossen sich die Stammgäste der Bar Tomas, den Fremden zu ignorieren, und das Stimmengemurmel setzte wieder ein. Ein paar Tische standen an der Wand, unter einer Galerie von Pin-up-Fotos aus Magazinen und Illustrierten. An einem davon spielten vier alte Männer Karten, die anderen Tische waren frei.

Gaunt wählte einen Tisch, von dem aus er die Tür und die Bar im Auge behalten konnte, und ließ sich dort nieder mit einem Gefühl der Erleichterung, dem schwachen, aber stets vorhandenen Schmerz der gebrochenen Rippe und seinem ramponierten Rückgrat, welches ihn daran erinnerte, daß er einen langen Tag hinter sich hatte. Eine fleckige, handgeschriebene Speisenkarte lag auf der ausgebleichten Wachstuchdecke, und als er sie studierte, kam ein Mann hinter der Bar hervor und zu seinem Tisch herüber.

»Señor?« Er war klein und stämmig, in mittleren Jahren, mit lokkigem, grauem Haar und einem beträchtlichen Bauch, über den sich das weiße Hemd spannte, das er etwas schlampig in die dunkelblaue Hose gesteckt hatte. »Möchten Sie hier essen?« Er schaute etwas bekümmert drein bei der Frage. »Unser Essen ist eigentlich für die Einheimischen.«

»Ich lasse mich überraschen.« Gaunt warf einen Blick auf den

Bauch des Mannes. »Ihnen scheint es jedenfalls nicht schlecht zu bekommen.«

»Si.« Der Mann kicherte und legte seine Befangenheit ab. »Wir haben Paella – aber die gibt es natürlich überall. Vielleicht möchten Sie *sancocho,* das ist ein Fischeintopf.«

Gaunt nickte. Der Mann watschelte in die Küche auf der Rückseite des Lokals davon und kam ein paar Minuten später mit einem vollbeladenen Blechtablett zurück. Er stellte eine dampfende Schüssel auf den Tisch, legte Löffel und Gabel daneben, füllte zuletzt zwei Gläser mit blaßgelbem Wein aus einer alten Mineralwasserflasche.

»Salud.« Er nahm eines der Gläser, prostete Gaunt damit zu, feuchtete sich die Lippen damit an und wartete, bis Gaunt das Ritual hinter sich gebracht hatte. »Touristen kommen nicht oft hierher, Señor. Wir rechnen auch nicht damit – nicht hier.«

»Vielleicht bin ich hier, weil mir die Architektur in dieser Gegend gefällt«, wich Gaunt aus. Wie hätte er dem Mann klarmachen sollen, daß er sich wohler und sicherer in einer solchen Kneipe unter Einheimischen fühlte? »Gehört das Lokal Ihnen?«

»Si. Ich bin Tomas – Tomas Reales.« Er deutete mit dem Daumen auf eine jüngere, schlankere und noch muskulösere Ausgabe seines Typs, die hinter der Bar stand. »Das ist mein Sohn Miguel – er hilft mir abends.« Gaunt nickte. Miguel warf gelegentlich argwöhnische Blicke herüber. Er hatte kastanienbraunes Haar und einen goldenen Ring im linken Ohr; dazu trug er ein schwarzes T-Shirt und eine schwarze Hose.

»Und was macht Miguel tagsüber?« fragte er höflich.

»Manchmal sitzt er im Gefängnis.« Die Stimme des Barbesitzers klang nicht sonderlich humorvoll. »Meistens arbeitet er im Jachthafen, oder er bekommt Arbeit auf einer der Baustellen.« Er schenkte Wein nach. »Sind Sie ein Tourist, Señor?«

»Nein.« Gaunt schüttelte den Kopf. »Ich bin geschäftlich hier. Mein Name ist Gaunt.«

Obwohl seine Neugier nun wenigstens teilweise befriedigt war, machte der Wirt keine Anstalten, sich zu entfernen. Er deutete mit dem Daumen in Richtung auf die Bar. »Der Sergeant von der Guardia Civil hat Sie in Señor Webers Wagen gesehen. Sind Sie ein Freund von Señor Weber?«

»Ich habe ihn heute zum ersten Mal gesehen«, antwortete Gaunt. »Warum fragen Sie?«

»Es hat uns interessiert.« Der Barbesitzer schaute sich um, spitzte dann die Lippen und pfiff ein paar rauhe, unmelodiöse Töne. Sein Sohn zuckte mit den Schultern, schien das Interesse an ihnen zu verlieren, wandte sich ab, und der Barbesitzer erklärte: »Wir sind von Gomera.« Er sah, daß das als Erklärung nicht ausreiche. »Zu Hause, auf unserer Insel, sprechen wir entweder mit Worten, oder wir pfeifen, Señor. Man kann sich über weite Strecken mit Pfeifen unterhalten, von Hügel zu Hügel –«

»Oder quer durch ein Lokal, und niemand sonst versteht etwas?« Gaunt rieb sich mit der Hand übers Kinn. »Was haben Sie ihm gesagt?«

»Daß Sie kein Freund von Señor Weber sind.« Es klang ganz neutral, wie Tomas es sagte. »Miguel hatte – *si*, er hat etwas Ärger gehabt mit ihm. Wie mancher andere.«

»Weber sagte mir, daß sein Vater auf Gomera lebt«, erklärte Gaunt nachdenklich. »Die Familie besitzt dort angeblich etwas Land.«

»Nicht etwas, sondern eine ganze Menge«, verbesserte ihn Tomas. Er zog die Stirn in Falten bei dem Gedanken daran, dann glättete sie sich wieder. Haben Sie Marta, die Kleine, kennengelernt?«

»Und ihren Hund«, sagte Gaunt und aß einen Löffel von dem dicken, dunklen Eintopfgericht. Der Fisch war eine Brasse; dazu enthielt das Gericht Gemüse und Gewürze. Die Sauce war schwer zu identifizieren, schmeckte aber köstlich. Er blickte Tomas an. »Das schmeckt gut.«

»*Gracias.*« Wieder stieß der Wirt mit Gaunt an. »Und wie lange bleiben Sie in Puerto Tellas?«

»Ein paar Tage«, antwortete Gaunt. »Es hängt von Paul Weber ab.«

Der Wirt schaute ihn einen Moment lang nachdenklich an und kratzte sich am Bauch.

»Vielleicht sollte ich Ihnen einen Rat geben, Señor«, sagte er sehr ernst. »Paul Weber hat wenig Geduld mit schwierigen Leuten. Was Sie auch mit ihm vorhaben, seien Sie vorsichtig.« Er trat zurück und lächelte verschmitzt. »Und wenn Sie das nächstemal herkommen, bringen Sie eine Freundin mit. Dann können Sie sich zu zweit über Architektur unterhalten, nicht wahr?«

Er schlurfte wieder zurück hinter die Bar. Wie Gaunt erwartet hatte, machte einer der Polizeibeamten dem Wirt ein Zeichen, und dann unterhielten sich die beiden Männer eine Weile in gedämpftem Ton. Zuletzt nickte der Polizeibeamte zufrieden und bediente sich aus einer Weinflasche, die auf der Theke stand.

Von nun an ließ man Gaunt allein. Er aß den Fischeintopf, trank noch ein Glas von dem Wein, legte Geld auf den Tisch und ging. Die alten Männer, die Karten spielten, blickten nicht auf, und auch sonst schien ihm keiner besondere Aufmerksamkeit zu schenken.

Eine leichte, kühle Brise vom Atlantik her war aufgekommen, während Gaunt in der Bar gesessen hatte. Jetzt murmelte sie leise in den engen Gassen, ließ lose Fensterläden klappern und brachte den salzigen Tanggeruch des Meeres herein, der die Düfte des heißen Tages vertrieb. In der Gegend der Touristen, bei den Neonreklamen, waren jetzt noch mehr Menschen auf den Straßen und in den Bars und Cafés auf den Gehsteigen. Taxis fuhren langsam vorüber, Discomusik stampfte durch die Nacht.

Und Gaunt wurde beschattet. Zuerst war es nur ein Verdacht, der rasche Blick auf eine Gestalt, die stets einen Steinwurf hinter ihm mit gleicher Geschwindigkeit dahinschlenderte und die Gaunt immer wieder erblickte, sobald er vor einem Schaufenster stehenblieb.

Gaunt überquerte die Straße und schlenderte ein Stück den Weg zurück, den er gekommen war. Die Gestalt war jetzt auf dem gegenüberliegenden Gehsteig, drehte sich um und ging drüben in derselben Richtung wie Gaunt, hielt sich parallel zu ihm. Ein Mann, mittelgroß, untersetzt, die Hände in den Taschen seiner losen, braunen Jacke mit Reißverschluß.

Gaunt blieb einen Augenblick vor einer der Bars stehen, dann drehte er sich auf den Absätzen um und ging weiter. Kurz hinter dem Hotel Agosto blieb er stehen, bückte sich und tat so, als müsse er sich einen Schnürsenkel zubinden. Daraufhin blieb der andere ebenfalls abrupt stehen, direkt unter dem hellerleuchteten Eingang des Hotels Agosto.

Gaunt mußte im stillen lächeln und ging weiter in Richtung Jachthafen.

Der Pier, eine betonierte Mole, war fast in der ganzen Länge beleuchtet, und entlang der äußeren Linie des Brackwassers gab es weitere Lichterketten. Von beiden Seiten des Piers erstreckten sich schwimmende Pontons, und an jedem knarrte eine bestimmte Anzahl Jachten an ihren Leinen, wenn das schwarze Wasser ihre Rümpfe bewegte. Die meisten waren abgetakelt, andere lagen unter schützendem Nylon-Persenning, und die Masten ragte nackt und protestierend empor.

Gaunt ging ein Stück den Pier hinaus, erreichte den ersten Ponton und schaute sich um. Das Licht rings um den Jachthafen ließ eine Vielzahl von Schatten entstehen, und der Mann, der ihm gefolgt war, konnte sich in jedem von ihnen versteckt haben. Vielleicht hatte er sich auch entschlossen, am Eingang zum Jachthafen zu warten, bis sein Objekt zurückkam. Wie auch immer, es war Gaunt ziemlich gleichgültig. Paul Weber würde nicht überrascht sein, wenn er erfuhr, wohin sein Gast gegangen war.

Am ersten Ponton hatte eine Reihe kleiner Motorboote festgemacht. Gaunt ging zum nächsten, wo ein großer, in Deutschland registrierter Katamaran das einzige beleuchtete Boot in einer Reihe von dunklen Jachten war. Er ging daran vorüber und sah kurz eine splitternackte Blondine in der Kabine.

Gaunt schaute sich auf zwei weiteren Pontons ohne Erfolg um, dann sah er ein weißes Boot, das allein und mit dem Bug in Richtung auf das Wasser am nächsten Ponton vertäut war. Er ging näher heran, erkannte den Namen, der am Heck der Jacht stand, und blieb stehen. Seine Suche war beendet.

Die *Black Bear* sah ungefähr so aus, wie er sie sich nach den Angaben in den Akten des Remembrancers vorgestellt hatte. Eine schlanke, dreißig Fuß lange Bermuda-Segeljacht mit einer Kabine mittschiffs unter einem Schwalbennest aus Fiberglas. Am Heck gab es ein beeindruckendes Cockpit, und am Vordeck war ein kleines Ruderboot an Tauen befestigt. Selbst bei Nacht konnte Gaunt erkennen, daß das Jahr, in dem die Jacht hier gelegen hatte, seinen Tribut gefordert hatte.

Der weiße Rumpf war schmutzig und fleckig, die Aufbauten hatten frischen Lack nötig, und die Takelage hing schlapp und ausgefasert in den Zügen.

Sicherlich war eine Menge Arbeit nötig, bis die Jacht wieder der Stolz ihres Besitzers sein konnte.

Ein Laufgang führte vom Ponton auf Deck. Gaunt trat darauf, ging an Deck – und erstarrte, als er eine Bewegung wahrnahm. Das Geräusch kam vom Cockpit. Er wartete. Ein Fisch klatschte in einiger Entfernung auf dem Wasser, dann hörte er wieder das Rascheln, gefolgt von leisem, tierischem Knurren.

»Marta?« Er rief sehr leise ihren Namen. »Komm raus.«

Erst tauchte der Kopf auf und schaute vom oberen Rand des Cockpits zu ihm herüber. Eine Sekunde danach waren zwei Köpfe zu sehen – neben dem des Mädchens der Kopf eines Schäferhundes mit gefletschten Zähnen, und wieder war leises Knurren zu vernehmen.

»*Hola*«, sagte er freundlich. »Erinnerst du dich an mich?«

Marta Weber nickte und kletterte aus dem Cockpit, wobei ihr der Hund folgte und ihr dicht auf den Fersen blieb. Das Mädchen blieb stehen, sprach leise ein paar Worte, kraulte den Kopf des Hundes hinter den Ohren, und der Hund setzte sich auf die Hinterbeine, wobei seine hellen Augen noch immer starr auf Gaunt gerichtet waren.

»Danke.« Gaunt lächelte das junge Mädchen an. Es trug Jeans und einen ärmellosen Pullover; ihr dunkles Haar wurde mit einem Band im Nacken zusammengehalten, und es sah sehr kindlich aus. »Du brauchst keine Angst zu haben vor mir.«

»Hab' ich auch nicht.« Wieder kraulte sie den Hund.

»Weißt du, wer ich bin?« fragte er.

Sie nickte. »Sie sind hier, um Peters Boot zu verkaufen.«

»Meine Freunde nennen mich Jonny.« Gaunt setzte sich auf den Rumpf des Ruderboots und ließ ihr einen Augenblick Zeit, damit sie sich an ihn gewöhnen konnte. »Was hast du denn hier gemacht?«

»*Nada*... Nichts Besonderes.« Sie zuckte mit den Schultern. »Ich komme manchmal hierher. Ich mag das Boot.«

»Schöne Erinnerungen?« fragte Gaunt. »Der Kranz, den du geschickt hast, Marta – ich meine den Kranz für Peters Grab –, hat Paul davon gewußt?«

Sie schüttelte den Kopf. »Ich habe ihn mit meinem Geld bezahlt. Ist er gut angekommen?«

»Ja.« Er bemerkte, wie das Mädchen allmählich näher kam. Oro blieb ganz dicht neben ihr. »Ich habe gehört, daß du ihn sehr gern gehabt hast.«

»Peter?« Sie lächelte. »Ja. Haben Sie ihn gekannt?«

»Nein. Aber ich weiß viel über ihn.« Gaunt nickte in Richtung auf das Cockpit. »Seid ihr oft miteinander gesegelt?«

»Immer, wenn er hier war. Es war Paul nicht recht – aber Peter hat einfach gelacht.« Ihr Gesicht strahlte bei der Erinnerung. »Er hat gesagt, jeder Kapitän braucht nun mal eine Mannschaft.«

»Das stimmt.« Gaunt betrachtete die vernachlässigte Takelage. »Aber hat er nicht mehr Hilfe gebraucht, um eine Jacht von dieser Größe zu segeln?«

»Peter ist gut damit zurechtgekommen.« Die Stimme des Mädchens war so selbstsicher, daß man das, was es sagte, nicht bezweifeln konnte. »Auch als wir in einem Sturm den Mast verloren haben, hat ihm das nichts ausgemacht.«

»Wann ist das passiert?« fragte er beiläufig.

»Im vorvorigen Sommer.« Sie lächelte ihn an. »Paul hat schon gedacht, wir wären ertrunken. *Si*... Er hat fast enttäuscht ausgesehen, als wir zurückkamen. Wir waren acht Stunden vermißt, und Paul hat ein Flugzeug auf die Suche geschickt.«

Gaunt sah in seiner Phantasie einen Mann und ein Kind vor sich, das gegen den wütenden Atlantik in einem Boot von der Größe der *Black Bear* ankämpfte, und schloß daraus, daß Peter Fraser ein sehr erfahrener Segler gewesen sein mußte.

»Wie groß war denn der Schaden?« fragte er. »Du hast gesagt, ihr habt den Mast verloren – was noch?«

»Eine Menge.« Marta verzog das Gesicht. »Alles mögliche war gebrochen, und vieles ist über Bord geschwemmt worden. Peter hat mich an die Reling im Cockpit gebunden – ich habe ein bißchen geweint.« Sie zeigte ihre Verachtung vor weinenden Mädchen. »Damals war ich noch viel jünger, Jonny. Erst elf.«

»Natürlich, viel jünger«, meinte Gaunt jovial.

Er verstummte, als Oro ein leises Knurren von sich gab. Der Hund erhob sich, stellte die Ohren auf und starrte ins Dunkel. Dann begann er zu bellen, bis Marta ihn bei der Nase packte. Nun spähte das Mädchen selbst in die Dunkelheit. Gaunt folgte ihrem Beispiel.

Aber was da auch sein mochte, was der Hund gesehen, gefühlt oder gehört hatte, nichts bewegte sich. Gaunt schaute das Kind an, das seinen Blick erwiderte. Nicht einmal die Tatsache, daß sie Webers Halbschwester war, garantierte ihre Sicherheit.

»Es ist spät«, sagte Gaunt leise. »Solltest du nicht nach Hause gehen, Marta?«

»Jetzt?« Sie war sichtlich enttäuscht.

»Ja, jetzt«, sagte Gaunt streng. »Aber wir können ja wieder miteinander sprechen, ein andermal.«

Marta seufzte, dann ging sie an ihm vorbei und über den Laufgang hinauf auf den Ponton. Sie warf noch einen Blick zurück, stieß ihr zirpendes Pfeifen aus, und Oro sprang ebenfalls hinauf, um ihr zu folgen. Nun betraten das Mädchen und der Hund den Pier und waren gleich danach seinen Blicken entschwunden.

Gaunt machte sich jetzt keine Sorgen mehr um sie – nicht, solange sie diesen Hund als Beschützer bei sich hatte.

Aber nun war er an der Reihe. Er ging hinauf auf den Ponton und von dort aus auf den Pier. Oben angekommen, vernahm er ein leises Lachen, und dann trat eine stämmige Gestalt hinter einem Pfeiler hervor.

»Ich soll Ihnen Grüße von meinem Vater bestellen, Señor.« Die Gestalt blieb grinsend vor ihm stehen. Als Gaunt den Mann zuletzt gesehen hatte, bediente er hinter der Theke in der Bar Tomas.

»Sie sind Miguel, nicht wahr?«

Der junge Mann nickte und kam näher; sein goldener Ohrring funkelte in der Dunkelheit.

»Was, zum Teufel, machen Sie hier?« herrschte ihn Gaunt an.

»Ich bin ein pflichtbewußter Sohn«, sagte Miguel Reales trocken. »Als Sie von uns weggingen, hat mein Vater gesehen, wie Ihnen jemand nachgeschlichen ist. Er meinte, ich sollte diesem Jemand nachschleichen, und genau das habe ich getan.«

»Und was geschah dann?« fragte Gaunt argwöhnisch.

Miguel machte eine Bewegung, und Gaunt folgte ihm an Land, hinter eine der Reparaturwerkstätten. Der Mann mit dem braunen Anorak lag wie schlafend auf dem Boden, den Kopf auf eine Rolle Seil gebettet.

»Er wird mit Kopfschmerzen aufwachen, das ist alles«, sagte Miguel. »Ich habe einen Fehler gemacht, bin ihm zu nahe gekommen – also mußte ich ihn ausschalten, bevor er etwas gegen mich unternehmen konnte.« Er wartete ein paar Sekunden, dann fragte er zerknirscht: »Sind Sie jetzt sauer auf mich, Señor Gaunt?«

»Nein.« Gaunt kniete sich neben den Bewußtlosen. »Womit haben Sie ihn außer Gefecht gesetzt – mit einem Vorschlaghammer?«

Der Sohn des Barbesitzers ließ seine weißen Zähne blitzen. Einen Augenblick lang hatte er einen mit Leder überzogenen Knüppel in der Hand, dann ließ er ihn wieder unter der Hose verschwinden.

»Kennen Sie ihn?« fragte Gaunt.

»Er arbeitet für Weber.« Miguel hockte sich auf die Fersen. Schnell und geschickt nahm er seinem Opfer die Armbanduhr ab, dann zog er ihm eine lederne Brieftasche aus der Innentasche seines Anoraks. Schließlich zwinkerte er Gaunt zu. »Auf diese Weise wird er nichts Falsches denken, wenn er aufgewacht ist... *Es muy triste,* aber hin und wieder wird hier jemand überfallen und beraubt. Meistens ein *turista,* natürlich, aber jeder kann mal einen Fehler machen.«

»Jeder.« Gaunt erhob sich. »Danken Sie Ihrem Vater für seine – seine Vorsorge. Er sagte, Sie hätten Ärger gehabt mit Weber. Wollen Sie mir davon erzählen?«

Miguel schaute ihn einen Augenblick lang an, als ob er peinlich berührt wäre, dann zuckte er mit den Schultern. »Manchmal, wenn ich in der Klemme stecke, bin ich ein Dieb«, gestand er ein. »Señor Weber ist ein Mann mit verschiedenen Unternehmen und ziemlich viel Geld.«

»Also haben Sie versucht, ihn zu berauben?«

»*Si.*« Miguel schaute zu Boden. »Er hat eine Bananenplantage vor dem Dorf. Ich habe gehört, daß er dort im Büro öfters Geld liegen hat, und seine Arbeiter werden am Freitag ausbezahlt...«

»Also meinten Sie, die Nacht von Donnerstag zu Freitag sei der richtige Zeitpunkt, um es zu überprüfen?«

Der Mann, der vor ihnen lag, gab ein erstes leises Stöhnen von sich. Miguel achtete nicht darauf und nickte.

»Die Plantage ist mit einem Stacheldrahtzaun umgeben – aber das war kein Problem. Als ich zum Büro gekommen bin, waren dort Wachleute – Wachleute, auf einer Bananenplantage! Sie haben mich festgenommen, hatten Schußwaffen, und Weber war auch dort.« Er drehte sich um, zog sein schwarzes T-Shirt hoch und zeigte Gaunt seinen Rücken. »Können Sie das sehen, Señor Gaunt?«

Gaunt starrte auf die abgeheilten Narben, die kreuz und quer über den Rücken verliefen.

»Das waren Webers Leute?«

Miguel nickte. »Sie haben mich geschlagen und ausgepeitscht, dann haben sie mich rausgeworfen. Ich sollte es meinen Freunden sagen, damit sie wissen, was ihnen passiert, wenn sie sich der Plantage nähern.«

»*Gracias.*« Gaunt atmete tief ein. »Waren Sie drinnen im Büro?«

Miguels Antwort war ein Kopfschütteln.

Gaunt versuchte es noch einmal. »Wo ist diese Plantage?«

Miguel deutete die Küste entlang nach rechts. »Zehn Minuten zu Fuß vom Dorf, Señor Gaunt. Aber damals, in der Nacht, bin ich zurückgekrochen, und das hat über eine Stunde gedauert.«

Der Mann vor ihnen stöhnte wieder und begann sich zu bewegen.

»Ich bin Ihnen sehr zu Dank verpflichtet, Miguel«, sagte Gaunt leise. »Und Ihrem Vater auch – sagen Sie ihm das bitte.«

Sie gingen nebeneinander über den Parkplatz und trennten sich, bevor sie die Lichter von Puerto Tellas erreicht hatten.

Kapitel
6

Das Touristenviertel von Puerto Tellas war von Licht und Lärm erfüllt, aber Jonathan Gaunt hatte für diesen Abend genug. Er ging zurück in sein Apartment im obersten Stock des El-Barco-Gebäudes, schloß die Tür sorgfältig ab und überprüfte den Deckel des Lüftungsschachts im Bad. Niemand hatte sich daran zu schaffen gemacht; der Pappkarton lag noch so dort, wie er ihn versteckt hatte.

Auch das Apartment schien unverändert zu sein, so wie er es verlassen hatte. Aber der Anschein reichte nicht – und Gaunt wußte, wo er nachsehen mußte, um sicherzugehen.

Er hatte einem möglichen Eindringling ein paar Fallen gestellt. Sie waren einfach und bauten darauf, daß jemand, dem es darum ging, ungesehen alles durchsuchen zu können, danach wieder ordentlich aufräumte – und daß dann manches ordentlicher war als zuvor.

Die Vorsichtsmaßnahme hatte gewirkt. Kein Zweifel, das Apartment war durchsucht worden.

Ein paar maschinenbeschriebene Blätter in seiner Mappe hatte er so hineingesteckt, daß sie ein wenig aus dem Ordner herausstanden – jetzt bildeten sie mit den übrigen eine gerade Linie. Einen Briefumschlag, dessen Klappe nur auf der einen Seite eingesteckt war, hatte der Eindringling ordentlich verschlossen. Gaunt hatte seine frischen Hemden in einer Schublade verstaut und das oberste mit Absicht etwas schief hineingelegt – jetzt lag es gerade darin.

Sogar seinen Rasierapparat hatte man überprüft.

Aber abgesehen von dem Pappkarton im Lüftungsschacht hatte er nichts zu verbergen gehabt.

Zufrieden bereitete sich Gaunt in der Küche Kaffee, schenkte sich einen Becher voll ein, nahm ihn hinaus auf den Balkon und betrachtete die Lichter tief unten.

Natürlich bildete sein Aufenthaltsort im El Barco ein gewisses Hindernis für seine Pläne. Mit dem einzigen Zugang von der Straße her war das Apartment eine Mausefalle – aber selbst bei den besten Mausefallen gab es einen schwachen Punkt, und vielleicht hatte er die Lösung bereits rein zufällig entdeckt.

Gaunt ging wieder hinein, betrat die Küche und schaute sich die Nische mit dem Heißwasserbereiter genauer an. Über dem Gerät befand sich ein kleines Fenster. Als er es öffnete, blätterte frische Farbe von den Scharnieren, was bewies, daß das Fenster noch nie zuvor geöffnet worden war. Gaunt schaute hinaus und blickte auf den Hang des Felsenhügels hinter dem El Barco.

Die unteren Etagen waren mit ihrem hinteren Teil in den Hügel hineingebaut worden, der oberste Stock dagegen war auf allen Seiten frei. Gaunt murmelte einen Dank an den Architekten, der auf die Idee gekommen war, daß dort auf der Rückseite ein Fenster gut aussehen würde, zog sich hinauf auf das Fensterbrett, sprang mit einem Satz hinüber auf den Hang und kletterte ganz nach oben.

Auf dem Gipfel duckte er sich und schaute sich nach allen Seiten um. Eine Eidechse verschwand raschelnd im dürren Gras. Von dort, wo er war, ging es kurz bergab, dann stiegen die Hügel erneut an.

Auf der ebenen Fläche standen ein paar Bäume.

Jetzt lag die weite Bucht vor ihm, und die Lichter, die weit draußen auf dem Ozean hüpften, zeigten an, daß dort Fischer bei der Arbeit waren. Dann fiel ihm eine weitere isolierte Ansammlung kleiner Lichter auf. Sie befand sich im Süden, weiter im Binnenland und jenseits des alten Dorfes, aber in Küstennähe. Diese Lichter waren weder vom Jachthafen noch von seinem Balkon aus zu sehen gewesen.

Dort drüben mußte Paul Webers Bananenplantage liegen, und offenbar arbeitete man auch noch nach Feierabend...

Gaunt erinnerte sich an das, was Miguel angeblich erlebt hatte, als der junge Dieb dort eingedrungen war. Auf welcher Bananenplantage gab es Nachtwachen, wo behandelte man Eindringlinge auf diese Weise?

Gaunt blieb eine Weile auf dem Gipfel des Hügels sitzen, dann kletterte er wieder hinunter und durch das Fenster hinein in die Küche seines Apartments.

Jetzt wußte er wenigstens, daß auch diese Falle einen Notausgang hatte.

Ein Teil seiner Spannung löste sich, und an ihre Stelle traten Müdigkeit und die altvertrauten Schmerzen. Dennoch fand Gaunt, daß er an diesem Tag gar nicht schlecht vorangekommen war.

Er nahm zwei von seinen Schmerztabletten, spülte sie mit dem Rest von Kaffee hinunter und ging zu Bett.

Es war acht Uhr morgens, als er erwachte. Nachdem er sich geduscht und rasiert hatte, zog er ein Sporthemd und eine sportliche Hose an und trat hinaus auf den Balkon des Apartments.

Ein paar Minuten lang vergaß Gaunt, warum er in Puerto Tellas war, und was er zu erledigen hatte. Der Himmel war wolkenlos blau, die Luft frisch und doch schon warm, und über den Rand der Felszacken kroch gerade die Sonne herauf.

Aber was ihn am meisten faszinierte, war das Meer. Eine sanfte Dünung schlug gegen den Strand, und weit draußen in der Bucht zog ein Schwarm Delphine in Richtung Süden. Es mußten fünfzehn oder zwanzig Tiere sein, die hochsprangen und wieder eintauchten, geleitet vom Instinkt, rasch auf dem ihnen von der Natur vorgegebenen, sinnvollen Kurs dahinzogen.

Gaunt beobachtete sie, bis sie außer Sicht waren, dann hörte er Stimmen von unten. Ein Paar frühstückte auf einem der unteren Balkone, einfache, nett aussehende Leute. Er richtete die Aufmerksamkeit auf die Straße. Dort war alles ruhig, aber Gaunt fühlte, daß ihn jemand beobachtete.

Er schaute sich nach allen Richtungen um und entdeckte einen Mann, der an einer schattigen Stelle unter einem Baum lehnte. Als ein Mädchen die Straße entlangkam, stand der Mann auf. Die beiden begrüßten sich, stiegen in einen geparkten Wagen und fuhren davon. Gaunt mußte lächeln und gab die Suche nach möglichen Beobachtern auf.

Er wartete bis neun Uhr, dann nahm er seine Aktenmappe, verließ das Apartmenthaus und ging zum Hotel Agosto. Dort servierte man das Frühstück auf einer Terrasse in der Nähe des Swimmingpools, und als er einem Kellner seinen Namen nannte, führte ihn dieser an einen reservierten Tisch. Gaunt bestellte Kaffee, Toast und Orangensaft, frühstückte mit Genuß, schaute zu, wie die ersten Schwimmer ins Becken sprangen, stand dann auf und ging zum Hotel hinüber.

Niemand schien ihm zu folgen. Er schlenderte müßig durch die Halle und die Aufenthaltsräume, betrachtete die Auslagen des Hotelshops, bemerkte das um diese Zeit noch geschlossene Büro der Hispan Properties in einer Ecke der Halle, fand ein Haustelefon, fragte die Vermittlung nach dem Zimmer von Hannah North, wählte die Nummer und wartete.

Es dauerte eine Weile, bis Hannah sich gähnend meldete. Aber als sie Gaunts Stimme erkannte, war sie augenblicklich hellwach – und offensichtlich verärgert.

»Wo, zum Teufel, haben Sie gesteckt?« fuhr sie ihn an. »Sie könnten irgendwo tot im Straßengraben liegen, ohne daß ich davon wüßte.«

»Weber hatte andere Pläne mit mir.« Gaunt berichtete ihr, was geschehen war, auch die Begegnung im Jachthafen. »Was hätte ich anders machen können?«

Hannah schwieg ein paar Sekunden, dann sagte sie: »Vermutlich nichts.« Gaunt hörte das Klicken eines Feuerzeugs. »Na schön, Sie hatten also Probleme. Und ich habe den Kontakt mit den hiesigen ›Freunden und Helfern‹ hergestellt – sie sind nicht gerade glücklich darüber, aber bereit, uns zu helfen. Was für Hilfe brauchen Sie?«

»Jetzt?« Er hatte sich selbst schon die Frage gestellt. »Ich muß vor allem Zeit gewinnen, Hannah. Heute abend soll ich Weber den unterzeichneten Vertrag über das Boot aushändigen –«

»– es sei denn, es gelingt uns, den Abschluß hinauszuzögern.« In ihrer Stimme lag ein Ton von Verständnis und Zustimmung. »Warum nicht?«

»Sehr schön«, erwiderte Gaunt. »Und wie? Weber wird mir an die Kehle springen.«

»Wir schieben jemanden vor – Ihre Kehle heben wir uns für später auf.« Wieder legte sie eine Pause ein, dachte offenbar darüber nach. »Hören Sie, ich weiß Bescheid über die Genehmigungen und Freistellungen, die Sie besorgen müssen. Welche kommt als letzte dran?«

»Der hiesige Polizeikommandant. Sein offizielles Siegel. Das ist kein Problem. Der Kommandant ist mit Weber befreundet.«

»Wie heißt er?«

Er mußte auf der Liste nachschauen, die sich in seiner Mappe befand. »José Martinez, in der Avenida Atlantico. Aber –«

»Sagen Sie doch nicht dauernd ›aber‹, Jonny«, tadelte Hannah. »Seien Sie ein braver Junge und tun Sie, was auf der Liste steht. Wenn Sie um zwei Uhr zurück sind, finden Sie mich vermutlich hier am Swimming-pool.«

»Mit dem Gesicht nach unten im Wasser treibend?«

»Ich habe Besseres vor«, entgegnete sie lachend und legte auf.

Er verließ das Hotel durch die Halle. In der Mitte sprudelte ein Springbrunnen mit Goldfischen, und ein kleiner Junge, der seinen Eltern entwischt war, beugte sich über den Rand und spielte mit den Fischen, trieb sie ständig mit einem Stock hin und her.

»Macht dir das Spaß?« fragte Gaunt freundlich.

»Ja.« Der Junge lachte ihn frech an.

»Wenn du diese Fische auch nur noch einmal anschaust, geb' ich dir einen Tritt in den Hintern, daß du ins Becken fällst«, sagte Gaunt mit sanfter Stimme. »Hau schon ab, du kleines Ungeheuer.«

Der Junge stolperte rückwärts, starrte Gaunt mit offenem Mund an, wäre dabei tatsächlich beinahe ins Wasser gefallen, dann drehte er sich um und rannte davon. Gaunt fühlte sich wohler und ging seiner Wege.

Er mußte vier Besuche machen. Als erstes stand die Steuerbehörde des Bezirks auf seiner Liste. Der Beamte herrschte in einem kühlen Büro mit Klimaanlage in einem der oberen Geschosse eines Bankgebäudes. Er hatte ein dunkles Sakko an und eine Krawatte umgebunden, womit er offenbar seine offizielle Position unterstreichen wollte, residierte hinter einem Schreibtisch von der Größe einer Tischtennisplatte und bestand darauf, jede Zeile des bereits bekannten und bestätigten Dokuments, das ihm Gaunt auf den Schreibtisch gelegt hatte, noch einmal durchzulesen.

Endlich klingelte er zögernd nach seinem Assistenten, unterzeichnete die Papiere und ließ sie von dem Assistenten gegenzeichnen. Auf die *Black Bear* und den sonstigen Besitz des verstorbenen Peter Fraser erhob die spanische Steuerbehörde von nun an keinen Anspruch mehr.

Als nächstes kam der Hafenmeister an die Reihe. Gaunt traf den etwa fünfzigjährigen, glatzköpfigen, gebürtigen Engländer in einem Schuppen hinter seinem Büro am Jachthafen, wo er einen Außenbordmotor zerlegte. Der Hafenmeister ließ die Arbeit am Motor sein, wischte sich die Hände an einem Lumpen ab, ging dann voraus in das unordentliche Büro, bot Gaunt einen Sessel und eine Dose Bier an, öffnete sich selbst eine und kramte dann in dem Durcheinander aus Lehrbüchern über Bootsbau, Rechnungen und anderen Schriftstücken, die auf einem alten Küchentisch gestapelt waren. »Da haben wir's ja.« Triumphierend zog er eine fehlerhaft getippte Rechnung mit dem Briefkopf der Hafenmeisterei hervor. »Das ist unsere Schlußabrechnung einschließlich der Liegegebühren bis Ende dieses Monats. Sie unterschreiben hier, und ich unterschreibe Ihren Freigabeantrag. In Ordnung?«

Gaunt warf einen Blick auf die Rechnung, stellte fest, daß der Hafenmeister noch einmal tüchtig zugeschlagen hatte, machte aber keine Einwände. Nachdem er unterschrieben hatte, tat der Hafenmeister das gleiche bei den Freigabepapieren.

»Diese verdammte *Black Bear* war ja nicht gerade eine Zierde für den Hafen, wie sie da draußen lag und vergammelte«, erklärte er mürrisch. »Ihre Behörde verkauft sie an Paul Weber, nicht wahr?«

Gaunt nickte.

»Der kann sie sich leisten.« Der Mann grinste. »Ich wollte ihm ein paar bessere Objekte zuschustern – wirklich günstige Angebote, Mr. Gaunt. Aber er wollte dieses Boot und kein anderes.«

»Hat er auch gesagt, warum?« fragte Gaunt.

»Nein – und was er vom Segeln versteht, reicht gerade für die Badewanne. Aber bei einem Mann wie Weber stellt man keine Fragen.« Der Hafenmeister trank wieder einen Schluck Bier. »Immerhin, wenn ihm die Jacht gehört, dann schreckt das vielleicht die kriminellen Elemente ab. Wußten Sie, daß wir in der Hinsicht schon einigen Ärger hatten?«

Gaunts Überraschung war nicht zu übersehen. »Mit der *Black Bear*?«

Der Mann nickte. »Zweimal in einem Monat, kurz nachdem Fraser gestorben war. Jedesmal während der Nacht. Diese Aasgeier haben die Kabine aufgebrochen und praktisch alles herausgerissen, was nicht niet- und nagelfest war.« Er zuckte mit den Schultern. »Vielleicht hätten wir die Sache der Versicherung melden sollen, aber niemand konnte sagen, ob etwas gestohlen worden war, und wenn ja, was. Also haben wir die Kabine wieder hergerichtet und es dabei belassen. Der Preis dafür steht übrigens auf Ihrer Rechnung.«

Sie redeten noch eine Weile miteinander, aber der Hafenmeister konnte Gaunt nichts Aufschlußreiches berichten und war auch nicht übermäßig daran interessiert. Immerhin hatte Gaunt erfahren, daß die Jacht aufgebrochen und durchsucht worden war – Weber hatte es mit keiner Silbe erwähnt, und auch Henry Falconers Akte hatte keinen Hinweis darauf enthalten.

Nach wenigen Schritten war er an seinem dritten Bestimmungsort. Das spanische Gesetz machte es erforderlich, daß spanische Dokumente, die sich mit Vorgängen auf ihrem Territorium befaßten, von einem spanischen Notar ausgefertigt werden mußten. Das alles war von Edinburgh aus vereinbart worden, und der Notar in Puerto Tellas hatte daher den Kaufvertrag aufgesetzt, komplett mit Duplikaten und englischen Übersetzungen. Aber erst ließ man Gaunt eine halbe Stunde im Wartezimmer sitzen, dann begann der kleine, mürrische, kettenrauchende *abogado* den Text herunterzumurmeln. Endlich kam er mit einem Ausdruck des Bedauerns zum Schluß, kritzelte seine Initialen auf jede Seite, unterzeichnete die letzte mit unglaublichem Schwung und vergeudete keine überflüssige Energie mit Aufstehen oder Händeschütteln, als Gaunt seine Kanzlei verließ.

Es war kurz vor Mittag, die Straßen heiß und staubig, und die Temperatur mußte an die dreißig Grad betragen. Gaunt fühlte, wie ihm das Hemd am Rücken klebte, als er die Avenida Atlantico fand und die letzte Adresse auf seiner Liste erreichte. Señor José Martinez, Polizeikommandant von Puerto Tellas und Umgebung, lebte in einer großen Villa. Die umgebenden Mauern waren überwuchert von Bougainvillea, ein großes Messingschild am schmiedeeisernen Tor unterstrich die Bedeutung des Hausherrn, und Swimming-pool und Tennisplatz nahmen einen großen Teil des Gartens in Anspruch.

Der junge Sekretär, der an der Haustür erschien, wirkte ziemlich aufgeregt, als er den Besucher erkannte.

»*Buenos dias.*« Er lächelte betreten. »Señor Gaunt, wir haben Sie natürlich erwartet. Aber...«

»Wenn es Ihnen lieber ist, komme ich später noch einmal vorbei«, schlug Gaunt vor.

»Am besten morgen.« Der junge Mann drückte deutlich aus, wie peinlich es ihm war, und kam auf die Veranda heraus. »Señor Martinez ist zum Gouverneur nach Santa Cruz gerufen worden, in einer wichtigen dienstlichen Angelegenheit. Es war unerwartet, ein dringender Fall –«

»Wann hat er das erfahren?« fragte Gaunt interessiert.

»Vor knapp einer Stunde, telefonisch. Er mußte sofort mit dem Wagen losfahren.«

»Da kann man nichts machen«, beruhigte ihn Grant. Hannah Norths Fähigkeit, die Räder in Bewegung zu setzen, war geradezu überwältigend. »Richten Sie Señor Martinez aus, ich komme morgen wieder vorbei.« Aber er wußte, daß das ein Risiko war. »Es geht darum, daß diese Papiere abgezeichnet werden. Vielleicht könnte eine andere Amtsperson –«

»Nein, Señor Gaunt.« Die Antwort ließ keinen Zweifel zu. »Señor Martinez ist mit der Situation vertraut und hat sich um die Sache gekümmert. Jeder andere müßte erst die Dokumente studieren, sich vielleicht um zusätzliche Informationen und Bestätigungen bemühen.« Das war alles, was er brauchte. Er verließ die Villa und ging zurück durch das Touristenviertel zum Hotel Agosto.

Das Verkaufsbüro der Hispan Properties in der Hotelhalle war jetzt geöffnet, aber nicht von Kunden oder Interessenten besucht. Das spanische Mädchen hinter der Theke lächelte, als Gaunt nach Milo Bajadas fragte, sprach dann in ein Telefon, und Bajadas kam aus einem Privatbüro in den Empfangsraum.

»*Hola.*« Auf seinem schmalen, sonnengebräunten Gesicht lag ein strahlendes Lächeln, während er auf Gaunt zukam. »Alles okay, Mister Gaunt? Jetzt haben Sie die Arbeit hinter sich und können sich einen schönen Tag machen – bis zum Dinner heute abend, wie?«

»Nein.« Gaunt schüttelte betrübt den Kopf. »Es gibt da doch einen Haken.«

Das Lächeln verschwand. »Unmöglich. Sie haben Paul doch gesagt –«

»Der Polizeikommandant wurde nach Santa Cruz gerufen«, erklärte Gaunt ohne Umschweife. »Wenn er zurückkommt, kann ich die Papiere unterzeichnen lassen. Also frühestens morgen.«

Bajadas kaute an seiner Unterlippe und setzte nun seinerseits eine betrübte Miene auf. »Darüber wird Paul nicht sehr erfreut sein.«

»Ja, gegen dringende Amtsgeschäfte kann man nichts machen.« Gaunt zuckte mit den Schultern. »Mir dürfen Sie keine Vorwürfe machen.«

»Okay.« Bajadas seufzte und strich sich mit der Hand über sein langes, schwarzes Haar. »Paul ist drüben auf der Plantage. Ich sage es ihm gleich, wenn er zurückkommt.«

»Ich könnte ein Taxi dorthin nehmen«, bot Gaunt an.

»Lieber nicht.« Bajadas schüttelte den Kopf, dann zwang er sich wieder zu einem Lächeln. »Das Gelände ist *privado*... Keine Besucher, und außerdem steht dort eine höchst unfreundliche Wache am Tor. Abgesehen davon – fast hätte ich es vergessen, Mister Gaunt: Paul wollte von da aus noch zu ein paar Bauplätzen fahren, die er möglicherweise kaufen wird.«

»Na schön.« Gaunt brauchte seine Enttäuschung nicht zu spielen. »Dann können Sie mir sicher bei etwas anderem behilflich sein. Ich bin kein Experte, was Boote betrifft, war auch noch nicht an Bord der *Black Bear*. Gestern abend habe ich vom Kai aus einen Blick darauf geworfen, aber ich möchte zu Hause sagen können, ich habe die Jacht besichtigt, bevor ich den Verkauf vollzog, verstehen Sie?«

»Sie meinen, jetzt gleich?« Bajadas warf einen Blick auf seine goldene Armbanduhr, nickte dann. »Ich bin mit einer Interessentin verabredet, einer Frau, die sich ein paar Apartments anschauen möchte. Aber bis dahin ist noch etwas Zeit; ich könnte Sie inzwischen zum Hafen begleiten. Wollen Sie auch die Kabine sehen?«

»Ja.«

»Wir müssen uns einen Schlüssel besorgen.« Er drehte sich um, sprach kurz mit dem Mädchen am Schreibtisch, nahm dann Gaunts Arm. »Gehen wir.«

Milo Bajadas schien die meisten Leute zu kennen, die ihnen auf dem kurzen Weg vom Hotel zum Jachthafen begegneten. Alle paar Meter grüßte ihn jemand, lächelte oder winkte ihm zu.

»Sie sind hier offenbar sehr bekannt«, bemerkte Gaunt lakonisch.

»Das gehört zu meinem Job.« Bajadas nahm es als Kompliment. »Paul Weber hält sich gern im Hintergrund. Er benützt andere als –«

»– als Aushängeschilder?« fragte Gaunt. »Hat er Peter Fraser auch auf diese Weise benützt?«

Bajadas runzelte die Stirn. »Vielleicht. Fragen Sie ihn doch selbst, heute abend beim Dinner – vorausgesetzt, er ist in guter Stimmung.«

Am Jachthafen angelangt, ging Bajadas zu einem alten Wachmann, der vor einer Hütte saß, sprach ein paar Worte mit ihm, kam dann zurück und hielt einen Schlüssel in der Hand. Dann ging er voraus über den Pier und an den anderen Jachten vorbei zu dem Ponton, wo die *Black Bear* vertäut war.

Die weiße Jacht zerrte leicht an den Tauen und sah im hellen Sonnenlicht noch heruntergekommener aus als in der Nacht. Dennoch konnte Gaunt sich vorstellen, wie sie frisch lackiert und unter vollen Segeln dahinfuhr, Gischt unter dem elegant geformten Bug aufspritzend. Er konnte verstehen, warum ein Mann stolz darauf war, eine solche Jacht zu besitzen – vor allem ein Mann wie Peter Fraser, der keine anderen Bindungen hatte. Je länger Gaunt sich mit ihm beschäftigte, desto mehr verwischte sich das Bild, das er sich von Peter Fraser gemacht hatte.

»Mister Gaunt.« Bajadas war an Deck gegangen und wartete. »Wenn Sie jetzt bitte kommen wollen – ich habe nicht viel Zeit.«

Er nickte und betrat ebenfalls das Boot. Sie erreichten das Cockpit, wo das kleine Steuerrad sich gegen die Laschung sträubte, und Bajadas steckte den Schlüssel in das Schloß der Kabinentür. Dann blieb er stehen und runzelte die Stirn. Ein kleines Dingi mit einem winzigen, wie eine Wespe summenden Außenbordmotor kam auf sie zu. Marta Weber, klein und selbstsicher, saß am Ruder, und ihr Hund hockte auf dem Dollbord, ließ den Kopf über den Rand des Bootes hängen und schaute ins Wasser.

»*Hola*.« Sie winkte herauf und wendete dann das Dingi. »Seit wann interessierst du dich für Boote, Milo?«

»Ich verstehe genug davon.« Er schaute sie düster an. »Und warum bist du nicht in der Schule?«

»Ich hatte wieder Kopfschmerzen, also bin ich lieber schwimmen gegangen«, rief sie zurück und zwinkerte mit den Augen. »Was macht ihr denn da?«

»Das geht dich nichts an«, sagte Bajadas ungeduldig.

»*Gracias*, Milo.« Sie steuerte das Dingi dicht an das Heck der *Black Bear* heran und schaute Bajadas mit spöttischem Lächeln an. Dann richtete sie ihre Aufmerksamkeit auf Gaunt. »Schwimmen Sie gern, Señor – ich meine, richtig, im Meer? Ich könnte Ihnen ein paar schöne Plätze zeigen.«

»Ich kann nicht schwimmen«, log Gaunt und dachte an die Blutergüsse unter seinem Hemd. Aber das Boot mit dem tuckernden Motor brachte ihn auf einen Gedanken. »Wie wär's, wenn du mich statt dessen auf eine Rundfahrt durch die Bucht einladen würdest, Marta?«

»Okay.« Sie schien sich zu freuen. »Ich komme gleich zurück.«

Als das kleine Boot davonkurvte, schloß Bajadas die Kabinentür auf, öffnete sie und ging dann voraus ein paar Treppen nach unten in die Hauptkabine. Gaunt folgte ihm, und der Geruch der abgestandenen Bilge und der allgemeinen Feuchtigkeit stach ihm in die Nase, als er sich umsah in dem fahlen Licht, das durch die kleinen Fenster hereinfiel.

Einladende Sofas säumten die beiden Seiten, auf der Steuerbordseite war eine kleine Kombüse installiert, und der dicke Aluminiummast prangte wie ein Dekorationsstück in der Mitte des Raums, wobei dessen Fuß auf einer in den Kabinenboden eingelassenen Metallplatte ruhte. Näher am Bug, hinter einer Schiebetür aus undurchsichtigem Material, befanden sich Dusche und Toilette. Gaunt schaute durch den Niedergang und warf einen Blick auf den Dieselmotor, der dort eingebaut war. Daneben hing Werkzeug an Haken, und in einem offenen Spind waren Ersatzteile aufgestapelt.

Bajadas war ihm dicht auf den Fersen geblieben, ohne ein Wort zu sagen. Gaunt wartete, bis sie wieder die Hauptkabine betraten.

»Das Boot ist in recht gutem Zustand«, sagte er beiläufig. »Wieviel mußte eigentlich repariert werden, nachdem diese Landpiraten zweimal eingebrochen hatten?«

»Was?« Bajadas schluckte und machte dann eine geringschätzige Geste. »Nur ein paar Dinge. Es gibt überall Diebe, Mister Gaunt – sie haben die Spinde ausgeräumt, vermutlich nach Wertsachen gesucht.«

Gaunt blieb stehen und strich mit den Fingern über einen geflickten Riß, der am gepolsterten Rand eines der Sofas verlief.

»Wie man sieht, haben sie sehr gründlich gesucht«, stellte Gaunt fest.

»Si.« Bajadas fuhr sich mit der Zunge über die Lippen. »Das war bedauerlich.«

»Das war es bestimmt«, versicherte ihm Gaunt.

Sie gingen wieder hinauf, und Bajadas verschloß sorgfältig die Kabinentür, dann schaute er auf seine Armbanduhr.

»Ich muß meine Verabredung einhalten«, sagte er kurz angebunden. »Wenn Sie im Hotel speisen – bis dahin bin ich wieder in unserem Verkaufsbüro.«

»Ich werde vorbeischauen«, versprach Gaunt. Er lehnte sich gegen die Reling des Cockpits, die Hände in den Hosentaschen vergraben.

»Aber vielleicht nicht zum Lunch. Ich habe gestern abend eine nette Kneipe im alten Dorf entdeckt – vielleicht gehe ich noch einmal dorthin.«

Bajadas schaute ihn mit gefurchter Stirn an, zeigte aber keine

Überraschung. Statt dessen nickte er, ging hinüber auf den Ponton und dann zum Pier, wo er sich mit raschen Schritten entfernte.

Gaunt blieb noch auf dem Boot, er war froh, ein paar Minuten allein sein zu können. Eine Möwe kreiste um den Mast, landete auf dem Deck der Jacht, erblickte Gaunt und flog flügelklatschend wieder davon. Eine der Jachten am Ponton mit hellblauem Rumpf, die etwas kleiner war als die *Black Bear*, machte die Leinen los und fuhr hinaus auf das offene Meer; Gaunt sah zu, wie die Segel sich im leichten Wind zu blähen begannen.

Als die Jacht sich entfernte, sah er Marta mit dem kleinen Motorboot zurückkommen. Er preßte die Lippen zusammen. Sie war so jung und unschuldig, und er benützte sie in einer Weise, die ihm geradezu widerlich vorkam. Paul Weber war immerhin ihr Halbbruder; wenn alles so lief, wie Gaunt es plante, konnte auch sie schweren Schaden davontragen.

Doch das mußte er in Kauf nehmen, angesichts dessen, was bereits geschehen war: die Todesfälle, die Mordversuche – und die bittere Erinnerung an Lorna Tabor in ihrem Krankenhausbett. Er konnte sich nicht den Luxus leisten, zwischen dem einen oder anderen Mittel zu wählen. Er mußte einsetzen, was sich ihm bot.

Er winkte, als das Dingi herantuckerte. Es stieß leicht gegen den Rumpf der *Black Bear*, und Gaunt kletterte hinunter und setzte sich auf die Ruderbank in der Mitte des Bootes.

»Was möchten Sie sehen?« fragte Marta.

»Alles.« Er machte eine vage Geste, welche die ganze Bucht einschloß. »Wie wär's mit der Nordseite?«

»Das habe ich auch gedacht.« Sie drehte den Gasgriff und riß das Ruder herum. »Wann ist Milo weggegangen?«

»Vor ein paar Minuten.« Er beugte sich vor, streichelte den Hund und wurde mit einem gedämpften Brummen belohnt.

»Ich weiß schon, was mit Milo los ist.« Marta konzentrierte sich einen Augenblick auf den Kurs des Bootes. »Einer der Vorarbeiter auf der Baustelle ist krank – er ist gestern abend in eine Schlägerei geraten. Milo hat sich die Schuhe schmutzig machen und alles neu organisieren müssen, das paßt ihm nicht.«

»Kann ich mir vorstellen.« Gaunt hatte eine recht präzise Vorstellung von der Krankheit des Vorarbeiters. Jetzt schaute er zu, wie sich das Boot dem Brackwasser näherte, dann hinausfuhr in die Dünung, in der das Dingi sanft zu schaukeln begann. »Wer hat dir denn beigebracht, wie man ein Boot steuert – Peter Fraser?«

»Wer denn sonst?« Das Mädchen schaute ihn verwundert an. »Bestimmt nicht Milo – oder Paul.«

Er nickte. »Und wie kommst du mit Paul aus?«

»Ach, dies ist *prohibido* und das ist *prohibido*…« Sie schnitt eine Grimasse. »Vielleicht hat er ja recht. Meistens ignoriert er mich sowieso.«

Gaunt ließ es dabei. Das kleine Boot schaukelte weiter entlang der Nordseite der Bucht, dicht unter den emporragenden Klippen.

Das Meer war tief und klar, getupft von dunkelgrünen Wasserpflanzen, die sich in der leichten Strömung bewegten. Fische aller Farben und Größen schossen unter dem Boot dahin, hier und da kreiste ein neugieriger Seevogel über ihnen, und Marta steuerte das Boot auf sicherem Kurs, deutete gelegentlich auf etwas Sehenswertes und sang zwischendurch leise vor sich hin. Schließlich wendeten sie, und mit der Flut im Rücken nahmen sie einen neuen Kurs auf die andere Seite der Bucht.

Auf dieser Seite gab es Untiefen und gefährliche Felsen dicht unter der Wasseroberfläche, daher mußten sie ihren Kurs weiter draußen wählen. Als sie die saftig grünen Hügel mit Paul Webers Bananenplantagen erreicht hatten, warf Gaunt einen genauen Blick darauf.

Er konnte sehen, daß der Stacheldrahtzaun bis hinunter ans Wasser reichte, sich sogar noch auf beiden Seiten ein Stück ins Meer hinein erstreckte. Hier gab es wieder felsige Untiefen, aber ein Boot von der Größe des ihren konnte hier vermutlich einigermaßen sicher anlegen. Hinter dem Strand erstreckte sich ein Bereich mit niedrigem Gebüsch und einzelnen Felsen, dann begannen die ersten Terrassen der Plantage und setzten sich Reihe um Reihe fort, bepflanzt mit den Bananenstauden der Kanarischen Inseln, einer kleinwüchsigen Varietät des seltsamen Rhizomgewächses, die kaum mannshoch wurden und dennoch über und über mit grünen Früchten behangen waren. »Bananen.« Marta deutete ihre ganze Verachtung an. »Paul ist sicher irgendwo dort oben und zählt sie wie Geld. Ich hasse Bananen.«

Sie riß das Ruder hart herum. Das Dingi neigte sich auf eine Seite, eine Welle schlug über die Bordwand, und der feine Nebel der Gischt benetzte alles im Boot. Oro, der jetzt am Bug saß, stand auf und schüttelte sein Fell trocken.

»Was hast du denn gegen Bananen?« fragte Gaunt.

»Wenn ich sie esse, wird mir übel«, erwiderte sie düster. »Ich würde nicht in die Nähe seiner Plantagen gehen, auch nicht, wenn er es mir erlauben würde.«

»Warum erlaubt er es dir nicht?«

»Wie soll ich das wissen? Mir sagt man ja überhaupt nichts.« Sie drehte den Gasgriff voll auf, und das Dingi schoß durch die Wellen.

Dann waren sie wieder im Jachthafen angelangt, Gaunt befestigte das Tau an einem Poller, und Oro sprang auf den Pier.

»Erinnerst du dich, daß du mir gestern abend von dem Sturm erzählt hast?« Gaunt hielt das Boot fest, ließ Marta hinausklettern, folgte ihr dann. »Hat Peter Fraser danach noch darüber gesprochen?«

»Manchmal, *si*.« Marta schaute ihn fragend an.

»Hat er dir irgend etwas als Geschenk versprochen, damit du dich an das, was damals geschehen ist, erinnerst?«

Sie schaute ihn an und wirkte plötzlich viel älter als sie nach Jahren war.

»Warum?«

Gaunt zuckte mit den Schultern. »Manche Leute tun das, wenn sie etwas gemeinsam erlebt haben – so wie ihr beide.«

»Er hat mir einen goldenen Anhänger zum Geburtstag geschenkt.« Sie zögerte.

»Und sonst nichts?« fragte Gaunt leise.

»Es sollte ein Geheimnis sein.« Sie schaute ihn an, war nicht sicher, ob sie ihm vertrauen konnte. »Etwas für später, wenn ich erwachsen bin. Aber er hat nur einmal davon gesprochen, Señor Gaunt. Dann hat er es, glaube ich, vergessen. Jedenfalls hat er es nicht mehr erwähnt.«

»Hast du gewußt, was es sein sollte?«

Sie schüttelte den Kopf. »Nein. Er hat es mir nicht verraten.«

»Vielleicht hat er es wirklich vergessen«, stimmte Gaunt ihr enttäuscht zu. Dann strich er ihr in einer liebevollen Geste durch das Haar. »Danke für die Rundfahrt, Marta.«

Sie lachte, stieß das zirpende Pfeifen aus und lief dann mit Oro über den Pier davon.

Gaunt ging zurück zu dem Apartmentblock und verstaute seine Aktenmappe in einer Kommodenschublade im Schlafzimmer. Dann, wieder auf der Straße, winkte er einem Taxi, das gerade Fahrgäste am Hotel Agosto abgesetzt hatte, und ließ sich in das alte Fischerdorf fahren.

Eine kurze Strecke: Er bezahlte den Fahrer, und das Trinkgeld, das er ihm gab, war fast ebenso hoch wie die Summe auf dem Taxameter. Dann betrat er die Bar Tomas. Jetzt, kurz nach Mittag, war die kleine Bar mit dem Blechdach verlassen – nur das Summen der Fliegen erfüllte den Raum. Gaunt setzte sich auf einen der Barhocker, und nach einer Weile kam Tomas Reales hinter einem Vorhang auf der Rückseite der Bar hervor.

»*Buenas tardes*, Señor.« Er watschelte zu Gaunt herüber, und sein rundes Gesicht wirkte völlig ausdruckslos. »Sie sind also wiedergekommen.«

»Ja – mir gefällt die Architektur«, erinnerte ihn Gaunt. »Und außerdem kümmern Sie sich liebevoll um Ihre Gäste.«

»Manchmal.« Reales stellte ihm ein Glas hin, zog dann eine Flasche unter der Theke hervor und schenkte eine gelbe, dicke Flüssigkeit ein. »*Licor de banana* – mein Sohn meinte, Sie sollten ihn mal probieren.«

Gaunt nippte an dem Glas. Der Bananenlikor schmeckte feurig, aber angenehm süß.

»Ist Miguel hier?« fragte er.

»*Sí.*« Der Barbesitzer zog die Augenbrauen zusammen. »Aber ich will nicht, daß er Ärger mit der Polizei bekommt, Señor.«

»Auf keinen Fall!« versicherte ihm Gaunt.

Reales schaute ihn kurz an, dann wischte er die Theke mit einem Tuch ab.

»Wir haben heute eine gute Bohnensuppe und Hühnereintopf«, sagte er steif.

Gaunt nickte, und der Mann ging hinüber in die Küche. Eine

Weile drangen nur leises Stimmengemurmel und das Klappern von Tellern herüber, dann kam Miguel Reales aus der Küche, lächelte, trug ein buntbesticktes Hemd und brachte zwei Tonschüsseln sowie Besteck.

»Ihr Essen, Señor Gaunt.« Er stellte die Schüsseln ab und stützte die Ellbogen auf die Theke. »Brauchen Sie mich für was Spezielles?«

»Das war meine Idee.« Gaunt betrachtete das Hemd. »Wieviel war in der Brieftasche von gestern abend?«

»Genug.« Miguel zwinkerte. »Aber ist es klug, wenn Sie einfach so hierherkommen? Angenommen, Sie werden von jemandem beobachtet?«

»Ich habe Webers Leuten sogar gesagt, wo ich hingehe«, erklärte Gaunt. »Haben Sie etwas Salz?«

Daraufhin schob ihm der junge Reales das Salzfaß hin. Dann wartete er geduldig, bis Gaunt den ersten Löffel Suppe gekostet hatte.

»Ich wollte mit Ihnen über Webers Bananenplantage sprechen«, begann Gaunt dann. »Wären Sie bereit, mit mir zusammen noch einmal dorthin zu gehen?«

Miguel wurde ernst. Er lehnte sich zurück, zupfte unschlüssig an seinem goldenen Ohrring und schwieg.

»Wir könnten vom Meer aus dort eindringen«, schlug Gaunt vor.

»Aber die Felsen –«

»Wenn Sie Angst haben, kann mir ja vielleicht Ihr Vater helfen«, sagte Gaunt sarkastisch.

Miguel fluchte leise. »Erstens müßte ich ein Boot stehlen – auf diese Weise stellt man uns später weniger Fragen«, erklärte er dann. »Wann soll ›der Besuch‹ denn stattfinden?«

»Heute abend – spät.«

Der junge Spanier strich sich durchs Haar.

»Außerdem bekämen Sie eine Chance, sich für die Striemen an Ihrem Rücken zu revanchieren«, lockte Gaunt. Er rührte die Suppe um und fühlte, daß Miguel ihn anstarrte. »Ich bin hier, um einen Auftrag zu erfüllen, Miguel – und genau das werde ich tun, ob mit oder ohne Ihrer Hilfe.«

»Geht es um Weber?«

Er nickte.

»Sind Sie von der *policia*?«

»Nein. Aber mit mir wären Sie auf der richtigen Seite des Gesetzes – vorausgesetzt, wir werden nicht erwischt.«

»Also dann, heute abend«, sagte Miguel Reales leise. »Unten am Strand ist eine alte Mole. Ich bin ab Mitternacht dort.«

»Aber nicht in diesem Hemd«, warnte ihn Gaunt.

»Ich werde meine ›Arbeitskleidung‹ anziehen«, versprach Miguel.

Dann ging er leise lachend zurück in die Küche.

Als Gaunt mit dem Essen fertig war, hatte sich die Bar mit ein paar Gästen gefüllt. Er legte Geld auf die Theke und begab sich dann auf einen Erkundungsgang durch das alte Fischerdorf. In einem kleinen Haushaltsgeschäft kaufte er eine einfache Angelschnur, die auf ein Querholz gewickelt war, zwei Angelhaken, Blei und einen Schwimmer. Er ließ sich alles in eine Plastiktüte packen, dann schlenderte er in der Nachmittagshitze zurück zum Hotel.

Die meisten Gäste schienen sich fürs Sonnenbaden entschieden zu haben. In der Umgebung des Schwimmbeckens lagen die sonnenhungrigen Körper, von hummerrot über zartrosa bis nußbraun gebräunt. Über dem Ganzen hing eine Wolke von Sonnenölduft. Die Liegestühle und Korbsessel waren ausnahmslos besetzt, und die Zuspätkommenden mußten mit einem auf den ofenheißen Bodenfliesen ausgebreiteten Badetuch vorliebnehmen.

Gaunt kam sich unpassend gekleidet vor, und außerdem störte ihn die Plastiktüte, die er in der Hand trug. Dennoch bahnte er sich einen Weg durch die Sonnenanbeter. Er entdeckte Hannah North, als sie neben einem großen, dunkel gebräunten Mann mit schwarzem Haar, einem schmalen Schnurrbart und der Figur eines gut trainierten Sportlers aus dem Wasser stieg.

Gaunt war sich bewußt, daß er sie anstarrte, aber Hannah sah unwahrscheinlich gut aus in ihrem dunkelbraunen, zweiteiligen Badeanzug. Aus der Art, wie sich der sportliche Schwimmer um sie bemühte und ihr ein Handtuch um die Schultern legte, ließ sich entnehmen, daß er derselben Ansicht war wie Gaunt.

Jetzt bemerkte sie ihn. Gaunt wandte sich schnell ab und ging zu einem Verkaufsstand unter einem bunten Sonnenschirm. Dort kaufte er sich ein Glas geeiste Limonade, blieb im Schatten stehen und trank einen Schluck, und kurz darauf stand Hannah neben ihm. »Wir müssen miteinander sprechen«, murmelte Gaunt, das Limonadeglas an den Lippen.

»Womit mein Tag wieder mal gelaufen wäre.« Sie öffnete ihre Geldbörse und bezahlte für ein Päckchen englischer Zigaretten. »Ich habe Zimmer siebenhundertzwanzig. Fahren Sie schon rauf, ich komme nach, und – wir werden Gesellschaft haben.«

Beim Gehen streifte sie an ihm vorbei, und Gaunt hatte ihren Zimmerschlüssel in der Hand.

Wenn er noch immer verfolgt wurde, so schien das zumindest im Hotel nicht der Fall zu sein. Dennoch war er vorsichtig, stieg im fünften Stock aus dem Lift und ging die beiden letzten Stockwerke zu Fuß. Der Korridor war leer, als er Hannahs Schlüssel benützte und ihr Zimmer betrat.

Von hier aus hatte man einen schönen Blick auf die Bucht, und obendrein war das Zimmer mit einem Doppelbett ausgestattet. Unterwäsche lag über einen der Sessel ausgebreitet, und jedes der Parfüms auf der Frisierkommode hätte in einer Parfümerie in Edinburgh ein kleines Vermögen gekostet. Gaunt warf sich auf das Bett, legte sich zurück, die Hände hinter dem Kopf verschränkt, und wartete.

Es dauerte ein paar Minuten, bis sich die Tür öffnete. Hannah kam herein, in einer Strandjacke, der Sportsmann folgte und sah in seinem Frotteehemd und den Khaki-Shorts noch gesünder aus als zuvor.

»Stehen Sie von meinem Bett auf«, sagte Hannah kalt. Dann deutete sie auf ihren Begleiter. »Captain Farise ist vom Büro des Generalgouverneurs – er ist unser Kontaktmann.«

»Roberto Farise – Bobi für meine Freunde, Señor Gaunt«, sagte Farise. Er sprach ein Englisch mit leichtem amerikanischem Akzent, und sobald Gaunt aufgestanden war, schüttelte er ihm mit knochenzermalmender Begeisterung die Hand. »Hannah hat mir von Ihnen erzählt.«

»Und wie paßt das Büro des Generalgouverneurs ins Bild?«

»Ganz einfach.« Farise brach ab und stellte Hannah einen Sessel zurecht. Sie ließ sich nieder, schaute den Kontaktmann freundlich an und genoß es, daß man sie bediente. »Ursprünglich war ich bei der Polizei, auf dem Festland, dann beim Justizministerium. Jetzt gehöre ich zu einer Sondereinheit auf den Inseln, die sich mit problematischen Sonderaktionen befaßt.«

»Zum Beispiel mit der Abberufung eines Polizeikommandanten«, murmelte Hannah. Sie sah, daß Gaunt die Augenbrauen hochzog, und nickte. »Señor Martinez wird bis zum späten Nachmittag festgehalten werden – den können wir bis morgen vergessen.«

»Danke.« Gaunt ließ sich wieder auf die Bettkante nieder und ignorierte Hannahs wütenden Blick. »Und Sie, Hannah? Haben Sie schon Apartments besichtigt?«

»Ja, in Gesellschaft Ihres langhaarigen Freundes Bajadas, der seine Pfoten nicht an sich halten kann«, sagte sie grimmig. »Die Apartments sind interessant, aber ich würde keines davon kaufen. Treffen Sie trotz des Scheiterns der Verkaufspläne heute abend diesen Paul Weber?«

»Ich bin zum Dinner bei ihm eingeladen – bis dahin wird er über die Verschiebung des Abschlusses Bescheid wissen.« Gaunt zuckte mit den Schultern und schaute Farise an. »Werden Sie mir einen Bewacher, einen von Ihren Schutzengeln an die Fersen heften, Bobi?«

»Noch nicht«, antwortete Farise ernst. »Ich habe daran gedacht, aber Hannah meinte, es sei besser, wenn wir Sie allein vorgehen lassen. Falls Sie es allerdings wünschen –«

»Nein.« Gaunt schüttelte entschieden den Kopf. »Und bestimmt nicht heute abend. Weber besitzt eine Bananenplantage, auf der er keine Besucher duldet. Ich hätte gern gewußt, warum.«

Farise seufzte. »Es ist Ihnen klar, daß dieser Mann unseres Wissens noch nie mit dem Gesetz in Konflikt gekommen ist, daß er prominente Freunde hat und finanziell auf festen Beinen steht?«

»Ändert das etwas an den Tatsachen?« fragte Gaunt.

»Nein, verdammt.« Farise schaute Gaunt an. »Aber verraten Sie mir nicht zu viel.«

Hannahs Strandjacke hatte sich unvermutet geöffnet und gewährte einen Blick auf ihren wohlgeformten Körper, sie hatte einen Arm auf die Sessellehne gelegt und zog die Stirn in Falten.

»Was ist mit dem Kind?« fragte sie.

»Ich hab' es noch mal probiert, Marta etwas auszuhorchen. Kein Glück«, erklärte Gaunt kurz.

Hannah blickte ihn nachdenklich an.

»Angenommen, das Original dieses alten Zertifikats taucht auf, mit einer Widmung an Marta Weber? Was dann?«

Gaunt zuckte mit den Schultern. »Die Mühlen Gottes mahlen zwar langsam, aber sie sind ein geölter Blitz im Vergleich zu den Gerichten und kosten außerdem wesentlich weniger. Wenn sie Glück hätte, bekäme sie einen Teil von dem Geld als Pension für die alten Tage.«

Er atmete tief ein. »Schon was aus Edinburgh gehört?«

»Henry hat vor dem Lunch angerufen.« Hannah North erriet die Frage in seinen Augen und schüttelte den Kopf. »Nichts Neues, Jonny. Lorna Tabors Zustand hat sich nicht verändert.«

»So etwas dauert seine Zeit.« Gaunt fragte sich, wen er da eigentlich zu überzeugen versuchte. Dann stand er auf und nahm die Plastiktüte. »Hannah, wenn sich nichts von Bedeutung ereignet, werde ich erst wieder Kontakt mit Ihnen aufnehmen, nachdem ich auf der Plantage gewesen bin.« Er wandte sich an Farise. »Können Sie sich zur Verfügung halten?«

»Selbstverständlich.« Farise warf Hannah einen Blick von der Seite zu und rieb sich dann den schwarzen Schnurrbart. »Darauf können Sie sich verlassen, Señor Gaunt.«

»Und jetzt anschließend?« fragte Hannah. »Was werden Sie jetzt unternehmen? Wir sollten es zumindest wissen.«

»Ich gehe zum Angeln.« Gaunt grinste sie an. »Das ist erholsamer als Nachdenken.«

Am Rand des Brackwassers beim Jachthafen versuchten bereits mehrere Amateurfischer ihr Glück, und Gaunt schnorrte sich an Ködern, was er brauchte.

Dann saß er im Schatten des Piers, lehnte sich gegen einen Betonblock und ließ seine Leine an dem kleinen Schwimmer dahintreiben.

Er hatte Hannah und Farise nicht die Wahrheit gesagt: Was er brauchte, war Zeit zum Nachdenken, zum Abwägen der verschiedenen Möglichkeiten, Zeit, um vielleicht die Lücken des wenigen, was er wußte, zu schließen. Wenn er den Blick hob, sah er die *Black Bear* vor sich, an ihrem Liegeplatz am Pier. Was auch ihr Geheimnis sein mochte, er würde es nicht so ohne weiteres herausfinden, da er keine Möglichkeit hatte, die Jacht buchstäblich in ihre Einzelteile zu zerlegen.

Also hing wohl alles von Paul Weber und seiner Hispan Trading ab und von dem, was hinter der Fassade tatsächlich vor sich ging. Rauschgift, Waffenhandel – er versuchte, in Gedanken eine Liste der Möglichkeiten aufzustellen, wußte aber, daß er sich damit nur selbst täuschte und vorspiegelte, etwas Nützliches zu tun.

Der Schwimmer hüpfte und zuckte. Gaunt holte einen kleinen, bunt gestreiften Fisch ein, steckte einen frischen Köder an den Haken und ließ die Leine wieder hinaustreiben. Dann betrachtete er sie nachdenklich. Der Ausflug zur Bananenplantage war eine Art Fischzug…

Aber einer von der Art, die unangenehm und gefährlich werden konnten.

Er blieb am Hafen bis nach sechs, als die Luft sich abzukühlen begann. Mittlerweile hatte er eine Handvoll der gleichen kleinen Fische gefangen und gab sie beim Gehen den anderen Anglern. Unterwegs stellte er fest, daß ihm ein neuer Schatten folgte. Ein junger Mann mit einer dunklen Sonnenbrille und einem blauen Sporthemd löste sich von einer Mauer, an der er offenbar schon längere Zeit gelehnt hatte, und versuchte auf etwas plumpe Weise, ihm unauffällig zu folgen.

Zurück im Apartment, nahm Gaunt eine Dose Bier aus dem Kühlschrank, schenkte das Bier in ein Glas und trat damit hinaus auf den Balkon. Der Mann mit dem blauen Hemd und der Sonnenbrille lehnte unten auf der anderen Straßenseite an einem geparkten Auto und gab sich betont gelangweilt. Gaunt ging hinein und schloß die Balkontür.

Paul Webers Einladung zum Dinner war für acht Uhr festgelegt. Ein paar Minuten vor acht tauchte wieder der weiße Mercedes vor dem Apartmenthaus El Barco auf, und Milo Bajadas, adrett gekleidet wie immer in einem weißen Leinenanzug, kam die Treppe herauf, um Gaunt abzuholen.

Gaunt band eine Krawatte um und warf dann sein Sakko über. Er hatte geduscht und trug ein sauberes weißes Hemd zu dem einzigen Anzug, den er besaß. Aus irgendeinem verrückten, unerklärlichen

Grund wollte er – und das zum ersten Mal, seit er sich erinnern konnte – den ungeschriebenen Regeln entsprechen und wenigstens so aussehen, wie man sich einen Staatsdiener Großbritanniens vorstellte.

»Haben Sie Paul Weber über die Situation in Sachen *Black Bear* informiert?« Bajadas nickte. »Er war nicht gerade glücklich.« Seine Stimme drückte aus, daß das gewaltig untertrieben sein mußte. »Aber er versteht, daß es nicht Ihre Schuld ist.«

»Ein vernünftiger Mann«, sagte Gaunt fröhlich.

Der Sarkasmus war verschwunden. Bajadas ging voraus, hinunter zum Mercedes, und sie fuhren die kurze Strecke zu Webers Villa.

In der Auffahrt zur Villa Hispan standen andere Wagen, manche groß und alle teuer. Gaunt warf einen Blick auf Bajadas, und Webers Assistent zuckte mit den Schultern.

»Ein paar Freunde von Paul sind zum Cocktail vorbeigekommen.« Er nahm einen Kamm aus der Tasche und frisierte sein langes, schwarzes Haar. »Es sollte eigentlich eine kleine Feier werden.«

Ein Hausmädchen kam an die Tür, nachdem sie geläutet hatten, dann ging Bajadas voraus in einen großen Gesellschaftsraum. An den Fenstern hingen rote Samtvorhänge, Silber funkelte auf den Anrichten, und etwa ein Dutzend Gäste stand herum, einen Drink in den Händen haltend. Paul Weber, der sich mit einem Paar unterhalten hatte, kam jetzt zu ihnen herüber. Er trug einen leichten, dunkelblauen Seidenanzug. Seine starken, herrischen Züge zwangen sich zu einem Lächeln.

»Tut mir leid, daß es heute nicht geklappt hat«, sagte Gaunt freundlich.

»Die Bürokratie.« Aus Webers Mund klang es wie ein obszönes Wort. »Ich habe in Santa Cruz angerufen und mit Martinez gesprochen. Er sitzt nur herum und dreht Däumchen.« Einen Augenblick lang betrachteten die scharfen, schlauen Augen Gaunt mit gewissem Argwohn. »Aber morgen wird er zurück sein.«

»Und damit können wir die Sache dann abschließen«, sagte Gaunt mit Nachdruck. Dann seufzte er. »Leider muß ich wegen dieser Umdisposition meine Pläne ändern. Ich hatte gehofft, etwas mehr freie Zeit zu haben, um mich etwas auf der Insel umsehen zu können.«

»Wir werden eine Rundfahrt für Sie organisieren – nachdem ich das Boot bekommen habe.« Weber gab dem Mädchen, das die Drinks servierte, einen Wink und wartete, bis Gaunt ein Glas in der Hand hatte. »Jetzt mache ich Sie mit meinen Gästen bekannt.«

Zwei waren einheimische Grundbesitzer, jeder in Begleitung einer übertrieben aufgeputzten Frau, und der dritte war Politiker. Ein weiterer, übermäßig beleibter Mann war ein Industrieller aus Madrid, der eine Villa in der Nähe des Dorfes besaß. Die gegenseitige Vorstellung und das Händeschütteln nahmen ein paar Minuten in Anspruch. Dann murmelte Weber eine Entschuldigung und verließ Gaunt und die Gesellschaft.

Gaunt trank einen Schluck seines Cocktails, dann fühlte er, wie ihn jemand am Ärmel zupfte. Er drehte sich um und lächelte erfreut.

»Hallo, Marta.«

»*Buenas tardes*, Jonny.« Das Mädchen lächelte ihn an. Er sah sie zum ersten Mal in einem hübschen, dunkelgrünen Baumwollkleid mit weißer Spitze am Hals und an den Ärmeln. Sie hatte sich das Haar nach hinten gekämmt, und ihre Augen strahlten. »Sehe ich gut aus?«

»Wie eine kleine Prinzessin«, antwortete er mit voller Überzeugung. Er bemerkte auch den goldenen Anhänger, den sie an einer Halskette trug.

»Ist das der Anhänger, von dem du mir erzählt hast – ich meine, den dir Peter Fraser geschenkt hat?«

Sie nickte. »Er hat gesagt, der Anhänger ist aus New York.«

»Darf ich ihn anschauen?« Er nahm das Schmuckstück in die Hand. Die Vorderseite zierte ein kleines, in der Art einer Kamee gestaltetes Miniatursegelboot, und die Rückseite war glatt außer dem Goldstempel, einer Zahl und daneben, in winzigen Buchstaben, dem Wort ›Tiffany‹. Gaunt nickte anerkennend. »Da hat er recht gehabt – es ist wirklich aus New York.«

»Ich glaube, wenn ich älter bin, fliege ich dort hin«, sagte Marta ernsthaft. »Ich meine, um alles zu sehen, nicht um dort zu leben.«

»Das ist eine gute Idee.« Gaunt zog die Stirn in Falten. »Und wo hast du dein haariges Ungeheuer gelassen?«

»Oro? Der ist in der Küche eingesperrt.«

»Hier würde es ihm vermutlich nicht besonders gefallen«, meinte

Gaunt nachdenklich. »Kein anständiger Hund hätte Spaß an einer Cocktailparty. Wo hast du es gelernt, so nach ihm zu pfeifen?«

Sie zuckte mit den Schultern. »Auf Gomera. Oro ist dort geboren. Auf Gomera –«

»...pfeifen die Leute, ich weiß«, ergänzte Gaunt. »Ich war in einer Bar im alten Dorf, und der Inhaber hat es mir erzählt.«

»Tomas Reales?« Marta lachte. »Ich kenne ihn und seinen Sohn.« Sie schaute sich um, als wolle sie sich überzeugen, daß Weber nicht in der Nähe war. »Paul hört das bestimmt nicht gern.«

»Ich sag's ihm auch nicht«, versprach Gaunt.

Sie schnitt eine Grimasse. »Ich halte Oro fern von Paul. Er würde ihn am liebsten loswerden, aber das geht nicht, weil mein Vater ihn mir geschenkt hat...«

»Also kann er nicht viel dagegen tun.« Gaunt nickte verständnisvoll.

Jemand rief nach Marta. Sie lächelte und ging weg. Gaunt unterhielt sich kurz mit den Grundbesitzern, dann kam Weber zurück – und Gaunt starrte überrascht die große, hagere Gestalt an, die seinen Gastgeber begleitete,

»Hallo, Gaunt«, rief John Cass. Um seine schmalen Lippen lag ein spöttisches Lächeln. »Paul dachte, daß Sie überrascht sein würden.«

»Das ist ihm auch gelungen«, gestand Gaunt. »Wann sind Sie denn angekommen?«

»Auf Teneriffa?« Der Geschäftsführer der Hispan strich sich über die Hakennase, eine Geste, an die sich Gaunt nur zu gut erinnerte. »Heute früh.«

»Er ist über Nacht von Paris hergeflogen«, erklärte Weber. »John sollte dort einen Auftrag bestätigen.«

»Was mir nicht geglückt ist.« Cass vollführte eine bedauernde Geste mit beiden Händen. »Aber auf anderen Gebieten sieht es besser aus, und deshalb bin ich hier.« Er schaute Gaunt fragend an. »Wissen Sie, ich wollte eigentlich noch mal mit Ihnen reden, in Edinburgh, wegen dieser Anderson. Aber Sie waren nicht zu erreichen.«

»Ich habe versucht, die Sache ins reine zu bringen«, log Gaunt überzeugend. Dabei grinste er Weber an. »Und morgen, wenn das letzte Dokument unterzeichnet ist, sind alle glücklich und zufrieden.«

Weber nickte, blickte aber an ihm vorbei und setzte eine finstere Miene auf. Gaunt wandte sich um und sah, daß Marta hinter ihm stand.

»Marta.« Webers Stimme war leise und klang zornig. »Ich habe es dir oft genug gesagt: Steh nicht herum, wenn ich mich geschäftlich unterhalte.«

»Paul, ich habe gar nicht herumgestanden.« Das Kind errötete. »Ich wollte nur –«

»Keine Widerrede«, fuhr Weber die kleine Marta an. »Mach, daß du rauskommst.«

»Aber Paul –«, protestierte sie.

Weber machte einen Schritt auf sie zu und schlug ihr mit der Hand ins Gesicht. Marta starrte ihn an, gab aber keinen Laut von sich, und Weber hob wieder die Hand. Gaunt erstarrte und mußte sich beherrschen, um nicht einzugreifen und das zu gefährden, was er vorhatte.

Aber das Gespräch war überall verstummt, und Webers Gäste blickten auf ihren Gastgeber und das Mädchen. Weber schluckte, senkte die Hand, wandte Marta den Rücken zu und ging ans Fenster. Das Mädchen schaute ihm noch einen Augenblick lang nach, dann verließ es langsam und zögernd den Raum. Nach und nach kamen die Gespräche wieder in Gang.

»Na, möchten Sie nicht auch gern für ihn arbeiten, Gaunt?« murmelte John Cass, und sein Gesicht drückte kalten Spott aus. »Das wäre kein ganz einfacher Job. Glauben Sie, daß Sie ihm mit Ihrer netten, höflichen Art als Regierungsbeamter gewachsen wären?«

»O doch, das glaube ich.« Gaunt betrachtete die kräftige Gestalt, die sich jetzt wieder vom Fenster abwandte und unter die Gäste mischte, gleich danach schallend über einen Witz lachte, den jemand erzählt hatte. »Wissen Sie, Cass, wir sind auf alle Unannehmlichkeiten bestens vorbereitet.«

Cass' Körper straffte sich, und er wechselte das Thema.

Die Cocktailparty zog sich noch eine halbe Stunde hin, dann, als draußen die Dämmerung hereinbrach, verabschiedeten sich die Gäste. Weber begleitete sie hinaus und kehrte in leutseliger Stimmung zurück, nachdem der letzte Wagen abgefahren war. »Zeit zum Essen.« Er nahm Gaunts Arm. »Gehen wir hinüber. Cass wird uns Gesellschaft leisten, aber ich verspreche Ihnen, daß wir nicht über Geschäfte reden.«

Im Speisezimmer der Villa stand eine riesige Tafel aus Mahagoniholz, an der man spielend ein Dutzend Gäste unterbringen konnte. Ein kleinerer Tisch stand daneben, und ein grauhaariger Butler führte jeden an seinen Platz und servierte dann, mit Unterstützung durch eines der Hausmädchen, das Essen.

Paul Webers Bewirtung seiner Gäste war über jeden Tadel erhaben. Der Vorspeise, einem Krabbencocktail, folgte dünn geschnittenes, zartes Schweinefleisch in einer scharf gewürzten Paprikasauce. Danach gab es ein Nougatdessert und zuletzt Ziegenkäse. Während des Mahls wurde ein trockener Muskateller serviert.

Gaunt trank zurückhaltend und war froh darüber. Nach und nach und ohne allzu deutlich zu drängen, kam Weber auf das Büro des Remembrancers zu sprechen, und von da aus ganz natürlich und folgerichtig auf die Frage, was mit Peter Frasers Nachlaß geschehen würde.

Und wie auf ein Stichwort hin übernahm John Cass von da an die Führung des Gesprächs.

»Anfangs hatten Sie es mit Mrs. Anderson zu tun, dieser kanadischen Verwandten, nicht wahr?« sagte er leise. »Dann, nachdem sie verstorben war, mit dieser anderen Kanadierin. Ich habe sie nicht kennengelernt. Wie ist sie?«

»Jünger und sehr nett.« Gaunt mußte an Lorna Tabor denken und das, was mit ihr passiert war.

»Und – ist sie eine Verwandte?«

»Wahrscheinlich.«

»Also könnte sie nach Ihren Gesetzen die Erbschaft antreten – ich meine, alles beanspruchen, was Fraser gehörte?« fragte Weber ohne Umschweife.

»So einfach ist es wieder nicht.« Gaunt begann absichtlich umständlich, das Verfahren beim Queen's Bounty zu erläutern, und zog damit Webers Unwillen auf sich. »Wir haben sehr sorgfältig recherchiert«, beendete er seine Ausführungen.

»Das kann man wohl sagen«, bemerkte Weber mit kaum verhülltem Sarkasmus. Dann stellten sie Gaunt erneut auf die Probe, während der Butler Cognac in feinen Kristallgläsern servierte. Und wieder führte eine harmlos klingende Frage zur nächsten – ein Vorwärtstasten, bei dem Gaunt leicht etwas Falsches sagen und damit großen Aufruhr in Edinburgh hätte hervorrufen können. Aber Gaunt gewann das Match, und schließlich gab Weber auf.

Er wischte sich den Mund an der Serviette und schaute auf seine Armbanduhr.

»Es wird spät. Cass und ich müssen noch über geschäftliche Dinge sprechen – er fliegt schon morgen zurück.« Dann gab er einen Grunzlaut von sich und schob seinen Stuhl zurück. »Sobald die Papiere für die *Black Bear* fertig sind –«

»– bringe ich sie her«, versprach Gaunt und stand ebenfalls auf.

Bajadas fuhr ihn zurück zum Apartment, wünschte eine gute Nacht, als Gaunt ausstieg, und brauste dann davon. Ein Stück entfernt auf der Straße parkte ein kleiner Seat, und der Mann hinterm Lenkrad duckte sich zusammen, als das Licht des Mercedes den Wagen streifte.

Gaunt ging die Treppe nach oben in sein Apartment. Er verriegelte die Tür, zog die Vorhänge der Balkontür zu und schaute auf die Uhr. Noch fast eine Stunde Zeit.

Er wartete zwanzig Minuten, dann zog er sich um, vertauschte den Anzug mit einer schwarzen Hose und einem dunken Pullover. Danach schraubte er die Lüftungsklappe im Bad auf und nahm die Pappschachtel mit der Aufschrift ›Zubehör‹ heraus, öffnete den Deckel und wog nacheinander jede der beiden Granaten abschätzend in seiner Hand. Sie waren mit Gürtelclips versehen, aber er steckte sie in die Plastiktüte zu seiner Angelausrüstung. Sie waren eine Rückversicherung, nichts weiter.

Dann löschte er das Licht im Apartment, verließ es durch das Fenster über dem Warmwasserbereiter und kletterte erst einmal auf den felsigen Hügel. Er schaute sich geduckt nach allen Seiten um. Der Seat parkte immer noch vor dem Gebäude.

Die Gegend um den Hügel stellte unbekanntes Territorium für ihn dar, aber das Mondlicht war hell genug, daß er sich mühelos zurechtfand. Sobald er die Bäume erreicht hatte, stieß er auf einen Fußweg. Von da an fand er ohne große Mühe den Weg ins alte Fischerdorf und zum Strand, wobei er sich von den hellerleuchteten Straßen des Touristenviertels fernhielt.

Die Mole lag vor ihm, ein halbverfallener Holzsteg, der sich hinaus in die Bucht erstreckte. Die Gegend schien ausgestorben zu sein, aber als er am Fuß der Mole angekommen war, trat Miguel Reales aus dem Schatten.

»*Hola.*« Miguel grinste ihn in der Dunkelheit an. Er trug einen schwarzen Pullover und schwarze Jeans; in seinem breiten Ledergürtel steckte ein Messer. »Wir haben das Boot, Señor Gaunt.«

»Wir?« Gaunt blickte ihn überrascht an.

Miguel winkte ihn ein Stück den Strand entlang.

Das Boot, ein aufblasbares Gummiboot, schaukelte im Wasser unter der Mole. Jemand befand sich bereits in dem Boot und hielt sich an den Pfosten fest, damit es nicht davontrieb. Miguel nickte, und sie gingen darauf zu. Gaunt kletterte ins Boot und fluchte leise, als er sah, wer da auf ihn wartete.

»Tomas –« Er starrte den Barbesitzer an, dann drehte er sich zu Miguel herum. »Was, zum Teufel, macht er denn hier?«

»Mein Vater ist ein alter Narr«, sagte Miguel mit spöttischer Verzweiflung. »Er wollte unbedingt mitkommen.« Dann seufzte er, und darin lag mehr als die Andeutung von Stolz. »Aber der alte Narr kann mit dem Boot besser umgehen als ich. Also –«

Gaunt nickte, beugte sich nach vorn und packte Tomas an der Schulter in einer Geste stummen Dankes. Vater und Sohn tauschten einen Blick, dann nahm jeder ein kurzes Paddel mit breiter Schaufel, und sie pullten hinaus in die leichte Dünung.

Tomas und Miguel Reales ruderten in gleichmäßigem Rhythmus gegen die leichte Dünung an, und Jonathan Gaunt war froh, daß er sich nicht zu bemühen brauchte.

Zunächst steuerten sie auf die Mitte der Bucht zu, während die Lichter von Puerto Tellas hinter ihnen zurückblieben und immer kleiner wurden. Dann brummte Tomas etwas Unverständliches, die kurzen, breiten Paddel schlugen einen anderen Rhythmus an, und das Schlauchboot drehte sich. Nun begann der zweite Teil der Aktion: die geheime Annäherung an die Küste in Höhe von Webers Bananenplantage.

Das Land vor ihnen war eine tiefschwarze Linie in der Nacht, unterbrochen durch milchig-weiße Streifen: das Wasser, das über die Felsen dicht unter der Oberfläche schäumte. Das Boot näherte sich den Untiefen, das milchige Weiß wurde zur Brandung, und das Rauschen war stärker zu vernehmen.

Wieder brummte Tomas etwas. Dann hatte sich der ältere Mann umgedreht, stand jetzt am Bug, hatte beide Paddel in der Hand und setzte sie sehr behutsam ein.

Sie näherten sich dem Ufer, und das Schlauchboot schaukelte im unruhigen Wasser. Der Gummiboden kratzte über einen unsichtbaren Felsen, das Boot drehte sich und fand dann wieder seinen Kurs, als Tomas heftig mit einem Paddel pullte. Dann nahte eine zweite Linie weißen Schaums; sie fuhren um sie herum und zwängten sich an einer tieferen Stelle hindurch, wobei die stämmige Gestalt von Tomas Reales allein und völlig ungerührt die Paddel bediente.

Dann hatten sie die Untiefen hinter sich und erreichten den Strand. Das Schlauchboot lief auf Kies, sie sprangen hinaus in flaches, schäumendes Wasser, und nach einer weiteren Minute hatten sie das kleine Boot über den Kiesstrand und in die Deckung eines überhängenden Felsens geschleppt.

Eine Zikade zirpte irgendwo in der Nähe, lauter als das Dröhnen der Brandung. Ein kleines, unsichtbares Lebewesen raschelte im rauhen, getrockneten Gras, wo der Kiesstrand endete. Hinter dem

Gras begann halbhohes Gestrüpp, und darüber konnte Gaunt die ersten dunklen Reihen der Bananenstauden erkennen.

Miguel und sein Vater waren hinter ihm stehengeblieben; sie murmelten mit gedämpften Stimmen. Gaunt wartete, nahm die zwei Handgranaten aus der Plastiktüte, befestigte sie an seinem Gürtel, drehte sich dann um und schaute zu den beiden hinüber, die immer noch leise miteinander sprachen. Es hörte sich so an, als seien sie wütend aufeinander. Die Auseinandersetzung dauerte noch ein paar Sekunden, dann kam Miguel allein auf Gaunt zu.

»Worüber habt ihr euch unterhalten?« fragte Gaunt.

»Der alte Narr wollte mitkommen«, erklärte Miguel grollend. »Ich habe ihm vorgehalten, daß wir abgemacht haben, er soll beim Boot bleiben.«

»Und – ist jetzt alles geregelt?«

Miguel nickte, dann langte er in eine Tasche und zog zwei schwarze Gesichtsmasken heraus, in die Augenschlitze geschnitten waren.

»Tragen Sie das, *por favor*«, sagte er und reichte eine davon Gaunt.

Dann sah er die Handgranaten an Gaunts Gürtel. Er öffnete den Mund und schloß ihn wieder, ohne etwas zu sagen. Gaunt zog sich die Maske über. Die Augenschlitze paßten, und er achtete nicht auf den unangenehmen, modrigen Geruch des Stoffes.

»Fertig, Señor?« fragte Miguel.

Gaunt warf einen Blick zurück auf Tomas, der neben dem Boot stand, dann nickte er. Miguel ging voraus, und er folgte ihm.

Eine niedrige Natursteinmauer markierte die Grenze der Plantage, und außer ihr gab es keine weiteren Barrieren zu überwinden. Sobald die zwei Männer über die Mauer gesetzt hatten, befanden sie sich zwischen den brusthohen, dickstämmigen Bananenpflanzen. Die breiten Blätter strichen über ihre Kleidung, und man konnte deutlich den schweren Fruchtstand der Pflanzen erkennen.

»Das wird eine gute Ernte«, murmelte Miguel. Er lachte verhalten. »Aber Sie wollen sehen, was hier sonst noch so alles wächst, wie?«

Sie gingen weiter an den Reihen entlang landeinwärts, erreichten einen zerfurchten Weg, der gleich darauf nach links schwenkte und sich den Hügel hinaufschlängelte. Sie folgten ihm und hielten sich dabei dicht an den Bananenstauden, die ihnen Deckung boten.

Der Weg beschrieb eine Kurve, und Miguel blieb abrupt stehen, dann deutete er voraus. In einer Lichtung vor ihnen war deutlich die dunkle, niedrige Silhouette des Plantagenbüros zu sehen; hinter einem der Fenster brannte Licht, und vor dem Gebäude parkte ein Jeep. Sie schlichen näher. Der einstöckige Ziegelbau war größer und kompakter, als Gaunt es erwartet hatte. Eine Stromleitung spannte sich an Masten bis zu einem Transformatorenhaus, aber im Bürogebäude sah Gaunt nur eine einzige Tür, nicht weit von dem erleuchteten Fenster entfernt.

»Gibt es noch einen Eingang?« fragte er leise.

Miguel schüttelte den Kopf. »Drinnen ist noch eine Tür, aber die führt meines Wissens nur in einen Lagerraum, Señor Gaunt. Das habe ich beim letzten Mal festgestellt.«

»Dann wollen wir mal herausfinden, was es hier sonst noch zu sehen gibt«, sagte Gaunt.

Sie bewegten sich weiter geräuschlos auf das Gebäude zu, wobei die letzte Strecke ohne Deckung die gefährlichste war. Doch dann hatten sie den Jeep erreicht, und von da aus kroch Gaunt geduckt zu dem erleuchteten Fenster. Er drückte sich an die kühlen Ziegel der Wand, riskierte einen kurzen Blick in das Gebäude und zog sich rasch wieder zurück.

Die beiden Männer in dem Raum hinter dem Fenster waren stämmig und unrasiert; sie trugen beide Jeans und schwere Stiefel. Der eine hatte die Füße auf den Schreibtisch gelegt und las in einer Illustrierten, der andere hörte Radio mit einem Ohrhörer. Auf dem Schreibtisch standen Kaffeebecher und ein offenes Paket mit Sandwiches.

Und neben ihnen an der Wand lehnte eine doppelläufige Flinte.

Gaunt schlich zurück hinter den Jeep, wo Miguel auf ihn wartete.

»Wie viele?« zischte Miguel durch den Stoff seiner Gesichtsmaske.

»Zwei.«

Gaunt hockte sich auf die Fersen nieder und überlegte die verschiedenen Möglichkeiten. Dann fühlte er, wie Miguel ihm auf die Schulter klopfte und erwartungsvoll auf die Handgranaten deutete.

»Kommt gar nicht in Frage«, murmelte Gaunt, und der junge Mann zuckte mit den Schultern.

Gaunt betrachtete den Jeep genau, machte eine Geste und zog sich mit Miguel etwas weiter zurück, um ihm zu erklären, was er beabsichtigte. Als Miguel verstanden hatte, mußte er sich beherrschen, um nicht laut zu lachen, und nickte dann begeistert seine Zustimmung.

Gaunt hatte vor, sich in den Jeep zu schleichen und dann vorsichtig und lautlos in der Dunkelheit an den Drähten unter dem Armaturenbrett zu manipulieren; die Zündung kurzzuschließen wäre ziemlich einfach gewesen und gehörte zu dem, was man ihm bei der Ausbildung zum Fallschirmspringer beigebracht hatte. Das Kurzschließen des Hupenschalters war vermutlich riskanter und dauerte länger.

Endlich war Gaunt fertig damit. Er überzeugte sich, daß Miguel wie vereinbart in der Dunkelheit untergetaucht war, dann atmete er tief ein, drehte die beiden Drähte, die er gelöst hatte, zusammen, tauchte aus dem Jeep und warf sich darunter, während die Hupe zu dröhnen begann.

Flach gegen den Boden gedrückt, wartete Gaunt. Er sah, wie die Tür des Gebäudes aufgerissen wurde und beide Wachen ins Freie gestürzt kamen. Einer hatte die Flinte in der Hand, der andere rannte zum Jeep hinüber, dann, als seine Füße nur Zentimeter von Gaunts Kopf entfernt waren, beugte er sich in den Wagen, drückte mehrmals auf den Hupenknopf und versuchte auf diese Weise, das Geräusch abzustellen. Gleich danach gab er es auf, brüllte etwas, und der andere kam zu ihm herüber.

Einen Augenblick lang waren zwei Stiefelpaare dicht vor Gaunts Gesicht, als sich die beiden Männer lautstark beratschlagten. Dann lehnte der eine die Flinte gegen die Seite des Jeeps, und der andere ging nach vorn, hantierte an der Motorhaube, die gleich danach knarrend geöffnet wurde.

Gaunt schoß unter dem Wagen hervor und packte den ersten, der noch immer auf den Hupenknopf drückte, an den Beinen, riß sie ihm unter dem Körper weg, und der Mann, der nicht darauf gefaßt war, stürzte hart der Länge nach zu Boden. Gaunt stieß die Flinte zur Seite, während er sich auf den am Boden liegenden Mann warf.

Vor dem Jeep sah er aus den Augenwinkeln eine heftige Bewegung, aber er achtete nicht darauf.

Der Mann auf dem Boden gewann rasch wieder die Fassung, versuchte sich freizukämpfen und holte zu einem ungezielten Schlag aus. Gaunt blockte ihn ab, rammte seinem Gegner den Ellbogen in die Magengrube, woraufhin dieser stöhnend rückwärts stürzte; dann verpaßte er ihm noch einen Hieb hinters Ohr.

Der Mann sank in sich zusammen und rührte sich nicht mehr. Gaunt hob schnell die am Boden liegende Flinte auf.

Aber das wäre gar nicht nötig gewesen. Miguel Reales steckte gerade seinen Schlagstock mit der Lederhülle in die Hose und salutierte spöttisch von der Vorderseite des Jeeps her. Der zweite Wachmann lag, das Gesicht nach unten, vor ihm auf dem Boden.

Die Hupe dröhnte noch immer ohrenbetäubend. Gaunt riß die Drähte, mit denen er den Schalter kurzgeschlossen hatte, wieder auseinander, und in der sogleich entstandenen Stille schleppten er und Miguel die beiden Bewußtlosen zur Tür des Gebäudes. Miguel fand eine Rolle Seil auf dem Rücksitz des Jeeps und brachte sie herüber. »Fesseln und knebeln, die zwei«, bestätigte ihm Gaunt. Er lehnte die Flinte gegen die Wand. »Und passen Sie dann hier draußen auf, was geschieht. Kann jemand das Hupkonzert gehört haben?«

»Hier wohnt niemand weit und breit, Señor.« Miguel schüttelte den Kopf und war bereits dabei, das Seil mit dem Messer in zwei passend große Stücke zu schneiden.

Gaunt ging in das Büro der Plantage hinein. Er kam in einen Raum, der mit zwei Schreibtischen und ein paar Aktenschränken ausgestattet war. An den Wänden hingen die Ertragslisten der Plantage. Ein Teil des Raums, der vom übrigen durch eine halbhohe Wand abgetrennt wurde, war vermutlich der Arbeitsplatz des Plantagenleiters. Und dahinter befand sich eine Tür. Sie bestand aus solidem Holz und war mit zwei Schlössern gesichert. Auf der Tür stand in großen Lettern *Privado*.

Auf dem Schreibtisch lag ein Schlüsselbund. Gaunt nahm ihn und probierte einen Schlüssel nach dem anderen an den Schlössern der Tür des Privatbüros aus, aber keiner paßte. Schließlich trat er zurück und versetzte der Tür einen Fußtritt, aber sie bewegte sich nicht.

Also blieb ihm nur ein Weg. Er ging hinaus, wo Miguel gerade mit dem Fesseln des einen Wachmanns fertig war und sich dem anderen zuwandte, nahm die Flinte und kehrte damit zurück zu der doppelt gesicherten Tür. Er schätzte die Entfernung ab, zielte und feuerte nacheinander auf jedes der beiden Schlösser.

Die Explosion in dem geschlossenen Raum war ohrenbetäubend. Aber als sich der Rauch und der Staub verzogen hatten, sah Gaunt, daß sich beide Schlösser gelöst hatten. Er warf die Flinte beiseite, gab der Tür wieder einen Fußtritt – und diesmal flog sie auf.

Drinnen befand sich ein Lichtschalter. Er betätigte ihn, und an der Decke leuchteten Neonröhren auf.

Er schaute sich überrascht um. Der Raum hatte glatte, weißgekachelte Wände und keine Fenster. In der Mitte, auf einer schreibtischhohen Arbeitsbank, stand eine Reihe von Bürocomputern mit zwei Stühlen davor für diejenigen, die diese Geräte bedienten. Dicke, schwarze Kabel schlängelten sich von der Computerbank zu einer Reihe grauer Aktenschränke aus Metall. Am Ende des Raums stand ein wuchtiger Metallsafe, und daneben befand sich ein kleiner Tisch mit einer unerwartet altmodischen Frankiermaschine.

Was auch immer er zu finden gehofft hatte – bestimmt nicht das. Er ging an der Bank entlang und registrierte einen IBM-Personal-Computer, verbunden mit einem Schreibgerät und zwei Druckern. Zwei leere Bildschirme glotzten ihn an, und der Safe sah so aus, als ob ihn bestenfalls eine Sprengladung oder ein Laser-Schneidbrenner beeindrucken könnten.

Er berührte eine der Tastaturen, aber wo auch immer sich der Hauptschalter befinden mochte, der Strom für die Geräte war abgeschaltet. Leise fluchend stützte er sich auf die Computerbank und sah sich wieder um.

Das war der Platz, auf den es ankam. Das, was Paul Weber zu verbergen hatte, mußte hier sein, irgendwo.

Er entdeckte einen Papierkorb, leerte ihn auf den Boden und rettete einen zerknitterten Ausdruck, vielleicht der Beginn eines Probelaufs. Als er das Blatt geglättet hatte, sah er, daß es sich um ein Rechnungsformular handelte, ausgestellt auf eine Londoner Firma für die Aufnahme ihrer Adresse in ein Handels-Nachschlagewerk.

Der Betrag belief sich auf vierhundert Pfund Sterling, zahlbar nach Rechnungserhalt.

Aber der Rechnungskopf war der eines Verlags in Barcelona, während das Geld direkt an eine englische Bankadresse in Liverpool gezahlt werden sollte.

Er schaute den Rest des Papierkorbinhalts durch, dann ging er zur Frankiermaschine. Sie schien über einen anderen Stromkreis geschaltet zu sein; jedenfalls funktionierte sie, nachdem er sie eingeschaltet und ein Stück Papier eingelegt hatte.

Der Poststempel war spanisch, aber ziemlich verschwommen und unleserlich.

Das alles ergab im Grunde keinen Sinn. Es sei denn... Er starrte auf den Streifen mit der Frankierung in seiner Hand, dann auf die computergedruckte Rechnung in der anderen, und ihm dämmerte eine Erklärung.

Wenn er sich nicht täuschte mit seiner Vermutung, hatte Paul Weber in der Tat einiges zu verbergen – und wenn er die *Black Bear* kaufte, um sein Unternehmen zu schützen, war das Geld, das er für die Jacht aufwenden mußte, eine Kleinigkeit im Vergleich zu den Summen, um die es letztlich ging.

Er trat wieder vor die Computerbank, nahm die Plastikhauben, mit denen die Papierrollen geschützt waren, von den beiden Drukkern und riß eine Probe von jeder der Rollen. Sie waren völlig verschieden in der Ausführung, auch was die Briefköpfe betraf. Doch bei beiden handelte es sich um Rechnungsformulare für Firmen-Nachschlagewerke, wenig auffällig im Aussehen und in der Aufmachung.

Wenn er mit seiner Vermutung recht hatte – und er mußte einfach recht haben...

»Señor Gaunt –«

Miguels aufgeregte Stimme riß ihn aus seinen Gedanken. Der junge Mann stand in der zerstörten Tür, hatte die Maske abgerissen und schaute Gaunt mit besorgter Miene an.

»Was ist?«

»Mein Vater sagt –«

»Ihr Vater...?« Gaunt blinzelte.

»Er ist uns gefolgt. Er hat die Straße beobachtet, etwas weiter von hier, näher an der Zufahrt.« Miguel leckte sich über die trockenen Lippen. »Er hat mich gerufen, auf unsere Weise – durch Pfeifen, verstehen Sie? Ein Wagen nähert sich, hat schon das Plantagentor passiert.«

»Und kommt hierher?« Gaunt fluchte leise und steckte die Papierblätter in die Hosentasche. »Na gut, ich bin fertig hier.« Er blieb noch einen Moment stehen – und stöhnte über seine eigene Dummheit.

Dicht neben der Stelle, wo Miguel stand, war ein kleines Kästchen an der weiß gefliesten Wand angebracht. Und an der Wand gegenüber befand sich ein identisches Kästchen. Als Gaunt diesen Raum betreten hatte, war dadurch ein elektronischer Alarm ausgelöst worden.

Paul Weber verließ sich nicht ausschließlich auf die Wachsamkeit von Menschen.

»Señor!« beschwor ihn Miguel.

Gaunt nickte, und sie liefen hinaus, vorbei an den beiden Wachen, die Miguel geknebelt und gefesselt hatte. In der Dunkelheit war wieder das zirpende Pfeifen zu hören. Miguel gab eine kurze, schrille Antwort, dann packte er Gaunt am Arm, als ein Scheinwerferpaar um eine Kurve schwenkte und näher kam.

»Schnell zurück zum Boot!« Gaunt schubste den jungen Burschen auf den Weg, beobachtete die Scheinwerfer, hörte, wie der Motor aufheulte, als der Fahrer über die von Schlaglöchern übersäte Zufahrt schaukelte.

Die Scheinwerfer schwenkten um die letzte Kurve, tauchten das Bürogebäude in Licht – und erwischten sekundenlang Miguel, der gleich danach zwischen den Bananenstauden verschwand.

Britische Handgranaten waren normalerweise mit einem Zehn-Sekunden-Zünder ausgerüstet. Gaunt betete, daß das nicht inzwischen geändert worden war, nahm eine von Dan Cafflins Handgranaten vom Gürtel, zog die Zündnadel und warf die Granate auf den Vordersitz des Jeeps.

Dann sprintete er auf die Pflanzung zu und hörte, wie hinter ihm der Wagen zum Halten kam. Türen wurden aufgerissen, ein Mann brüllte etwas, eine Handfeuerwaffe bellte.

Und dann ging der Jeep hoch, als die Handgranate explodierte.

Gaunt fühlte die Druckwelle und wäre fast zu Boden gestürzt; seine Ohren dröhnten, während er weiterlief und eine zweite Explosion erfolgte, bei der der Benzintank des Jeeps detonierte.

Gaunt erreichte den Anfang der Bananenreihen, tauchte in ihren Schutz und schaute zurück. Flammen schossen vom zerstörten Wrack des Jeeps hoch. Zwei Männer halfen einem dritten auf die Beine, und ein vierter kroch auf den anderen Wagen zu, einen alten Seat-Kombi.

Gaunt drehte sich um und verschwand in der Sicherheit der hohen, dicht beblätterten Stauden.

Zweimal hörte er jemanden brüllen, dann fielen Schüsse. Er stolperte, fiel zu Boden und verlor mehr als einmal die Orientierung, vor allem, als das Feuer hinter ihm allmählich in sich zusammensank. Aber er zwang sich, weiterzugehen.

Endlich hatte er den Strand erreicht. Auf dem ganzen Weg waren keine Geräusche einer Verfolgung zu hören gewesen, und schließlich entdeckte er auch den Felsen, unter dem das Boot versteckt war. Müde und erschöpft, mit schmerzendem Rücken und Stichen im Brustkorb von der gebrochenen Rippe, die ihn daran erinnerte, daß er zweifellos ein Verrückter war, zog er die stinkende Maske vom Gesicht, lehnte sich dann gegen den Felsen und atmete tief durch.

Es dauerte lange, bis Miguel und sein Vater auftauchten. Sie näherten sich langsam über den Kiesstreifen, und es sah aus, als ob Miguel den älteren Mann stützen, ja fast tragen mußte. Als sie Gaunt erreicht hatten, schwankte Tomas Reales und wäre beinahe zusammengebrochen. Sein rechter Arm hing schlaff herunter, und im schwachen Mondlicht konnte Gaunt erkennen, daß seine Schulter blutverklebt war.

»Ich habe ihn gefunden«, sagte Miguel erschöpft und nahm damit Gaunts Frage vorweg. »Sie haben einfach auf die Schatten gefeuert – er hatte eben Pech.«

»Das tut mir leid.« Gaunt kaute an seiner Unterlippe. »Ist euch jemand in dieser Richtung nachgelaufen?«

»Nein. Sie suchen in der Umgebung der Straße.« Miguel brach ab, als sein Vater etwas murmelte, dann grinste er. »Er meint, es ist nicht schlimm. Er hat sich schon schlimmer beim Aufmachen von Flaschen verletzt.«

»Sobald er einigermaßen auf dem Damm ist, mache ich für euch beide eine Flasche auf«, versprach Gaunt grimmig.

Sie ließen Tomas beim Felsen zurück und trugen das Schlauchboot bis zur Wasserlinie. Anschließend brachten sie den älteren Mann zum Boot und halfen ihm hinein, wateten daneben her, bis das Schlauchboot frei schwamm, stiegen dann ein und packten die Paddel. Die weißen Schaumkronen der Untiefen waren wieder zu sehen, aber Tomas geleitete sie vom Heck aus mit leise gerufenen Anweisungen sicher hindurch und hinaus ins freie Wasser.

Danach lehnte sich der ältere Mann zurück und war froh, das Paddeln zurück in die Bucht Gaunt und seinem Sohn überlassen zu können. Er rührte sich nicht mehr, bis sie an der Mole beim alten Fischerdorf anlegten.

Nachdem das Boot gesichert war, half Gaunt Miguel, den Vater an Land zu bringen.

»*Gracias*. Von hier aus schaffe ich es allein.« Miguel murmelte eine Entschuldigung, als er einen Arm um seinen Vater legte und dabei Gaunt mit dem Ellbogen in die Seite traf. »Wir haben Freunde ganz in der Nähe. Und wir kennen einen *medico*...«

»Ich bleibe bei euch«, bot sich Gaunt an.

»Nein, Señor Gaunt.« Miguel war höflich, aber unerbittlich. »Sie gehen jetzt lieber.«

»*Si*, das ist besser«, sagte Tomas schwach und nickte. »Aber verraten Sie mir noch eines: Haben Sie gefunden, wonach Sie suchten?«

»Ich glaube, ja«, antwortete Gaunt leise.

Tomas zwang sich zu einem Lächeln, knurrte dann seinen Sohn an, und sie schwankten, einander gegenseitig stützend, ins Dorf hinein.

Es war nach zwei Uhr morgens, die engen Straßen waren dunkel und verlassen, und soweit Gaunt es feststellen konnte, war sogar das Touristenviertel um diese Zeit wie ausgestorben. Aber er brauchte jetzt Hilfe, und zwar schnell und dringend.

An der nächsten Straßenecke war eine öffentliche Telefonzelle. Er steckte ein paar Münzen in den Schlitz, wählte die Nummer des Hotels Agosto und ließ sich mit Hannah North verbinden. Als sie sich meldete und seine Stimme erkannte, war Hannah alles andere als erfreut.

»Es ist mitten in der Nacht, verdammt noch mal«, protestierte sie wütend. »Ich habe geschlafen. Und ich –« Sie stöhnte. »Na schön, was ist passiert?«

»Eine Menge, und ich stecke mitten im Schlamassel«, sagte Gaunt tonlos. »Ich brauche Sie und Ihren Captain Bobi – vorausgesetzt, er steht zu Ihrer Verfügung.«

»Ich bin im Bett, und zwar allein«, zischte Hannah. »Wenn Sie mit Ihrer Vermutung andeuten wollten –«

»Hannah, es ist mir im Augenblick völlig egal«, sagte Gaunt müde. »Können Sie ihn erreichen?«

»Ja. Er schläft hier im Hotel – wo sind Sie?«

»Moment, bleiben Sie am Apparat.« Draußen am nächsten Haus war ein Straßenschild angebracht. »Avenida Blanco, im alten Fischerdorf.«

»Warten Sie dort. Er fährt ein Lancia-Coupé.«

Sie legte auf. Seufzend hängte Gaunt den Hörer ein und stellte sich dann in den Schatten einer Toreinfahrt. Als er seine Hosentaschen betastete, fühlte er die leichte Ausbuchtung der Computerausdrucke und entspannte sich ein wenig. Dann zog er plötzlich die Stirn in Falten. Etwas fehlte.

Die zweite Handgranate: Er fluchte leise, wußte, daß sie noch am Gürtel befestigt gewesen war, als sie von der Plantage zurückruderten – und dann fiel ihm ein, wie Miguel mit ihm zusammengeprallt war, als sie schon wieder am Strand waren.

Miguel war ein guter Dieb – ein zu guter vielleicht. Die Vorstellung, daß die Familie Reales eine britische Handgranate als Souvenir aufbewahrte, war ihm ganz und gar nicht angenehm.

Aber das konnte warten. Jetzt ging es in erster Linie um Paul Weber – der war gefährlicher als eine Handgranate in Miguels Hand. Inzwischen wußte Weber sicher, was in der Plantage geschehen war, und daß die Eindringlinge entkommen waren.

Was würde Weber unternehmen, wie schnell würde er reagieren? Theoretisch konnte der Chef der Hispan annehmen, sein Gast sei in seinem Apartment im El Barco. Aber die Theorie und die Art, in der manche Menschen reagierten, waren zwei verschiedene Dinge, und der Name Jonathan Gaunt stand sicherlich ganz oben auf Webers Liste der Verdächtigen.

Kein angenehmer Gedanke. Gaunt hatte allerdings von Anfang an geahnt, daß es dazu kommen würde – und je länger er darüber nachdachte, desto kälter kam ihm die Nacht vor.

Das Lancia-Coupé, mit schnurrendem Doppelauspuff, bog etwa zehn Minuten später in die Avenida Blanco ein. Die Beifahrertür ging auf, und Roberto Farise machte eine ungeduldige Geste.

»Gehen Sie nach hinten«, sagte er kurz angebunden. »Da liegt eine Decke – legen Sie sich darunter.«

Gaunt kletterte hinter den unrasierten Spanier, dessen nur teilweise zugeknöpftes Hemd an der Taille heraushing. Als er sich unter die Decke kauerte, wurde die Beifahrertür zugezogen, und der Lancia setzte sich wieder in Bewegung.

»Danke, daß Sie gekommen sind«, sagte Gaunt laut.

»Hatte ich denn eine andere Wahl?« fragte Farise. »Bleiben Sie bloß unten. Ich muß versuchen, Sie ins Agosto zu bringen, und selbst meine geringe Intelligenz sagt mir, daß Sie dabei keine Zuschauer brauchen können.«

Der Lancia schnurrte weiter, dann, nach einer Zeit, die nur wenige Minuten betragen haben konnte, fühlte Gaunt, wie der Wagen langsamer wurde. Er wendete, schaukelte durch ein paar Schlaglöcher, hielt dann an, und der Motor wurde ausgeschaltet.

»Alles klar«, sagte Farise nach ein paar Sekunden. »Sie können rauskommen.«

Gaunt schlug die Decke zurück und stellte fest, daß Farise ihn angrinste.

»Was ist denn so komisch?« fragte Gaunt.

»Wir beide, wie wir gemeinsam versuchen, mitten in der Nacht in das Schlafzimmer einer schönen, jungen Frau einzudringen.« Farise kicherte. »Es kann sein, daß auch ein paar andere Gäste zwischen den Zimmern hin und her schleichen – die dürfen wir nicht aufschrecken.«

»Bringen Sie mich zu Hannah«, bat Gaunt, »wie, ist mir egal.«

Sie befanden sich in einer Gasse hinter dem Agosto, nicht weit vom Strand, und das Hotel wurde um diese Zeit nicht mehr von Scheinwerfern angestrahlt. Sobald sie den Lancia verlassen hatten, durchquerten sie einen stockdunklen Garten, kamen kurz vor dem

Swimming-pool heraus, und Farise führte Gaunt zu einem Neben-eingang.

»Von innen versperrt – aber ich habe mich auch hier hinausge-schlichen«, murmelte er, während er die Tür aufzog. Nachdem ihm Gaunt in einen schwach beleuchteten Korridor gefolgt war, schloß er die Tür wieder und sperrte von innen ab. »Jetzt müssen wir die Nottreppe benützen, *por favor*.«

Sie gingen nach oben, wobei Farise vorauslief – so schnell, daß Gaunt fluchend zurückblieb. Einmal mußten sie unterwegs stehen-bleiben, weil sie weiter oben Stimmen vernahmen. Aber das Ge-spräch endete mit einem Kichern und einer Tür, die zugeschlagen wurde – dann lief Farise weiter hinauf.

Der Korridor vor Hannahs Zimmer war menschenleer, und sie öffnete auf das erste Klopfen. Sie trug eine Bluse und Jeans, war bar-fuß, hatte aber Zeit und Energie gefunden, um sich mitten in der Nacht das Haar zu bürsten und einen Hauch von Lippenstift aufzu-legen. Sie bat die beiden herein, dann musterte sie Gaunt von oben bis unten.

»Sie sehen aus, als ob Sie einen Drink nötig hätten.« Hannah ging in das Zimmer, wo die Bettdecke noch zurückgeschlagen war. Auf dem Nachttisch standen drei Pappbecher bereit und eingeschenkt. »Es ist hiesiger Brandy – ein Rachenputzer.«

»Verachten Sie ihn nicht«, murmelte Farise. »Wenn man ihn nicht trinken will, kann man ihn notfalls noch zum Ausgußreinigen ver-wenden.«

Sie ließen Gaunt in einen Sessel sinken.

»Nun«, sagte er, »was haben Sie gefunden?«

»Das hier.« Gaunt holte die Rechnungsformulare aus seiner Ta-sche.

»*Gracias.*« Farise nahm die beiden Blätter und zog mehr als ein-mal die Augenbrauen hoch, als er sie überprüfte. Dann gab er sie höflich an Hannah weiter. »Und die haben Sie – woher?«

»Aus dem Büro auf Webers Plantage.«

»Wo es heute abend so etwas wie eine Explosion und ein kleines Feuer gegeben haben soll. Der Guardia Civil hat man mitgeteilt, daß sich ein kleiner, unbedeutender Zwischenfall bei einem der elektri-schen Transformatoren ereignet hat«, berichtete Farise nachdenklich und schaute dabei düster drein. »Hannah hat gesagt, Sie stecken im Schlamassel, also habe ich mich erkundigt, bevor ich Sie abholte. Ist dabei jemand ums Leben gekommen?«

»Das glaube ich kaum«, antwortete Gaunt vorsichtig.

»Oder wurde jemand verletzt?« Farise seufzte, als er keine Antwort erhielt. »Hannah hatte also recht. Ein Schlamassel.« Er schenkte ihr einen seiner bewundernden Blicke. »Seien Sie froh, daß Sie hier sind.«

»Hier – wofür?« Hannah hatte die Formulare gelesen und warf sie auf ihr Bett. »Vielleicht kann mir jemand verraten, was an diesen Zetteln so wichtig sein soll.«

»Sie beweisen, daß Paul Weber ein sehr reicher Mann sein muß«, sagte Farise leise. Er wartete ein paar Sekunden und setzte dann ein seltsames, fast mitleidiges Lächeln auf. »Sie beweisen auch, daß er ein Gauner ist.«

»Wieso?«

»Fragen Sie Ihren Freund.« Farise ließ es wie eine Aufforderung an Gaunt klingen. »Wie viele von diesen verschickt er wohl?«

»Keine Ahnung.« Gaunt trank noch einen Schluck spanischen Brandys. »Zehntausend pro Aktion?«

»Das letzte Mal bin ich in Madrid auf so ein Unternehmen gestoßen«, sagte Farise. »Sie haben hunderttausend pro Aktion verschickt und mit einer zehnprozentigen Erfolgsquote gerechnet.« Er schaute Hannah an und zuckte mit den Schultern. »Auf diese Weise haben sie über eine Million Pfund Sterling ergaunert – vermutlich dreimal im Jahr.«

»Vielleicht hört ihr beide auf, so schlau zu grinsen, und sagt mir, worum es hier geht?« Ihr Unwille machte sich Luft. »Ihr zeigt mir ein paar Rechnungsvordrucke – und was dann? Soll ich vielleicht Handstand mit Überschlag machen, damit ihr mich aufklärt? Was, zum Teufel, ist das für ein Geschäft, das Weber betreibt?«

»Man nennt es Betrug«, murmelte Farise. »Er teilt einer ganzen Anzahl von größeren Firmen mit, daß sie ihm Geld schulden – und sie glauben ihm und zahlen nach Erhalt der Rechnung.«

»Das müssen Sie mir schon genauer erklären«, meinte sie ungläubig.

»Er hat recht, Hannah«, bestätigte Gaunt verständnisvoll. »Das

System ist im Grunde ganz einfach. Man erfindet einen nicht existenten Verlag, der ein ebenfalls nicht existentes, internationales Nachschlagewerk herausgibt. Dann stellt man Firmen einen gewissen Betrag in Rechnung, für den sie in dem Nachschlagewerk genannt werden.«

»Und das Geld kommt herein«, stimmte ihm Farise zu. Er wandte sich an Gaunt. »Sind Sie solchen Machenschaften schon einmal begegnet?«

Gaunt schüttelte den Kopf. »Aber ich habe davon gehört.«

»Dann haben Sie Glück gehabt, mein Freund.« Farises sonnengebräuntes Gesicht verzog sich. »Bevor ich auf die Inseln gekommen bin, damals in Madrid, war meine Abteilung beim Justizministerium schon einmal damit befaßt, und die Interpol hat uns buchstäblich nach den Füßen geschnappt.« Er ging zum Bett, nahm einen der Vordrucke und hielt ihn Hannah hin. »Was sehen Sie? Eine normale, offenbar auch respektable Firma schickt einem Kunden eine Rechung, nicht wahr?«

Sie nickte zögernd.

»Genau.« Farise sprach geduldig, als ob er einem zurückgebliebenen Schüler Nachhilfe erteilte. »Hier haben wir das internationale Annica-Telex-Verzeichnis, das vom Annica-Verlag in Barcelona gedruckt wird. Mit der Rechnung wird eine englische Firma aufgefordert, dreihundertachtzig Pfund auf das Konto der Annica zu überweisen, bei einer sehr realen und gut beleumundeten, englischen Bank. Angenommen, Sie sind der Buchhalter bei dieser englischen Firma. Angenommen, durch Ihre Hände gehen viele verschiedene Rechnungen, die täglich eingehen, dazu die Anweisungen aus dem eigenen Betrieb – und dann diese Rechung hier, von Annica, die in einem Bündel von Zahlungsaufforderungen aller Arten steckt. Sie sieht echt aus.« Er ließ eine Pause entstehen und deutete mit dem Finger auf das Formular. »Da steht sogar, daß die Zahlung innerhalb von fünfzehn Tagen eingegangen sein muß, wenn der Kunde einen Diskont von zehn Prozent in Anspruch nehmen will. Was tun Sie also, Hannah?«

»Ich würde es überprüfen«, entgegnete sie stur.

»O nein.« Farise schüttelte entschieden den Kopf. »Sie würden es überprüfen, wenn es um eine größere Summe ginge. Aber im Vergleich zu den Rechnungen, die Sie tagtäglich bezahlen, ist dies eine lächerlich kleine Summe. Sie werden sicher nicht Ihren Chef damit belästigen.«

»Sie werden sie einfach bezahlen«, bekräftigte Gaunt. »So läuft das normalerweise, Hannah.«

»Na schön.« Sie ging zu einer Kommode, nahm die Brandyflasche heraus und schenkte mit zusammengepreßten Lippen und einer keineswegs überzeugten Miene in die Pappbecher nach. »Aber wie oft gelingt so ein Schwindel?«

»Statistisch?« Farise zuckte mit den Schultern. »Da kann ich nur raten. Ich würde sagen, im Durchschnitt bei zehn bis fünfzehn Prozent – nicht schlecht, wenn man alle paar Monate hunderttausend solcher Rechnungen hinausschickt. Ein geschickter Gauner legt sich eine spezielle Kartei der Firmen an, die bereits gezahlt haben – und sie stehen jedes Jahr neu auf seinen Listen. Listen, Hannah, denn er betreibt mehr als eine dieser angeblichen Firmen, gibt mehr als ein nicht existierendes Telex-Verzeichnis heraus.«

»Und er bringt laut Rechnung jedes Jahr eine neue Ausgabe heraus«, ergänzte Gaunt. »Das erwarten seine Kunden.«

Hannah schaute die beiden verwirrt an, trank einen kräftigen Schluck Brandy und setzte sich dann auf die Bettkante.

»Das heißt, ihr sprecht von einer Goldmine«, sagte sie schließlich.

»Das Rezept, wie man Millionär wird – in jeder Währung«, stimmte Farise zu. »Jonny – wo war diese Firma, von der Sie gehört haben –, von wo aus hat sie operiert?«

»In Neuseeland.« Und Schottland, Wales und der größte Teil von Irland war mit falschen Rechnungen überflutet worden. Kein solcher Schwindler würde es jemals gewagt haben, in seinem eigenen Land Firmen auf diese Weise zu »bearbeiten«.

»Die meine hatte ihren Sitz in Belgien. Der Boß hatte einen Neffen mit dem gleichen Geschäft in Spanien. Sie arbeiteten mit Freunden in den USA zusammen.«

»Ich hätte trotzdem gern etwas genauer erfahren, wie so etwas funktioniert«, sagte Hannah entschlossen.

Farise war auf diesem Gebiet ein Experte, und Gaunt konnte mit ein paar zusätzlichen Informationen dienen. Dabei fühlte er sich im Lauf dieses Gesprächs immer schuldbewußter, weil er nicht schon viel früher darauf gekommen war. Denn die Sache war einfach. Alles, was ein solcher Betrüger brauchte, waren ein kleines Büro, ein gutes Archiv, das Geld für Porto – und Adressen. Und er brauchte einen vertrauenswürdigen Außendienstmann, der technische Journale, Listen von Handelsvereinigungen und sogar echte Adreßbücher sammelte.

Dann, wenn die Ernte ins Haus kam, verließ der Außendienstmann seine sichere Basis, hob das Geld rasch von den Konten ab, schaufelte es um und zog es aus dem Verkehr.

»Peter Fraser –«

»– war also ein verdammt guter Außendienstmann«, sagte Gaunt düster.

Aber sie war noch nicht ganz zufrieden. »Was ist, wenn sich die Firmen beschweren und zur Polizei gehen?«

»Das geschieht, auch wenn es vermutlich nur wenige sind«, sagte Farise und deutete seine Mißbilligung an. »Es kommt gelegentlich vor – aber bis dahin hat der Außendienstmann längst das Geld eingesammelt und ist über alle Berge. Die meisten Firmen, die entdecken, daß da etwas faul sein muß, zerreißen die Beweise und werfen sie in den Papierkorb. Sie haben genügend eigene Probleme und wollen nicht wegen ein paar hundert Pfund die Polizei im Haus haben.«

Gaunt saß eine Weile schweigend da. Er mußte an Peter Fraser in Schottland denken, an die zweihunderttausend Pfund, die noch auf dem Konto der Watermoor-Spinnerei lagen. Das Watermoor-Konto war sicher eine letzte Station, bevor das auf diese Weise gewaschene Geld zu Paul Weber zurückfloß.

Aber wenn Weber nicht genau wußte, wie Fraser in Schottland operierte, wenn er nach dem fehlenden Geld seit über einem Jahr suchte – ja, das konnte sehr viel erklären.

»*Por favor*«, sagte Roberto Farise leise. »Das ganze hat nur einen Haken. Ich kann gar nichts dagegen unternehmen, und auch unsere Polizei ist in gewisser Weise machtlos.«

Hannah und Gaunt starrten ihn an. Das schien ihm peinlich zu sein, und er ging eine Weile schweigend im Zimmer auf und ab, dann seufzte er.

»Bei diesen Vordrucken steht meistens eine Zeile auf der Rückseite, unter den kleingedruckten ›Geschäftsbedingungen‹. Muß ich euch sagen, wie diese Zeile lautet? Ich brauche nicht einmal nachzusehen. Sie heißt: ›Dies ist nur ein unverbindliches Angebot ohne Zahlungsverpflichtung.‹ Und das reicht – vor allem, wenn die Opfer Ausländer und keine Spanier sind.«

Gaunt schluckte. »Ist ein solches Vorgehen in diesem Fall denn legal?«

»Nach spanischem Gesetz – ja.« Farise zog die Stirn in Falten. »Es ist kein Verbrechen begangen worden – und das ist ein Beschluß der höchsten juristischen Autoritäten.«

»Dann sind eure ›höchsten Autoritäten‹ in meinen Augen Idioten«, erwiderte Hannah eisig.

»Si.« Er ging zu ihr hin, legte ihr eine Hand auf die Schulter und streichelte sie zart und gedankenabwesend. »Da stimme ich Ihnen völlig zu.«

»Und was ist mit der Auslieferung?«

»Nach Großbritannien?« Er schüttelte den Kopf. »Sie vergessen, Hannah, zwischen Ihrem Land und dem meinen gibt es keinen Auslieferungsvertrag.«

»Also kann Weber praktisch gar nichts passieren.« Gaunt kam sich vor, als ob man ihm einen Hieb in den Magen versetzt hätte. »Fragt sich nur, warum er sein Geschäft dann so im geheimen betreibt.«

»Warum?« Farise schien auf alles eine Antwort parat zu haben. »Dafür kann es verschiedene Gründe geben. Der naheliegendste ist der, daß er keine Steuern zahlen will.« Er strich wieder über seinen Schnurrbart. »Ich an seiner Stelle würde es genauso machen – ich würde die Rechnungen von einem Kurier per Koffer auf das Festland bringen und sie von dort aus versenden lassen.«

»Könnten Sie ihn nicht wegen Steuerhinterziehung festnageln?«

»Mit welchen Beweisen?« Farises Hand lag noch auf Hannahs Schulter und glitt ein bißchen nach unten. Sie schien nichts dagegen zu haben. »Jonny, es tut mir leid, aber die einzige Person, die ich verhaften lassen könnte, sind Sie. Hausfriedensbruch, Einbruch, Sachbeschädigung, Personengefährdung –«

»Und wie hoch ist die Strafe für einen Überfall auf einen Beamten des Justizministeriums?« fragte Gaunt bitter.

»Dafür bekämen Sie einen Orden.« Farise seufzte, ließ Hannah los, trat zurück und unterdrückte ein Gähnen. »Ich brauche Zeit zum Nachdenken, muß mir etwas überlegen – und vielleicht brauche ich auch Hilfe. Außerdem haben wir alle etwas Schlaf verdient. Aber das vordringlichste Problem ist, was Weber jetzt unternehmen wird.« Er schaute Hannah an. »Kann Gaunt hier schlafen?«

Sie nickte.

»Gut.« Dann grinste er Gaunt an. »Sie sind sicher in diesem Zimmer – und glücklich obendrein. Aber verlassen Sie es nicht, bevor Sie von mir gehört haben.«

»Wie lange wird das dauern?« fragte Gaunt.

»Vielleicht ein paar Stunden.« Farise ging zur Tür, drehte sich dann noch einmal um und lachte leise. »Wissen Sie, das mache ich wirklich zum ersten Mal: eine schöne Frau mitten in der Nacht allein zu lassen mit einem anderen Mann...«

Er machte die Tür auf, schlüpfte hinaus und schloß sie sachte von außen. Hannah blieb einen Moment lang sitzen, wo sie war, und schaute sonderbar drein. Dann streckte sie sich, trank den Rest des Brandys aus, der noch in ihrem Pappbecher war, und warf ihn in den Abfalleimer.

»Möchten Sie noch darüber sprechen?« fragte sie Gaunt.

Der schüttelte den Kopf.

»Gut.« Jetzt klang ihre Stimme wieder ganz geschäftlich. »Das Bett ist groß genug für zwei. Sie bleiben auf Ihrer Seite, ich bleibe auf der meinen. Eine Bewegung in meine Richtung, und Sie werden wünschen, lieber tot zu sein.«

»Hannah, ich muß Sie enttäuschen«, sagte er hölzern. »Ich bin verdammt müde. Also ziehen Sie sich schon Ihr Nachthemd an – Ihre Tugend ist keinesfalls in Gefahr.«

»Ich trage kein Nachthemd«, erwiderte sie unwillkürlich, dann errötete sie. »Aber wenn Sie das zu Hause in Edinburgh verbreiten, dann –«

Gaunt grinste sie an. Sie erwiderte es, warf sich, wie sie war, aufs Bett, und deutete auf das andere Kissen.

»Gehen Sie zum Teufel, Jonny, aber ziehen Sie zuvor die Schuhe aus.«

Dann langte sie zum Nachttisch und löschte das Licht.

Sie kamen um vier Uhr morgens, so leise, daß das erste, was Gaunt merkte, die Hand war, die sie ihm auf den Mund drückten, und der Pistolenlauf, den sie gegen sein Ohr preßten. Die Nachttischlampe wurde angeknipst, und er sah benommen, wie sich eine zweite Gestalt über Hannah beugte und sie in gleicher Weise weckte.

»*Lento* ... Ganz langsam und vorsichtig«, murmelte eine Stimme, die er nur zu gut kannte.

Dann entfernte sich die Hand von seinem Mund, aber der Pistolenlauf blieb an seinem Kopf. Gaunt setzte sich auf, und Milo Bajadas grinste ihn an.

»Sie und die Frau.« Bajadas erhob nicht die Stimme. »Sie stehen jetzt auf und tun genau das, was ich sage. Haben Sie verstanden?«

Gaunt nickte. Zögernd folgte auch Hannah dem Befehl. Der Mann, der ihr die Waffe gegen den Kopf preßte, war einer, den Gaunt noch nie gesehen hatte. Ein dritter stand dicht an der Tür, sagte kein Wort, und ein Schlüssel des Hotels baumelte in seiner Hand. Der Mann kam einen Schritt näher ins weiche Licht der Nachttischlampe. Es war John Cass; sein langes, schmales Gesicht war wie eine versteinerte Maske, aber zugleich wirkte er sehr nervös, als er sich in dem Raum umschaute.

»Was, zum Teufel, geht hier vor?« fragte Hannah mit leiser, zorniger Stimme. »Soll das eine Art Überfall sein –« Sie brach ab, als ihr der Mann mit dem Handrücken über den Mund schlug.

»Sie und die Frau stehen jetzt auf«, wiederholte Bajadas ruhig. »Sie kommen mit uns. Wenn einer von euch versucht, zu fliehen, wird der andere sofort erschossen.« Dann nahm er den Pistolenlauf von Gaunts Ohr. »Und von nun an wird kein Wort mehr gesprochen.«

Man gestattete ihnen, die Schuhe anzuziehen. Dann, jeder mit einer Pistole im Nacken, wurden Gaunt und Hannah hinausgeführt auf den schwach beleuchteten, menschenleeren Korridor und zum Aufzug.

Der Lift stand bereit, die Tür war offen. Die drei schoben sie hinein, Cass löste die Sperre der Tür, und Bajadas drückte auf den Knopf fürs Tiefparterre.

»Wir haben einen Wagen unten in der Garage«, sagte er, als die Lifttür zuglitt. »Wenn Sie irgendwelche Ideen haben im Hinblick auf das Personal des Hotels – die können Sie vergessen. Um diese Zeit hat nur der Nachtportier Dienst, und er hat sich zu einer Essenspause entschlossen.«

»Ich bewundere seine Art, sich die Arbeitszeit einzuteilen«, sagte Gaunt beiläufig. Dann schaute er Cass an, der noch immer der nervöseste von den dreien war. »Sie müssen aber auch überall die Nase drinhaben, wie?«

»Halten Sie den Mund.« Cass leckte sich die Lippen. »Ich wollte Sie schon in Edinburgh erledigen –«

»Das wäre Ihnen auch beinahe gelungen«, stimmte ihm Gaunt leidenschaftslos zu. »Und dabei haben Sie möglicherweise jemanden für den Rest seines Lebens zum Krüppel gemacht. Wie fühlt man sich, wenn man so etwas auf dem Gewissen hat?«

Cass starrte ihn an, dann blieb der Lift knarrend stehen.

Die Tür ging auf, und sie befanden sich in der Tiefgarage des Hotels. Ein grauer Seat-Kastenwagen parkte in der Nähe, die hinteren Türen standen offen.

»Warten«, sagte Bajadas. »Toni –«

Sie wurden auf die Seite des Lieferwagens getrieben, und der Mann, der Hannah bewachte, fesselte ihr die Hände mit einer dünnen Schnur auf den Rücken, dann tat er dasselbe mit Gaunt. Die Schnur war straff gespannt und schnitt ein. Bajadas grinste.

»Toni hat einen Bruder«, sagte er. »Er war heute abend als Wachmann auf der Plantage, wissen Sie. Und jetzt hinein.«

Sie wurden in den Kastenwagen getrieben, Cass und Bajadas folgten ihnen. Dann schloß der dritte die Türen von außen, und sie hörten, wie er vorn einstieg, wie der Motor angelassen wurde und der Wagen sich in Bewegung setzte.

»Wohin bringen Sie uns?« fragte Hannah angewidert.

»Nicht weit.« Bajadas saß vor ihnen mit dem Rücken zur Außenwand, die Pistole schußbereit in der Hand. »Wo wir uns bequemer unterhalten können, *si*?«

Sie fuhren nur ein paar Minuten, dann hielt der Kastenwagen an, und der Motor wurde abgestellt. Einen Moment später öffneten sich die hinteren Türen, und sie wurden hinausgestoßen.

Es war noch dunkel, sie befanden sich auf dem Pier, neben dem Ponton, an dem die *Black Bear* vertäut lag. Außer ihnen war kein

Mensch zu sehen, und die einzigen Geräusche waren das Knarren der Taue und das leise Klatschen des Wassers, aber im Cockpit der Jacht war der Widerschein eines Lichts zu sehen.

»Geht an Bord!« befahl Bajadas.

Er preßte Gaunt die Pistole in den Rücken und trieb ihn hinunter auf den Ponton. Gaunt kam an Bord der Jacht, taumelte ins Cockpit, und als Hannah ihm gefolgt war, riß John Cass die Kabinentür auf. Die Kabine war hell erleuchtet, die Vorhänge waren zugezogen – und Paul Weber stand da und erwartete sie.

Kapitel
8

Unrasiert, in einer Jeans und einem dicken Pullover, stand Paul Weber mit verschränkten Armen da, und sein großflächiges Gesicht war ausdruckslos, als Gaunt und Hannah zu ihm hinunter in die Kabine getrieben wurden. John Cass und Bajadas folgten, während der Mann, den sie Toni nannten, oben im Cockpit blieb und die Kabinentür von außen schloß.

»Da hinüber.« Weber deutete auf das Sofa auf der Steuerbordseite. Er setzte ein zufriedenes Lächeln auf, als seine zwei Gefangenen nebeneinandersaßen, dann schaute er Bajadas an.

»Hat es Schwierigkeiten gegeben?«

Bajadas schüttelte den Kopf.

»Paß gut auf sie auf.«

Danach gab er Cass einen Wink, ging mit ihm auf die entgegengesetzte Seite der Kabine, und die beiden Männer unterhielten sich mit gedämpften Stimmen. Dann kam Weber wieder herüber. Seine Augen wirkten hart und zornig, und er hatte die zerknüllten Rechnungsformulare von der Plantage in der Hand, hielt sie Gaunt unter die Nase.

»Die waren in ihrem Zimmer.« Seine Stimme klang kalt, als er auf Hannah deutete. Dann schaute er wieder Gaunt an. »Aber natürlich haben Sie sie gestohlen, oder?«

»Ja.« Es hatte wenig Sinn, das abzustreiten. Gaunt hatte die beiden Blätter neben dem Bett in Hannahs Zimmer liegengelassen.

»Aber –«

»Jetzt werden Sie mir sagen, daß die Frau nichts damit zu tun hat.« Weber schaute ihn spöttisch an. »Das können Sie sich sparen. Warum, glauben Sie, haben wir Sie so schnell gefunden? Sie arbeitet mit Ihnen zusammen, bei derselben Dienststelle... Cass hat sie heute morgen gesehen, als sie sehr überzeugend an einer Führung zu unseren Kaufobjekten teilgenommen hat. Er erinnerte sich, sie schon einmal kurz gesehen zu haben – als er Sie in Edinburgh besuchte.« Jetzt wandte er sich an Hannah und betrachtete sie mit zurückhaltender Bewunderung. »Es war sehr schlau, eine Frau herzuschicken – aber eben doch nicht schlau genug. Kein Wunder, daß Cass sich an sie erinnert hat. Die meisten Männer auf dieser Welt würden das tun.«

»Ich hatte nicht den Eindruck, daß er besonders interessiert war«, warf Hannah ein.

John Cass machte einen halben Schritt auf sie zu und schaute sie wütend an, aber Weber lachte leise und winkte ihn zurück, während Bajadas ein wissendes Grinsen zu unterdrücken versuchte.

»Das sind nur ein paar Höflichkeitsfloskeln als Einleitung«, fuhr Weber fort und richtete dann wieder die Aufmerksamkeit auf Gaunt. »Ich habe den Fehler gemacht, Sie und Ihre Leute zu unterschätzen. Als Sie in Teneriffa ankamen, dachte ich noch, das heißt, ich hoffte...« Er zuckte mit den Schultern. »Leider habe ich mich getäuscht.«

»So etwas kommt vor.« Gaunt wählte seine Worte sehr sorgfältig. Sein Instinkt sagte ihm, daß die einzige Hoffnung für ihn und Hannah darin bestand, Zeit zu gewinnen, den Chef der Hispan nach und nach das meiste wissen zu lassen, was er hören wollte, und sich an die geringe Chance zu klammern, Roberto Farise würde irgendwann und auf irgendeine wunderbare Weise hier auftauchen. »Es sieht so aus, als hätten auch wir Fehler gemacht.«

»*Si.*« Weber atmete schwer. »Ich will wissen, wodurch Ihre Abteilung überhaupt Verdacht geschöpft hat, und weshalb Sie hierher geflogen sind.«

»Erstens: Ihre angeheuerten Schläger haben sich sehr ungeschickt verhalten – zu viel Muskeln, zu wenig Hirn.« Dabei schaute Gaunt John Cass scharf an, der sich in Schweigen hüllte. »Dann – na ja, sagen wir, wir haben Glück gehabt. Wir sind auf ein Bankkonto gestoßen, von dem wir bis dahin nichts gewußt hatten, ein Bankkonto mit sehr viel Geld.« Er zuckte mit den Schultern. »Wenn man soviel Geld findet, ist meistens etwas faul.«

»Ich verstehe.« Es klang wie ein Seufzer. Dann fragte er plötzlich in scharfem Ton: »Was wissen Sie über dieses Boot?«

»Gar nichts.« Gaunt schaute ihn fragend an. »Was gibt es denn darüber zu wissen?«

»Milo«, sagte Weber leise.

Und Bajadas schlug Gaunt den Pistolenkolben gegen den Schädel. Durch den Schlag kam Gaunt ins Wanken und stieß mit Hannah zusammen. Benommen zwang er sich, wieder aufrecht zu sitzen, und sah, wie Bajadas mit der Waffe zum nächsten Schlag ausholte.

»Er sagt die Wahrheit«, erklärte Hannah verzweifelt. »Sie wollten das verdammte Boot kaufen. Das war für uns ein Grund, hierher zu fliegen.«

Weber schaute erst sie, dann Bajadas an. Er schüttelte leicht den Kopf, und Bajadas senkte die Waffe.

»Danke.« Seine Höflichkeit triefte von Spott. »Sie kamen also hierher, und dann, heute abend – wie sind Sie eigentlich aus dem Apartment entwischt, Gaunt?«

»Durch die Hintertür, sozusagen. Es gibt da ein Fenster in der Küche.«

Weber zuckte zusammen. »Das hätte ich bedenken müssen. Und hatten Sie Hilfe, abgesehen von dieser Frau?«

Gaunt zuckte wieder mit den Schultern. »Eine mittlere Polizeieinheit, sonst nichts.«

»Er lügt«, zischte Cass.

»Er hat nur Sinn für Humor«, meinte Weber leichthin. Dann lehnte er sich gegen den Mast in der Mitte der Kabine. »Wissen Sie, Gaunt, mit Geld kann man sich fast alles kaufen. Wenn Sie die Guardia Civil um Hilfe gebeten hätten, dann, glaube ich, hätte ich es erfahren.« Sein Ton wurde wieder schärfer. »Man hat zwei Männer auf der Plantage gesehen. Sie waren der eine – und wer war der andere?«

»Muß es denn ein anderer *Mann* gewesen sein?« fragte Hannah mit Nachdruck.

Weber blinzelte. »Also gut, meinetwegen zwei Leute.« Er machte eine spöttische, angedeutete Verbeugung zu Hannah. »*Gracias.*«

»Immerhin gibt es eine Reihe von Leuten, die wissen, daß wir hier in Puerto Tellas sind«, erinnerte ihn Gaunt. Der Strick schnitt seine Handgelenke ein und schien immer straffer zu werden, obwohl er versuchte, die Spannung zu vermindern. »Das ist Ihnen doch klar, oder?«

»Da haben Sie recht«, räumte Weber ein. Dann meinte er beinahe mit Bedauern: »Aber wenn ich mich nicht sehr irre, haben Sie bis heute nacht, das heißt, bis zu Ihrem Auftritt im Büro der Plantage, nicht gewußt, was hier vor sich geht.«

»Jetzt wissen wir es«, sagte Gaunt.

»*Si*, und eben das ist das Problem.« Weber hatte es nicht eilig. Die Hände in den Jeanstaschen, schaute er mit gefurchter Stirn zu Boden. »Als Peter Fraser starb, haben die Schwierigkeiten angefangen. Er war fast so etwas wie mein Partner, ihm konnte ich vertrauen –«, sein Blick richtete sich kurz auf Cass, »– trotz allem, was andere darüber dachten. Mag sein, daß er sich hier und da ein paar Prozent abgezweigt hat, aber das war ja gar nicht so wichtig. Einer seiner wenigen Fehler bestand darin, daß er keinem traute – nicht einmal mir.«

»Nicht einmal Ihnen?« fragte Hannah erstaunt.

»Jawohl.«

»Also wußten Sie nicht, wie die Geldwäsche funktionierte?«

»Ich wußte nur, daß wir kurz vor seinem Tod eine erfolgreiche Operation in Südengland und Holland durchgeführt hatten – und daß er noch das Geld eingesammelt hatte. Wir haben versucht, es zu finden – haben es mit allen Mitteln versucht.« Weber schüttelte den Kopf. »Wirklich mit allen Mitteln.«

»Ich weiß«, erwiderte Gaunt. »Mit den extremsten.«

Weber ignorierte Gaunts Einwurf. Bajadas schien das alles zu langweilen. John Cass wirkte immer noch sehr nervös, als wünsche er sich, daß die Sache endlich erledigt werde.

»Ich habe mit Fraser hier auf dieser Jacht gesessen, als er das letzte Mal nach Teneriffa kam.« Weber schaute Gaunt scharf an. »Er war betrunken, wir haben gestritten, und er drohte mir, wenn ihm irgend etwas zustieße, würde ich es zu bereuen haben. Er faselte etwas davon, daß das Schiff der Schlüssel sei.« Nach einer Pause fuhr er fort: »Am Tag danach war alles wieder eitel Sonne und dicke Freundschaft – aber ich habe es nicht vergessen.«

»Da kann ich Ihnen auch nicht helfen. Vielleicht war es der Alkohol, der aus ihm gesprochen hat«, sagte Gaunt.

»Ich habe gesucht und nichts gefunden. Dann entschied ich mich, das Boot loszuwerden – aber ohne Aufsehen. Es zu kaufen, war die einfachste Methode.« Weber schaute sich angewidert in der Kabine um. »Doch jetzt ist mir, glaube ich, etwas noch Besseres eingefallen.«

»Meinetwegen, aber lassen Sie uns dabei aus dem Spiel«, sagte Hannah angriffslustig. »Das britische Gesetz kann Ihnen hier nichts anhaben, das wissen Sie ja sicher. Aber welche Strafen stehen in Spanien auf Entführung und Körperverletzung?«

»Paul, ich glaube fast, die meint, du würdest sie laufenlassen«, murmelte Bajadas und kicherte. »Senorita North, das Problem besteht darin, daß Sie und Ihr Freund zu einem recht ungünstigen Zeitpunkt hier eingetroffen sind.«

»Ungünstig? Er hätte noch viel ungünstiger sein können.« Jetzt richtete Hannah den Blick auf Cass, der an seiner Unterlippe kaute. »Sagen Sie es ihm. Oder haben Sie vor Angst schon in die Hosen gemacht?«

»Halten Sie den Mund.« Cass ging zu ihr hin, faßte mit beiden Händen in ihr Haar und zerrte daran. »Sie halten den Mund, klar?«

Daraufhin stieß sie ihm mit dem Fuß heftig in den Bauch. Keuchend schwang Cass die Fäuste, und Gaunt sprang auf, versuchte sich dazwischenzuwerfen. Er blockte den ersten Hieb mit der Schulter ab, dann starrte Hannah mit weit aufgerissenen Augen an ihm vorbei. Gaunt wollte sich umdrehen, und im nächsten Moment krachte Bajadas' Pistolenkolben gegen seinen Hinterkopf.

Er fühlte eine Explosion von Schmerzen und hörte, wie Hannah laut aufschrie. Dann begann sich die Kabine zu drehen, und er stürzte wie in einen dunklen Abgrund.

Zuerst dachte er, es sei wieder einmal einer seiner Alpträume. Er konnte sich nicht bewegen, sein Kopf schmerzte, und das einzige, was er darüber hinaus wahrnahm, war eine ständige Vibration, die durch seinen Körper lief, und ein tiefes Brummen im Hintergrund.

Er wußte nicht, woher das stammte, und auch nicht, ob er sich darum kümmern sollte.

Aber nach und nach kehrten seine Sinne zurück. Er befand sich in der Kabine, er war allein, und er lag auf dem Kabinenboden, gegen den Mast gelehnt. Seine Hände waren noch hinter dem Rücken zusammengebunden, aber zusätzlich war er nun auch noch mit einem Strick an den Mast gefesselt.

Die *Black Bear* schien Fahrt zu machen. Das Brummen und die Vibrationen stammten von ihrem Dieselmotor, der mit kleiner Kraft drehte. Unfähig, irgend etwas tun zu können, lag Gaunt da und versuchte, wenigstens Ordnung in die Gedanken und Sinne zu bringen.

Wo, zum Teufel, war Hannah, und was geschah mit der Jacht? Als wolle es wenigstens einen Teil seiner Fragen beantworten, begann das Boot leicht zu schlingern, was bedeutete, daß es sich außerhalb des Jachthafens und der Bucht befinden mußte, und dann ließ das Brummen des Motors nach, war zuletzt nur noch ein schwaches Tuckern.

Minuten später öffnete jemand die Kabinentür. Er sah das graue Licht des frühen Tages, dann wurde Hannah zu ihm heruntergestoßen. Milo Bajadas war hinter ihr.

»Na, wieder bei uns?« Bajadas schubste Hannah, deren Hände noch gefesselt waren, beiseite; dann stieß er mit dem Fuß nach Gaunt.

Gaunt verfluchte ihn. Bajadas grinste, dann richtete er seine Aufmerksamkeit auf Hannah. Er berührte sie in einer Weise, die sie blaß vor Wut werden ließ, zwang sie, sich niederzuknien und stieß sie dann nach hinten. Sie landete hart, unterdrückte einen Aufschrei und schien aufzugeben. Sie kämpfte nicht mehr, protestierte auch nicht, als Bajadas, dessen langes, schwarzes Haar über ihre Beine strich, ihre Fußknöchel mit einem Stück Seil fesselte und das lose Ende um eine Stahlhalterung wand.

»So machen wir das mit Pferden – und mit allem, was um sich schlägt«, sagte er und erhob sich wieder. »Aber ihr sollt etwas Licht haben, damit ihr euch wohler fühlt, okay?«

Er ging in der Kabine hin und her und zog die Vorhänge beiseite. Graues Licht drang herein, und die ersten roten Strahlen des Sonnenaufgangs waren zu sehen. Bajadas schaute sich noch einmal um, dann ging er hinauf ins Cockpit und knallte die Kabinentür zu.

»Hannah«, sagte Gaunt leise.

Sie versuchte sich umzudrehen. Gaunt zuckte zusammen, als er den roten Fleck sah, der dicht unter ihrem rechten Auge begann und sich fast über die ganze Wange ausbreitete.

»Wer hat das getan?« fragte er. »Cass?«

»Nein.« Sie schaute hinauf zum Cockpit. »Der da. Und was ist mit Ihnen?«

»Ich brauche dringend einen neuen Kopf.« Er wartete und sah zu, wie sie versuchte, sich etwas aufzusetzen. Das Boot schlingerte immer noch ein wenig, und sie machten Fahrt, wenn auch langsam. »Was geht da eigentlich vor? Wo ist Weber?«

»Der ist mit Cass von Bord gegangen.« Hannah versuchte, ein wenig näher zu ihm hinzurutschen, aber der Strick um ihre Fußknöchel vereitelte ihre Bemühungen. »Sie waren eine Weile weggetreten, Jonny. Ich dachte schon, Sie sind tot – wenigstens zuerst.« Sie atmete tief ein und stieß die Luft dann in einem Seufzer aus. »Momentan fahren wir vor Puerto Tellas auf und ab. Anscheinend wollen sie Zuschauer haben.«

Verblüfft schaute Gaunt sie an.

»Aber warum?«

»Weil Sie und ich mit der *Black Bear* eine Vergnügungsfahrt unternehmen.« Hannahs Stimme klang ausdruckslos und zugleich sehr beherrscht. »Und das, nachdem wir eine wilde Nacht in meinem Zimmer im Hotel Agosto hinter uns haben. Sie haben mich hinuntergebracht zu der Jacht, und wir sind den Rest der Nacht an Bord gewesen – warum nicht? Sie sind schließlich der Repräsentant der Besitzer. Dann haben wir entdeckt, daß der Motor funktioniert, und wir sind ein bißchen hinausgefahren.« Sie sah, daß Gaunt ihr nicht glauben wollte. »So soll es aussehen, Jonny. Ich nehme nämlich an, daß einige von den Leuten auf den anderen Jachten gesehen haben, wie wir hinausgefahren sind. Ich habe im Cockpit gesessen, habe gelacht, und dieser Dreckskerl hat mir seine Pistole in den Nabel gerammt.«

Gaunt schloß einen Augenblick lang die Lider; sein Kopf begann erneut zu schmerzen.

»Und was soll danach geschehen?« fragte er resignierend.

»Der andere, den sie Toni nennen, kann gut mit einem Boot umgehen. Er steht im Cockpit und bedient die Jacht. Nach einiger Zeit fahren wir die Küste entlang nach Süden. Dort gibt es eine Bucht, wo das Wasser sehr tief ist. Ein zweites Boot wird das unsere dort treffen – denn das Beiboot dieser Jacht ist in sehr schlechtem Zustand.«

»Und dann versenken sie die *Black Bear*.« Gaunt wunderte sich, wie leicht es war, das alles ohne Emotionen zu denken und auszusprechen. »Und was geschieht mit uns?«

»Ich wollte, ich wüßte es.« Hannah sagte es sehr leise. Einen Moment lang betrachtete sie den Sonnenaufgang durch das mit Wassertropfen benetzte Fenster. »Ich habe nur einen Teil davon mitbekommen. Aber ich weiß Bescheid über Weber und Cass. Wir sind wirklich im ungünstigsten Moment hergekommen. Er hat wieder mal einen größeren Postversand vorbereitet, und deshalb ist Cass auch hier. Er bringt die Rechnungen als sein persönliches Gepäck aufs Festland, heute mittag, mit einer Linienmaschine.«

»Und Weber begleitet ihn?«

»Mindestens bis zum Flugplatz.« Sie deutete dann mit dem Kopf in Richtung auf den Bug. »Sie haben mich dort hineingehievt. Es war nicht einfach.«

Die Tür zum Cockpit wurde geöffnet, Milo Bajadas streckte seinen Kopf herein und schaute zu ihnen herunter. Zufrieden zog er sich wieder zurück und knallte die Tür zu. Die Jacht beschrieb eine langsame Wende, fuhr dann weiter auf neuem Kurs, wobei der Sonnenaufgang jetzt auf der Backbord- statt wie zuvor auf der Steuerbordseite zu sehen war.

»Um an Land aufzufallen«, bemerkte Hannah tonlos.

Gaunt nickte.

Er fühlte sich elend und hilflos in einer Weise, die nichts mit seinen Kopfschmerzen zu tun hatte. Aber es mußte etwas geben, was er tun konnte, jetzt oder später, wann immer sich eine Chance dafür bot. Falls es eine solche Chance geben würde, sagte er sich grimmig. Sobald er sich bewegte, drückte der Strick um seine Brust auf die gebrochene Rippe. Und so, wie seine Hände festgebunden waren, war jeder Befreiungsversuch sinnlos.

Hannah hatte mühsam versucht, sich umzudrehen. Er sah zu, wie sie kämpfte, schließlich Erfolg hatte, sich dann zurücklehnte und dabei ihre Hand auf die eine Couch stützte. Henry Falconer wäre stolz auf sie gewesen.

Er hätte es beinahe laut gesagt, überlegte es sich dann jedoch anders.

Es kam zuletzt nur darauf an, was Paul Weber mit ihnen vorhatte. Für die allernächste Zeit war das vorherzusehen – er und Hannah dienten ihm als Geiseln, falls irgend etwas schiefging. Aber danach – Gaunt schürzte die Lippen bei dem Gedanken. Danach waren sie für Weber eine Belastung, nichts weiter. Eine Belastung, derer man sich entledigen mußte.

Und selbst das war noch eine sehr positive Deutung ihrer Situation. Er und Hannah hatten nur eine einzige Trumpfkarte im Spiel, und das war Roberto Farise. Vielleicht hätten sie diese Karte schon früher ausspielen sollen, vielleicht war es auch dazu längst zu spät.

»Hannah.«

Er sagte leise ihren Namen und wartete, bis sie aufblickte. »Wir haben immer noch Bobi, oder?«

»Ja.« Eine vage Hoffnung flackerte in ihren Augen. »Beinahe hätte ich es ihnen gesagt. Ich wollte es, aber dann –«

Sie brach ab. Der Dieselmotor der *Black Bear* drehte jetzt schneller, nicht schlagartig, sondern nach und nach, zielbewußt. Dann begann das Boot wieder den Kurs zu ändern. Gaunt reckte den Hals und zog sich so weit hoch, wie er konnte. Dabei versuchte er, die Sonne zu sehen. Jetzt fuhren sie fast direkt in Richtung Westen, ließen die Bucht hinter sich.

Für eventuelle Zuschauer an Land rundete sich das Bild ab. Die Jacht, die von zwei Landratten zu einem törichten Abenteuer benutzt wurde, war zuletzt gesehen worden, als sie aufs offene Meer hinausfuhr. Sie sollte verschwinden, zumindest für die Leute von Puerto Tellas. Weiter draußen konnte sie immer wenden und zu der Stelle weiter unten an der Küste fahren, wo der Treffpunkt mit Paul Webers Leuten vorbereitet war.

Das Rollen der Jacht verstärkte sich, und Sprühwasser spritzte auf das Kabinendach, während der 30-PS-Dieselmotor volles Tempo machte und die Jacht hinausbrauste auf den offenen Atlantik. Als

Bajadas das nächstemal die Kabinentür öffnete, um nach den Gefangenen zu sehen, war sein Gesicht ziemlich grau, und er schaute unglücklich drein, während Gaunt hinter ihm Wellen mit weißen Kämmen sehen konnte und den anderen Mann, der ungerührt am Ruder stand.

Etwa eine Stunde verging, dann änderte die *Black Bear* erneut den Kurs und fuhr nun in Richtung Südosten, wieder auf die Insel zu.

Hannah hatte mit gesenktem Kopf dagesessen, die abgewinkelten Beine unter sich, den Oberkörper gegen das Sofa gelehnt. Eine Weile ließ Gaunt sie ungestört und hörte, wie sie gelegentlich leise murmelte oder einen Fluch ausstieß.

»Darf man beim Fluchen mitmachen?« fragte er.

Sie seufzte, drehte sich herum und zeigte ihm, was sie tat. Der kleine Ring am Zeigefinger ihrer rechten Hand hatte einen blauen Stein in einer Klauenfassung, und sie benützte ihn als ein Messer zum Zerfasern des Seils, mit dem ihre Füße gefesselt waren.

»Es ist besser, als dazusitzen und gar nichts zu tun«, erklärte sie und versuchte zu lächeln. »Ich hätte meine Brillanten tragen sollen, die schneiden noch besser.«

»Merken Sie es sich fürs nächste Mal«, riet Gaunt ihr scherzhaft.

Sie verzog das Gesicht und schaute sich in der Kabine um.

»Zu jeder anderen Zeit hätte ich gesagt, es war wirklich ein schönes Boot«, erklärte sie gedankenverloren. »Die letzte Fahrt der *Black Bear* – es ist wirklich schade.«

»Das kann man sagen.« Ein Gedanke, der Gaunt angesichts dessen, was sie bedrängte, nicht wichtig vorkam, aber er fühlte, daß sie es wirklich meinte. »Kennen Sie sich mit Booten aus?«

»Ein wenig. Ich war einmal mit jemandem befreundet, vor Jahren...« Was es auch für eine Erinnerung sein mochte, sie verbannte sie rasch wieder aus den Gedanken. »Zurück an die Arbeit.«

Dann drehte sie sich um und setzte verbissen ihren Befreiungsversuch fort.

Bajadas kam längere Zeit nicht mehr herunter, um nachzusehen. Als er dann auftauchte, hatte die Jacht schon wieder den Kurs gewechselt, und die See schien ruhiger geworden zu sein. Er kam in die Kabine, warf einen Blick auf die beiden, brummte etwas und kehrte dann ins Cockpit zurück. Kurz nachdem er die Tür geschlossen hatte, konnte Gaunt bei einer heftigen Bewegung der Jacht durch das Fenster Land sehen. Sie befanden sich im Windschutz einer langgestreckten, felsigen Landzunge, fuhren offenbar parallel dazu.

Plötzlich stieß Hannah einen unterdrückten Triumphlaut aus. Er schaute hinüber und sah gerade noch, wie sie sich mit den Ellbogen vom Boden abstieß, einen Moment dastand, das zerschnittene, aufgefaserte Seil zu ihren Füßen, und sich dann auf die Couch sinken ließ. Er schaute sie rasch und warnend an.

»Vorsichtig.«

Sie nickte, bewegte erleichtert die Füße, wartete, bis das Blut wieder zirkulierte, und zuckte zusammen, weil das kribbelte und schmerzte. Nach ein paar Minuten stand sie auf, mußte sonderbar balancieren mit den am Rücken zusammengebundenen Händen, und kam zu ihm herüber.

»Versuchen Sie es«, forderte sie ihn auf und kniete sich neben ihn.

Es gelang Gaunt, den Knoten der Schnur zu berühren, mit der ihre Handgelenke zusammengebunden waren. Aber er hatte kein Gefühl in den Fingern, keine Kraft. Er gab es auf, und Hannah versuchte es bei ihm, mußte blind an den Knoten zerren, fluchte leise und schien ebensowenig Erfolg zu haben wie er.

»Ich schaffe es nicht.« Sie schüttelte den Kopf, hörte auf, hielt den Atem an und erstarrte, als sich der Ton des Dieselmotors veränderte, das Stampfen lauter wurde.

»Schauen Sie raus«, schlug Gaunt vor.

Hannah nickte, stand auf, blickte aus dem nächsten Kabinenfenster, ließ sich dann wieder neben ihm nieder.

»Wir wenden und fahren in eine Bucht. Man sieht nichts außer Klippen und Felsen.«

Also waren sie am Ziel. Gaunt lauschte auf das Geräusch des Dieselmotors, bis es nur noch ein Murmeln war. Jetzt konnte auch er die Spitzen der Klippen auf beiden Seiten des Bootes sehen, das noch immer langsam dahinglitt.

»Schauen Sie noch einmal nach draußen«, bat er sie dann.

Sie tat es, stand eine Weile da und starrte nur hinaus, dann kehrte sie zurück, setzte sich neben ihn und sagte mit leiser Stimme: »Es ist genau so, wie sie sagten. Von der Küste kommt ein kleines Boot auf uns zu.« Ihre Blicke trafen sich mit den seinen, und Gaunt wußte, wie sehr sie sich bemühte, nicht die Beherrschung zu verlieren. »Jonny, und wenn ich jetzt sage, daß ich Angst habe?«

»Dann sind Sie nicht die einzige hier.«

Der Motor verstummte, die Jacht begann zu treiben, und sie hörten das leise Tuckern des anderen Motors, als sich das Boot näherte. Bajadas brüllte etwas vom Cockpit aus, eine Stimme antwortete, und Hannah kauerte wieder auf dem Boden neben der Koje, als die Kabinentür aufging.

Statt Bajadas kam jetzt Toni herunter, blieb einen Moment stehen. Er war ein kleiner Kerl und schmächtig gebaut, mit dunklem Teint und dem Gesichtsausdruck eines Mannes mit harten Augen ohne sonderliche Intelligenz. Er hatte eine Pistole in seinem Gürtel stecken und schaute die beiden kaum an, als er nach hinten ging, durch den Niedergang auf die Motorkammer zu. Gleich danach vernahmen sie ein Hämmern, Metall gegen Metall. Als es aufhörte, kam Toni zurück, grinste Hannah frech an und ging wieder die Treppe hinauf zum Cockpit.

Jetzt war neben dem Tuckern des herankommenden Bootes ein weiteres Geräusch zu hören: ein Gurgeln und Plätschern, welches Gaunt das Blut in den Adern erstarren ließ. Er warf einen Blick auf Hannah, und sie begriff. Der Mann hatte den Ansaugstutzen, durch den das Wasser für die Kühlung des Dieselmotors gepumpt wurde, zerschlagen oder herausgerissen, und durch die Öffnung drang Meerwasser herein.

Es würde einige Zeit dauern, bis die *Black Bear* sank, aber nichts konnte sie jetzt noch davor retten.

Der Mann hatte die Kabinentür nicht geschlossen; Gaunt konnte die blaue Wasseroberfläche erkennen, wenn er sich gegen den Strick auflehnte, mit dem er an den Mast gefesselt war. Dann kam unerwarteterweise Milo Bajadas herein. Er blieb stehen, rammte die Hände in die Hüften und lachte.

»*Que pasa?* Wollt ihr nicht mit uns kommen?« Es schien ihn sehr zu amüsieren, und er nahm ein Messer aus der Tasche und schnitt das Seil durch, mit dem Gaunt an den Mast gefesselt war. Dann näherte er sich Hannah, stieß ein leises, überraschtes Pfeifen aus, als er sah, daß ihre Füße frei waren, und zog die Pistole. »Also gut, raus mit euch beiden. Die Frau zuerst.«

Hannah ging die paar Treppen nach oben, erreichte das Cockpit und wurde dort von Toni übernommen, der sie über das Deck trieb.

»Und jetzt Sie.« Bajadas warf nervös einen Blick auf das Wasser, das sich vom Achterdeck in der Kabine auszubreiten begann, stieß Gaunt hoch und schubste ihn auf die Treppe zu. »Los, vorwärts, Bewegung.«

Gaunt gehorchte, stolperte hinauf ins Cockpit. Gegen die hohen, nackten Felsen schlug die Brandung, und das Boot, das neben dem Rumpf der *Black Bear* schaukelte, war ein kleines, altes Fischerboot mit Außenbordmotor.

Er entfernte sich noch einen Schritt vom Kabinengang, dann bemerkte er, daß Bajadas' dunkelhäutiger Kumpel noch an Deck war und seltsam unsicher hinunterschaute auf das Fischerboot. An Bord befanden sich zwei Gestalten: ein Mann, der am Bug saß, mit dem Rücken zu ihnen, und der andere, eine kleine Gestalt in einem weiten Overall und mit einem Schlapphut auf dem Kopf, der das Ruder hielt. Zwischen den beiden lag ein Haufen alter Persenning.

»*Hola.*« Toni erstarrte und brüllte: »Moment mal –«

Er versuchte, nach seiner Pistole zu greifen.

Der Mann am Ruder drehte den Außenbordmotor voll auf; die Maschine stieß eine blaue Wolke aus, und das Fischerboot krachte gegen das Heck der Jacht. Zugleich sprang der Mann, der am Bug des Fischerboots gesessen hatte, herüber zu ihnen. Es war Miguel Reales, und die Flinte, die er in der Hand hatte, beschrieb einen kurzen, gefährlichen Bogen in der Luft, bevor der Kolben auf den Pistolenarm des dunkelhäutigen Gegners geschmettert wurde. Man hörte das Splittern von Knochen. Toni stieß einen Schrei aus.

Die kleine Gestalt am Heck des Fischerboots gab jetzt einen kurzen, zirpenden Pfeiflaut von sich. Daraufhin erwachte der Haufen Persenning zum Leben, und eine schlanke, braune, vierbeinige Gestalt war mit einem einzigen Satz an Bord der Jacht, gerade als Bajadas durch den Kabinengang heraufkam ins Cockpit.

Die Augen weit aufgerissen vor Entsetzen, feuerte Bajadas die Pistole ab, die er in der Hand hielt. Der Schuß durchbohrte das linke Ohr des Hundes, dann machte das Tier einen zweiten Satz, riß Bajadas um, und die Kiefer schlossen sich um die Schulter des Mannes, schüttelten ihn dann hin und her wie eine Puppe.

Ein zweiter Zirplaut kam vom Fischerboot herüber. Knurrend ließ Oro von seiner Beute ab, blieb aber, wo er war, die Zähne gefletscht und keine zehn Zentimeter vom Gesicht Bajadas' entfernt, dem die Pistole aus der Hand gefallen war. Gaunt stieß sie zur Seite, dann schaute er völlig verblüfft auf das Fischerboot, als die kleine Gestalt am Heck den Schlapphut vom Kopf riß und zu ihm heraufgrinste.

»Marta –« Er mußte erst einmal schlucken, dann schaute er das Deck entlang. Der andere Mann kauerte am Boden; sein unverletzt gebliebener Arm zitterte, als er ihn zum Zeichen der Kapitulation über den Kopf hielt, und Miguel befreite Hannah mit dem Messer von ihren Fesseln.

Sekunden später wurde auch Gaunt befreit. Als die Fesseln gefallen waren, schlug ihm Miguel die Hand auf den Rücken und wandte sich dann dem Fischerboot zu. »Okay, Kleine?« fragte er.

»Si.« Mit dem Außenbordmotor hielt sie das Dingi neben dem Rumpf der Jacht. »Hola, Jonny, alles in Ordnung?«

»Jetzt ja.« Er hatte momentan Schwierigkeiten, auch nur einen einzigen klaren Gedanken zu fassen. Dann war Hannah neben ihm und schaute ebenso benommen drein. Er legte ihr einen Arm um die Schultern, hielt sie fest und fühlte, wie ein Zittern der Erleichterung durch ihren Körper lief.

»Jonny.« Marta rief zu ihm herauf. »Sieht so aus, als ob die Jacht sinkt. Ihr dürft keine Zeit vergeuden.«

Sie hatte recht. Die *Black Bear* lag bereits merklich tiefer im Wasser und begann sich nach Steuerbord zu neigen.

Miguel hatte Bajadas' Pistole an sich genommen. Erst halfen sie Hannah hinunter in das Fischerboot, dann zwangen sie Toni, zu folgen und sich an den Bug zu setzen. Als nächster war Gaunt dran und dann, stöhnend und auf Händen und Knien kriechend, während er heftig an der Schulter blutete, Bajadas, dem Miguel folgte.

Danach stieß Marta wieder ihr zirpendes Pfeifen aus, und Oro bellte einmal, sprang zuletzt ebenfalls in das Dingi. Das Mädchen bewegte das Ruder, drehte den Gasgriff des Außenbordmotors auf, und sie entfernten sich von der Jacht.

Die *Black Bear* starb langsam und zögernd, senkte sich nach und nach, bis das Deck unter Wasser stand. Das Ende war ein schäumendes Sprudeln an der Wasseroberfläche und ein Sog mit Blasen, der nach Sekunden in der leichten Dünung verschwunden war.

Gaunt sah, daß Marta Tränen in den Augen hatte. Er streckte den Arm aus, faßte nach ihrer Hand und schaute dann Miguel an.

»Ist es tief genug hier?«

»Sehr tief.« Miguel deutete mit einer Hand einen Abgrund an. »Wir nennen die Bucht El Diablo Gris – der graue Teufel.« Dann warf er einen düsteren Blick auf die beiden Gefangenen. Sie konnten ihre Blicke nicht von dem großen, dunkelbraunen Hund wenden, der sie scharf beobachtete und dabei leise knurrte. »Sie haben die Stelle gut gewählt – selbst Fischer vermeiden diese Bucht.« Er sah die Frage, die sich auf Gaunts Lippen formen wollte. »*Si*. Haben wir. Aber ich schlage vor, wir gehen erst einmal an Land. Okay, Kleines?«

Marta drehte wieder den Gasgriff ganz auf, und das Fischerboot glitt auf das Land zu.

Weit im Inneren der engen Bucht gab es eine versteckte Durchfahrt zwischen den Klippen und dahinter einen kleinen Kiesstrand. Dort lief das Fischerboot auf Grund auf, sie sprangen an Land, und Oro bewachte die beiden verletzten und offensichtlich zutiefst entmutigten Gefangenen. Oberhalb des Strandes begann ein Fußweg, an dessen Ende zwischen den Felsen ein Ford-Transporter parkte. Der Wagen stand etwas schief da, und in seinen vier Reifen fehlte die Luft.

»Da sind noch zwei für die Sammlung, Señor Gaunt.« Miguel Reales deutete mit dem Daumen unter die Ladefläche des Transporters. An Händen und Füßen gefesselt, lagen dort zwei Männer in Overalls auf dem Rücken, wirkten betäubt und machten düstere Mienen. »Wir haben sie natürlich erst das Boot abladen und hinunterschleppen lassen zum Wasser. Dann bin ich mit dem Hund gekommen, habe einfach *por favor* gesagt – und sie haben alles getan, was ich von ihnen verlangte.«

»Das glaube ich gern.« Gaunt massierte sich die Handgelenke, um die Blutzirkulation wieder in Gang zu bringen. Inzwischen begann Gaunt zu begreifen, was da wirklich geschehen war. »Und wo ist Ihr Vater? Wie geht es ihm?«

»Unser Freund, der *medico*, hat ihm eine Kugel aus dem Arm

operiert.« Miguel lächelte, als er daran dachte. »Er hat gebrüllt wie ein Bulle, aber es war nur eine Fleischwunde. Ich mußte Gewalt anwenden, um zu verhindern, daß er mit uns gekommen ist – er braucht noch etwas Ruhe, verstehen Sie.«

»Die soll er haben.« Gaunt atmete tief ein. »Und woher haben Sie gewußt, daß wir Sie hier so dringend brauchen?«

»Fragen Sie die Kleine.« Miguel deutete mit dem Kopf in Richtung auf Marta. »Ich habe nur das getan, was sie sagte.«

Marta hatte sich gegen einen Felsblock gelehnt, und Hannah saß neben ihr. Der Bluterguß auf Hannahs Wange hatte sich inzwischen dunkelblau verfärbt. Hannah sah müde und erschöpft aus, lächelte aber, als sie zu ihr hinübergingen.

»Erzähl es ihnen, Kleine«, bat Miguel. Er schaute von Zeit zu Zeit hinunter zum Strand, wo Oro die ehemalige Crew der *Black Bear* aufmerksam bewachte. »Es ist deine Geschichte.«

Marta zog die Stirn in Falten und schaute besorgt drein. Sie hatte sich den alten Overall ausgezogen, den sie über ihrer Shorts und der Bluse getragen hatte, und Gaunt sah, daß sie immer noch den goldenen Anhänger an der Goldkette trug, den ihr Peter Fraser geschenkt hatte.

»Sagen Sie mir erst, was mit Paul geschieht.« Ihr junges Gesicht wirkte sehr ernst. »Jonny, ich weiß, was er Ihnen und Ihrer Freundin antun wollte. Aber –«

»Er ist ihr Halbbruder, ein Blutsverwandter«, bemerkte Hannah leise und verständnisvoll. »Aber, weißt du, Marta, manchmal muß man sich entscheiden. Das Leben ist nun einmal so und nicht anders.«

Marta schaute Hannah dankbar an und nickte.

»Es war heute morgen – ziemlich früh, bei Sonnenaufgang. Oro hat mich geweckt; er schläft bei mir im Zimmer. Er hat geknurrt. Ich hörte Stimmen, also bin ich aufgestanden und habe mich angezogen. Es waren Paul und dieser Mann, Cass. Sie haben geredet, und Pauls Stimme klang zornig.«

»Also hast du gelauscht?«

»*Si.*« Sie nickte ein wenig schuldbewußt. »Sie haben über Sie gesprochen, Jonny, und darüber, daß sie die *Black Bear* versenken wollten. Und was sie danach sagen würden. Paul hat gesagt, zwei seiner Leute sollten auf der Straße ein kleines Boot zum El Diablo Gris fahren, und er und Cass hätten genug zu tun, bevor sie zum Flughafen müßten.«

»Hat er auch gesagt, was er mit uns vorhatte?«

»Ich habe nichts davon gehört.« Sie wich seinem Blick aus.

»Macht nichts.« Gaunt fühlte, daß sie log, aber es war ihm egal. Sachte drängte er sie, weiterzusprechen. »Und was hast du dann getan?«

»Ich – ich hätte doch nicht zur Guardia Civil gehen können. Aber Sie haben gesagt, daß Sie Miguel und Tomas kennen. Also bin ich in die Bar Tomas gegangen und habe es ihnen erzählt.« Marta strich sich mit der Hand durch ihr langes, dunkles Haar, biß sich auf die Unterlippe und schaute einen Augenblick lang sehr verletzlich aus. »Paul würde es doch nicht merken, ob ich da bin oder nicht.«

Teils aus Mitleid, teils um ihr zuzustimmen, versuchte Miguel, sich zu räuspern. »Weil es Marta war, haben wir ihr geglaubt«, sagte er dann mit rauher Stimme. »Es wäre auch nicht mehr genügend Zeit gewesen, über irgend etwas lange nachzudenken, Señor Gaunt. Mein Vater sagte, ich sollte seinen Wagen nehmen, und wir sind hierhergefahren. Wir –«, er grinste, »– ich meine, sie hat gesagt, daß sie mitkommt, und wer würde ihr widersprechen angesichts dieses Ungeheuers, das sie bei sich hat und einen Hund nennt?«

»Niemand.« Hannah umarmte impulsiv die kleine Gestalt neben sich, dann warf sie einen Blick auf Gaunt. »Wenn sie immer noch vorhaben, zum Flugplatz zu fahren –«

Er nickte. »Miguel, ich möchte mir Ihren Wagen ausborgen. Können Sie hierbleiben und sich um alles kümmern?«

»Si.« Miguel nahm den Autoschlüssel aus der Tasche und warf ihn Gaunt zu. »Wir haben den Wagen etwas weiter unten geparkt. Aber denken Sie dran: Er gehört meinem Vater!«

»Ich werde ihn heil zurückbringen.« Dann schaute er Hannah an. »Und Sie?«

Sie schüttelte den Kopf. »Ich bin hier nützlicher. Außerdem fühle ich mich nicht in der Lage, mich in meinem Zustand irgendwo sehen zu lassen.«

Er lachte, winkte Marta zu und verschwand dann auf dem Weg durch die Felsen.

Der Wagen, ein alter, aber guterhaltener und gepflegter Ford, parkte im Schatten von ein paar verkrüppelten Bäumen etwa eine Meile weiter oben. Am Armaturenbrett hing eine kleine Vase mit frischen Blumen, und der Motor sprang beim ersten Drehen des Zündschlüssels an.

Gaunt setzte den Wagen in Bewegung, und das Fahren erschien ihm wieder als ein ungeheurer Luxus, während sich der Ford einen Weg bahnte über die mit Schlaglöchern übersäte Straße und die Klippen von El Diablo Gris hinter sich ließ.

Er mußte eine weitere Meile fahren, ehe der Feldweg in eine Straße mündete, wo Gaunt nach links einbog, in Richtung Puerto Tellas.

Wenn der Feldweg in schlechtem Zustand gewesen war – die Straße war nicht viel besser. Sie wand sich durch eine dunkle, vulkanische Landschaft, und das einzige Zeichen von Leben war eine große, braune Eidechse, die ein anderer Wagen überfahren hatte. Gaunt klammerte sich am Lenkrad fest und steuerte den alten Ford zwischen den schlimmsten Schlaglöchern hindurch; dabei dachte er an die Überraschung, die er Paul Weber bereiten würde.

Da er eine neue Lawine betrügerischer Rechnungen versenden lassen wollte, glaubte der Chef der Hispan, daß er es geschafft hatte. Er operierte auf einem Gebiet, wo der Gewinn hoch war und wo sich über Nacht und unglaublich leicht viel Geld machen ließ. Es war die Art von Gaunerei, bei der man darauf setzte, daß im Geschäftsleben alles nach Routine verlief und keiner sich die Mühe machte, bei jedem Vorgang nachzudenken und alles zu überprüfen.

Der Wagen schaukelte durch ein Schlagloch. Gaunt fluchte und dachte immer noch an diese Schwindelgeschäfte und an die Geschichten, die er darüber gehört hatte.

Auch wenn Paul Weber erst seit ein paar Jahren damit operierte, konnte man davon ausgehen, daß er ein sehr reicher Mann war. Einer, der in Kürze noch reicher werden würde.

Die Straße zog sich hin, dann tauchte ganz unvermittelt eine kleine Tankstelle mit einer einzigen Benzinpumpe auf. Warum sie hier stand und wer hier tankte, erschien Gaunt schleierhaft: Die Tankstelle hatte einen Telefonanschluß. Er hielt an, und die alte Frau, die hier bediente, legte ihr Strickzeug beiseite, führte ihn in ein

Hinterzimmer und gestattete ihm, ihr kostbares *telefono* zu benutzen.

Er wählte die Nummer des Hotels Agosto, kam gleich durch, ließ sich mit dem Zimmer von Roberto Farise verbinden, und Sekunden später war der Beamte aus dem Justizministerium am Apparat.

»Sie!« Er wirkte erschreckt, als er Gaunts Stimme hörte. »Wo, zum Teufel, sind Sie, und wo ist Hannah? Sie waren beide verschwunden, die Jacht ebenfalls –«

»Sparen Sie sich Ihre Fragen, bis wir uns persönlich sehen«, unterbrach ihn Gaunt. »Hannah ist am Strand von El Diablo Gris, das ist weiter im Süden der Insel. Sie bewacht vier von Webers Leuten. Können Sie ihr zu Hilfe kommen?«

»Geht es ihr gut?«

»Ja.«

»Warten Sie.« Farise sprach scharf mit jemandem, der sich in seinem Zimmer befinden mußte, dann meldete er sich wieder. »Und die Jacht?«

»Die wurde von Webers Leuten versenkt.«

»Ich verstehe.« Es klang düster, wie Farise es sagte. »Ich verstehe jetzt auch ein paar andere Dinge. Sonst noch was?«

»Weber...«

»*Si.* Wir wissen, wo er ist, und Teneriffa ist immer noch eine Insel.«

»Wir?« fragte Gaunt erstaunt und verscheuchte ein paar Fliegen, die sich ihm ins Gesicht gesetzt hatten.

»Ich habe mir ein paar von meinen eigenen Leuten hergeholt.« Farise brach wieder ab und sprach kurz mit dem Polizeibeamten, der bei ihm war. »Zwei fahren jetzt gleich zum El Diablo Gris. Wenn wir gegen Weber echte Beweise vorbringen könnten –«

»Sie sind sehr echt«, sagte Gaunt mit Nachdruck. »Aber ich möchte gern dabeisein. Wo kann ich Sie treffen?«

»Nicht im Agosto. Zu viele Leute würden Sie für ein Gespenst halten.« Farise lachte leise. »Sagen wir, im Jachthafen. Sie kennen meinen Wagen.«

Gaunt hängte ein, entkam den Fliegen und dankte der Frau auf dem Weg nach draußen. Sie blickte nicht einmal auf, sondern strickte einfach weiter.

Zwanzig Minuten später erreichte er Puerto Tellas und bog zum Jachthafen ab. Roberto Farises Lancia parkte allein in der Sonne, und Gaunt hielt daneben, stieg aus, schloß den Ford ab, ging dann unauffällig hinüber, öffnete die Tür des anderen Wagens und ließ sich neben Farise auf den Beifahrersitz sinken.

»Das ist Sergeant Pinar.« Farise deutete mit dem Daumen auf den großen Mann in Zivilkleidung, der hinter ihnen saß, wobei sein Kopf das Dach des Wagens berührte. Dann schaute er Gaunt an. »Na, war's schlimm?«

»Es gab ein paar unangenehme Augenblicke. Wohin fahren wir?«

»Zum Flugplatz, schlage ich vor.« Farise setzte den Lancia in Bewegung, während er sprach. »Weber und sein Freund Cass sind vor etwa fünf Minuten bei der Villa Hispan abgefahren. Sie haben drei große Koffer im Wagen. Zuvor waren sie auf der Plantage und im Büro der Hispan im Hotel Agosto.« Er fuhr ohne besondere Eile und schaute zwischendurch Gaunt immer wieder von der Seite an. »Keine Sorge. Er wird von einem zweiten Wagen verfolgt, und außerdem ist die Flugplatzpolizei verständigt.«

»Dann wollten Sie ihn ohnehin festnehmen?«

»Vielleicht, zu einem Verhör.« Farise zuckte mit den Schultern. »Aber als Sie und Hannah verschwanden – nun, da habe ich mich anders entschieden.«

»Das freut mich aber«, versuchte Gaunt zu scherzen. »Und Hannah vermutlich auch.«

»Glauben Sie?« Farise schaute ihn besorgt an. »Das höre ich gern. Sie ist eine wunderbare Frau.«

Sie ließen Puerto Tellas hinter sich und beschleunigten die Fahrt auf der Hauptstraße zum Flugplatz. Unterwegs stellte Farise viele Fragen.

»Es war unüberlegt von mir!« platzte es aus ihm heraus, und er schlug mit der Faust gegen das Lenkrad. »Ich hätte Sie nicht in dem Hotelzimmer zurücklassen dürfen...«

»Ich hätte es genauso gemacht«, beruhigte ihn Gaunt; dann bemerkte er, daß Farise sich beruhigte und nach vorn schaute.

Sie näherten sich einer Kreuzung. Der Wegweiser zum *Aeropuerto* zeigte nach links, aber die Kreuzung war verstopft, und gleich dahinter stieg eine leichte Rauchwolke zum Himmel. Die Fahrer der anderen Wagen waren ausgestiegen, standen herum und schauten sich um, unternahmen aber nichts.

Mit zusammengepreßten Lippen und ohne ein Wort zu sagen, fuhr Farise den Lancia so nahe wie möglich an den Verkehrsstau heran, hielt an, und sie stiegen alle drei aus. Ein Mann in einem grauen Anzug eilte auf sie zu, sprach leise und schnell ein paar Worte mit Farise, dann schaute er Sergeant Pinar an und zuckte mit den Schultern.

»Jonny.« Farise schluckte hart und gab das Zeichen, ihm zu folgen.

Sie gingen zu Fuß bis zur Kreuzung. Auf der einen Straßenseite fiel das Gelände ab, und in einer Senke wuchs niedriges Buschwerk.

Paul Webers weißer Mercedes oder das, was von ihm übriggeblieben war, lag ganz unten auf dem Dach und brannte. Karosserieteile waren auf der Straße und auf dem Hügel verstreut, der Wagen sah aus, als ob er in der Luft zerrissen worden wäre, und der Boden war überall mit Papierblättern übersät.

»Sie sitzen noch drin«, sagte Farise tonlos. »Es war eine Art Bombe, und sie ist hochgegangen, als der Wagen abbiegen wollte. Wenigstens wissen wir, wer die Insassen waren – jetzt wäre eine Identifikation nicht so einfach.«

Eines der Blätter flog auf ihn zu und blieb auf seinem Schuh liegen. Er bückte sich, hob es auf, warf einen Blick darauf und reichte es dann Gaunt. Es war der angekohlte Rest einer Rechnung für die Aufnahme in ein Telex-Verzeichnis.

»Das können Sie behalten«, sagte Farise. »Der Rest ist für mich.« Dann drehte er sich um und rief nach seinen Leuten.

Es wurde früher Abend, bis Gaunt zu Hannah ins Hotel kommen konnte. Einen Teil der Zeit hatte er mit Farise verbracht, während die beiden Toten aus dem Wrack des Mercedes geborgen wurden und die Sachverständigen der Polizei den Fall übernahmen. Ein uniformierter Offizier der Guardia Civil hatte von Gaunt eine Aussage verlangt, aber Farise hatte es abgebogen. Anschließend waren sie zur Plantage und zur Villa Hispan gefahren, und dabei hatten sie genügend Beweise entdeckt, die andeuteten, wie umfangreich Paul Webers Operationen gewesen waren.

Und nun war doch alles vergebens, dachte Gaunt.

Ein paar weitere Angestellte von Weber wurden festgenommen, und Milo Bajadas, die Schulter bandagiert, schwankte zwischen Heulen, Wehklagen und dem Ruf nach einem Anwalt hin und her.

Dann mußte Farise an die Arbeit, mußte Persönlichkeiten der Polizei und andere aufgeregte Vertreter der Öffentlichkeit informieren und ihnen mitteilen, was geschehen war. Gaunt wurde in einem Wagen der Polizei in sein Apartment gefahren und stellte fest, als er auf den Balkon ging, daß der alte Ford nicht mehr unten am Jachthafen stand. Er nahm eine Dusche, bediente sich mit einem Schluck Cognac aus dem Getränkevorrat des Apartments, ging dann hinüber zum Agosto und fuhr im Lift hinauf in Hannahs Zimmer.

Sie öffnete die Tür, schaute ihn einen Moment lang schweigend an, dann nickte sie und winkte ihn herein.

»Marta ist hier«, sagte sie leise. »Sie weiß alles, und wir haben uns lange miteinander unterhalten.«

Er sah, daß Hannah den Bluterguß so gut es ging mit Make-up kaschiert hatte. Sie hatte sich umgezogen und frisiert; wenn er nicht mit eigenen Augen gesehen hätte, was sie durchgemacht hatte – er hätte es nicht geglaubt, daß sie identisch war mit der Frau, die vor ein paar Stunden von der *Black Bear* an Land gekommen war.

»Sie sehen prächtig aus«, staunte er und meinte es auch so.

Sie lächelte und führte ihn hinein. Marta saß draußen auf dem Balkon, und Oro schlief zu ihren Füßen. Sie hatte geweint, ihre Augen waren noch gerötet, aber jetzt wirkte sie gefaßt.

»Es tut mir leid, Marta«, sagte Gaunt mitfühlend und beugte sich zu ihr hinunter.

»*Gracias*, Jonny.« Sie blickte auf, nahm sein Gesicht zwischen beide Hände und küßte ihn auf die Wange. »Hannah hat mir alles erzählt. Es war nicht Ihre Schuld.«

Oro stieß ein fragendes Knurren aus. Als Gaunt zurücktrat, erhob sich der große Hund und legte seinen Kopf in den Schoß des Mädchens.

»Jonny.« Hannah winkte ihn hinein ins Zimmer. »Haben Sie das gesehen?« Sie hatte Martas goldenen Anhänger in der Hand. Er nickte.

»Fraser hat ihn ihr geschenkt.«

»Das hat sie mir erzählt.« Sie sprach leise, aber mit einer merkwürdigen Erregtheit. »Er hat es in New York bei Tiffany gekauft. Und das hat Ihnen nichts gesagt?« Er schüttelte den Kopf.

»Dachte ich mir doch – davon haben Sie keine Ahnung.« Sie lachte. »Erinnern Sie sich, was Weber sagte: daß Fraser ihm gedroht hat?«

»Wegen dem Boot…«

»Weber hat sich getäuscht. Oder besser, er meinte das falsche Boot.« Hannah hielt ihm den Anhänger unter die Nase. »Hier ist doch auch ein Boot, oder? Und wissen Sie, was hinten draufsteht?«

»Der Name Tiffany und der Goldstempel.« Er versuchte zu verstehen, worauf sie hinauswollte, hatte aber keine Ahnung.

»Das ist ein auf Bestellung angefertigtes Schmuckstück«, erklärte sie geduldig. »Und das hinten ist nicht nur der Goldstempel – daneben steht auch noch eine Entwurfsnummer.«

»Na und?« Gaunt starrte sie an und begann langsam zu begreifen.

»Eines muß man natürlich wissen: daß Tiffany ein Kundenregister führt. Und wenn man sich auch nur ein lächerliches, billiges Stück dort kauft, für ein paar Dollar – man kommt in das Register, mit dem Namen und der Adresse, die man selbst angibt. Falls das Schmuckstück gestohlen wird und irgendwo wieder auftaucht, kann man den Besitzer über die Nummer ermitteln, und Tiffany meldet sich bei der im Register angegebenen Adresse. – Ich habe den halben Nachmittag damit verbracht, es herauszufinden – in teuren Telefongesprächen mit Edinburgh, weil Henry über die entsprechenden Verbindungen verfügt.« Sie ließ eine Pause entstehen, hielt den Anhänger an der Kette in der Hand und schaute hinaus auf den Balkon. »Die Entwurfsnummer ist zugleich die Nummer eines Kontos auf einer Schweizer Bank. Wenn man dieser Bank die Nummer auf der Rückseite nennt, stellt sie das Geld auf dem Konto zur Verfügung. Das Konto lautet übrigens auf die Namen Peter Fraser oder Marta Maria Weber.«

»Ist das legal?«

»Ja. Es heißt, das Konto umfaßt eine halbe Million Schweizer Franken und einen Safe.« Hannah schüttelte ungläubig den Kopf. »Und Sie kennen ja die Schweizer: Niemand wird beweisen können, woher das Geld stammt.«

»Wer würde schon danach fragen?« Gaunt atmete tief ein. »Sie vielleicht?«

»Ich?« Sie schüttelte den Kopf. »Ich bin nur eine Privatsekretärin. Soll ich es Maria sagen?«

»Später.« Gaunt dachte an Edinburgh, an einen anderen Menschen, der ihm wichtig war. »Hannah, als Sie mit Henry gesprochen haben –«

»Diese Kanadierin?« Hannahs Lächeln schwand, und sie zögerte. »Jonny, ich habe von mir aus danach gefragt. Es geht ihr gut, sie wird sich wieder wie früher bewegen können. Aber –«

»Ja?«

Hannah zuckte mit den Schultern. »Ich glaube nicht, daß sie Ihnen alles gesagt hat. Es gibt – nun ja, sie hat einen Freund. Er ist gestern von Kanada nach Edinburgh geflogen und spricht davon, sie zu heiraten, sobald sie das Krankenhaus verlassen kann. Sie – na ja, Sie wissen, so etwas kommt nun mal vor.«

»Das kommt vor, ja«, antwortete Gaunt steif.

Dann merkte er, daß er unwillkürlich grinste. Hannah schaute ihn besorgt an.

»Ich mußte gerade an etwas denken«, sagte er mit einem schiefen Lächeln. »Sie wissen doch, was das bedeutet? Ich bin eben mit knapper Not dem Stammbaum der Frasers entkommen.«

Später am Abend hatte er es nicht ganz so leicht auf dem Revier der Guardia Civil, wo er gegenüber von Roberto Farise an einem großen Holztisch saß und ihm Rede und Antwort stehen mußte.

»Ich habe da eine Geschichte, die nur eine halbe Geschichte ist«, sagte Farise knapp. »Es gibt weiße Stellen, und Hannah meint, daß sie sie nicht ausfüllen kann. Ich muß ihr das glauben.«

»Weiße Stellen?« fragte Gaunt.

»Weiße Stellen«, wiederholte Farise. »Erstens das, was auf Webers Plantage geschah. Eine Explosion – und seine Leute beschwören, daß daran zwei Männer beteiligt gewesen sind. Aber Sie behaupten, daß Sie allein dort waren und daß es so etwas wie ein Feuer gegeben hat. Ist das richtig?«

»So erinnere ich mich«, bestätigte Gaunt.

»Und dieser Miguel Reales, der Sie beide gerettet hat: Den wollen Sie rein zufällig kennengelernt haben?«

Gaunt nickte. »Sein Vater besitzt eine Bar.«

»Das weiß ich.« Farise schlug hart und wütend mit der flachen Hand auf den Tisch. »Genau wie ich einige andere Dinge weiß – und obendrein kann ich manches erraten.«

»Zum Beispiel?«

»Bleiben wir lieber bei den Fakten. Die Bombe in Webers Wagen war klein, aber wirksam – vermutlich eine Militär-Handgranate. Sie wurde von einer einfachen, funkbetriebenen Fernzündung ausgelöst. Sehr wirksam, wenn auch nur auf geringe Entfernungen.«

»Also muß sich der Attentäter die Stelle gut ausgesucht haben«, murmelte Gaunt. »Sind Sie sicher, daß sonst niemand dabei verletzt wurde?«

»Es ging alles sehr sauber und zivilisiert«, stimmte ihm Farise spöttisch zu. »Fragt sich nur, woher dieser Jemand wußte, daß Weber zum Flughafen fuhr und dort vorbeikommen würde. Glücklicherweise weiß ich wenigstens genau, wo Sie waren und was Sie taten.«

Er stützte den Kopf auf die Hände, dann blickte er auf. »Jonny, ich werde melden, daß dieser Paul Weber viele Feinde und viele kriminelle Rivalen hatte. Daß ich einen dieser Rivalen für die Explosion in seinem Wagen verantwortlich mache und daß kaum eine Chance besteht, ihn aufzuspüren. Haben Sie verstanden?«

»Ja, ich glaube schon«, sagte Gaunt vorsichtig.

»Natürlich, und sehr genau.« Farise lehnte sich zurück, verschränkte die Arme und zog die Stirn in Falten. In seinen Augenwinkeln war ein Zwinkern zu erkennen. »Dafür müssen Sie etwas für mich tun – für uns beide. Sie wollten doch morgen zurückfliegen?«

Gaunt nickte.

»Dann sehen Sie zu, daß Sie im Flugzeug sind, bevor Ihnen jemand, der intelligenter ist als ich, weitere Fragen stellen kann.«

»Ich glaube, darauf können Sie sich verlassen, Bobi«, versprach Gaunt.

Dann streckte er ihm die Hand entgegen. Farise grinste und drückte sie ihm.

Die Station der Guardia Civil befand sich im alten Teil der Ortschaft. Obwohl es kurz vor Mitternacht war, als er dort wegging, war die Bar Tomas noch offen. In der Bar saßen nur ein paar Gäste, und hinter der Theke bediente Miguel.

Gaunt setzte sich an einen Tisch. Nach zwei Minuten kam Miguel zu ihm herüber mit einer Brandyflasche und einem Glas.

»Einen Drink, Señor?« Er füllte das Glas bis zum Rand.

»Sie auch«, lud ihn Gaunt ein.

»*Gracias*, vielleicht später.« Der junge Mann sprach absichtlich laut. »Sehen Sie, mein Vater hatte diesen Unfall mit dem Arm – nicht schlimm, aber schmerzhaft. Also bleibt er zu Hause, und ich bin heute abend allein.«

»Ich muß morgen abfliegen«, sagte Gaunt leise. »Und ich bin hergekommen, um mich zu bedanken – bei Ihnen beiden.«

»Nicht nötig.«

»Und um eine Frage zu stellen.« Gaunt trank den Brandy und schaute Miguel dabei über den Rand des Glases hinweg scharf an. »Wie haben Sie es geschafft?«

»Was denn, Señor?« Miguel blickte düster auf den Tisch, zog dann ein Tuch hervor und wischte einen imaginären Fleck weg. »Mein Vater wird noch ein paar Tage nicht arbeiten können, aber es macht ihm nichts aus. So hat er etwas Zeit für sein Hobby.«

»Sein Hobby?« Gaunt zog die Augenbrauen hoch.

»*Si.*« Miguel nahm das Tuch weg. »Er repariert altes Spielzeug. Dann schenkt er es der Kirche, für die Armen – Uhren und so, mechanisches Spielzeug, manchmal auch etwas Raffinierteres, das mit Batterien und kleinen Sendern betrieben wird. Er hat viel Freude daran, Señor Gaunt.«

»Ein Mann braucht Beschäftigung.« Gaunt trank aus und stand auf. »Bestellen Sie ihm meine besten Grüße.«

Hannah verabschiedete sich am nächsten Vormittag auf dem Flugplatz Reina Sofia von Gaunt. Farise war mitgekommen unter dem Vorwand, dafür zu sorgen, daß Gaunt unbehelligt sein Flugzeug erreichte, hielt sich dann aber im Hintergrund.

Hannah wollte noch ein paar Tage auf der Insel Ferien machen, wie sie Falconer am Telefon mitgeteilt hatte. Sie brauche Zeit, um sich zu erholen, und außerdem gebe es noch ein paar Kleinigkeiten, die sie erledigen könne.

Das erklärte sie jedenfalls Gaunt. Sie winkte zum Abschied von der Halle aus, als Gaunt zum Rückflug nach London an Bord einer Maschine der Iberia ging. Roberto Farise stand neben ihr.

Gaunt lehnte sich zurück, während die Maschine startete und an Höhe gewann. Es war nicht nötig, daß er Falconer allzuviel von Farise berichtete. Falconer hatte Sorgen genug.

Eine Stewardeß kam und brachte die britischen Tageszeitungen. Gaunt bestellte sich einen Whisky und schlug dann den Wirtschaftsteil auf.

Er brauchte einen neuen Wagen, und das würde einiges kosten. Zugleich überlegte er sich, ob er nicht etwas Geld in Zinn investieren sollte.

Besser als gar nichts, dachte er – mit Gold zu spekulieren, konnte er sich leider nicht leisten.